SYLVIA DAY
MARCA DA ESCURIDÃO

Tradução
CARLOS SLZAK

COPYRIGHT © 2009, BY SYLVIA DAY
COPYRIGHT © FARO EDITORIAL, 2015

Todos os direitos reservados.
Nenhuma parte deste livro pode ser reproduzida sob quaisquer meios existentes sem autorização por escrito do editor.

Diretor editorial PEDRO ALMEIDA
Preparação LIGIA AZEVEDO
Revisão GABRIELA ÁVILA
Capa e diagramação OSMANE GARCIA FILHO
Imagem de capa JEFF THROWER | SHUTTERSTOCK

Dados Internacionais de Catalogação na Publicação (CIP)
(Câmara Brasileira do Livro, SP, Brasil)

Day, Sylvia
 Marca da escuridão / Sylvia Day ; tradução Carlos David Szlak. — Barueri, SP : Faro Editorial, 2015. — (Série marked)

 Título original: Eve of darkness.
 ISBN 978-85-62409-35-6

 1. Erotismo 2. Ficção norte-americana I. Título. II. Série.

15-01188   CDD-813

Índice para catálogo sistemático:
1. Ficção : Literatura norte-americana 813

1ª edição brasileira: 2015
Direitos de edição em língua portuguesa, para o Brasil, adquiridos por FARO EDITORIAL

Alameda Madeira, 162 – Sala 1702
Alphaville – Barueri – SP – Brasil
CEP: 06454-010 – Tel.: +55 11 4196-6699
www.faroeditorial.com.br

Uma história só floresce e se transforma em livro quando um editor gosta dela. Um livro publicado não chegará a muitos leitores se não for promovido por seu editor. Um autor não abre suas asas destemidamente sem a proteção de um editor que o apoie e seja paciente com ele.

Sou grata a Heather Osborn por seu entusiasmo com a série Marked. Não há nada no mundo como ter uma editora cujos sonhos e expectativas são tão ilimitados quanto os seus.

Obrigada, Heather.

"*O pecado o ameaça à porta; ele deseja conquistá-lo, mas você deve dominá-lo.*"

O Senhor para Caim, Gênesis 4,7

O DIABO MORA NOS DETALHES.

Naquele instante, Evangeline Hollis entendeu o verdadeiro significado desse provérbio, cercada, como estava, por centenas de satanistas. Alguns usavam bonés do Seattle Seahawks; outros usavam camisetas do San Diego Chargers. Todos tinham tatuagens tribais na pele, revelando a espécie de amaldiçoados que eram e a posição que ocupavam na hierarquia do Inferno. Aos olhos poderosos de Evangeline, parecia um festival de pecadores. Eles estavam bebendo cerveja, devorando nachos e agitando mãos gigantes de espuma.

Tratava-se de um jogo no Qualcomm Stadium. Era um dia típico do sul da Califórnia: ensolarado e quente, com a temperatura de vinte e oito graus amenizada por uma brisa fresca. Os simples mortais que estavam em meio aos Demoníacos, em bem-aventurada ignorância, só curtiam o jogo de futebol americano. Para Eva, a cena era macabra. Era como ver lobos famintos tomando sol ao lado de cordeiros. Sangue, violência e morte eram os resultados inevitáveis de qualquer interação entre essas espécies.

— Pare de pensar neles.

A voz grave e sensual de Alec Caim fez Eva se arrepiar por dentro; por fora, ela lhe lançou um olhar triste por cima dos óculos escuros. Alec queria que Eva ignorasse os inimigos quando não estivessem caçando. Como se fosse fácil ignorar Fadas, Demônios, Magos, Lobisomens, Dragões e suas milhares de variações.

— Tem uma mulher amamentando o filho perto de um Demônio — Eva murmurou.

— Anjo — o apelido pelo qual Alec a chamava a deliciava —, é nosso dia de folga.

Eva bufou e desviou o olhar. Medindo quase um metro e oitenta e cinco, Alec era dotado de um tórax saliente e um abdômen bem definido, perceptíveis através da camiseta branca justa. Ele tinha pernas longas e musculosas, deixadas à mostra pela bermuda. E os bíceps, tão bem modelados, eram invejados pelos homens e cobiçados pelas mulheres.

Alec era seu namorado… de vez em quando. Como um doce, ele era muito gostoso, mas em excesso provocava um choque hiperglicêmico que a deixava confusa e cambaleante. Alec também arruinara a vida que Eva planejara ter. Ela aspirara ser designer de interiores, não caçadora de Demoníacos.

— Como se fosse fácil — Eva resmungou. — Como posso tirar folga quando estou cercada de trabalho? Além disso, eles fedem, mesmo quando os ignoro.

— Eu só sinto o seu cheiro — Alec falou baixinho, inclinando-se para esfregar o nariz no rosto dela. — Humm!

— Eles estão por toda a parte. Fui ao McDonald's ontem e a garota que me atendeu era uma Fada. Não consegui comer meu Big Mac.

— Aposto que conseguiu comer as batatas — Alec brincou. Tirando os óculos escuros, ele olhou para ela com uma expressão melancólica. — Há uma diferença entre ficar alerta e paranoica.

— Sou cautelosa, só isso. Até achar um jeito de cair fora desse negócio, vou fazer o melhor que posso.

— Você me enche de orgulho.

Eva suspirou. Ter Alec como mentor tinha sido uma má ideia, não só porque era o equivalente a um teste do sofá em Hollywood aos olhos da maioria dos Marcados. Embora o verdadeiro teste do sofá envolvesse a concessão de favores sexuais por um papel que alguém *quisesse*, ninguém queria a marca de Caim.

A hierarquia dos Marcados tinha na base os novatos e no topo Alec, o Marcado original e mais agressivo de todos. Não havia jeito de superá-lo. Também não havia jeito de trabalhar com ele. Alec era o perfeito solitário. No entanto, ali estava Eva, uma novata de apenas seis semanas na linha de frente, situada solidamente no topo, pois ele não confiava em ninguém mais para cuidar de sua segurança. Ela era muito importante para ele.

Os outros Marcados achavam que trabalhar com o principal fiscal de Deus era moleza. Embora fosse verdade que os Demoníacos não mexessem com Alec, a menos que quisessem morrer, isso não tornava as coisas mais fáceis. Naquele momento, eles viam Eva como uma maneira de atingi-lo. Para piorar as coisas, Alec fora marcado fazia tanto tempo que se esquecera do que era ser novato. Ele esperava que Eva simplesmente soubesse de algumas coisas e ficava frustrado quanto percebia que ela não sabia.

Alec apertou a mão dela e disse: — O que aconteceu com a garota que queria esquecer tudo por algumas horas?

— Isso foi antes de ela ter sido raptada e quase explodida em pedacinhos. — Eva ficou em pé. — Volto logo. Preciso ir ao banheiro.

Alec pegou o pulso dela. Eva ergueu a sobrancelha.

— Anjo —, Alec beijou sua mão e disse: — quando digo para parar de pensar neles, não é porque quero que viva em um mundo de fantasias. Só quero que veja as coisas boas ao seu redor. Você viu uma mãe amamentando um bebê, mas não viu o milagre nisso. Estava ocupada olhando o demônio perto dela. Não dê a eles o poder de arruinar seu dia.

Enrugando a testa, Eva absorveu as palavras de Alec e concordou com um gesto de cabeça. Ele vivia com a marca desde a aurora dos tempos, mas ainda conseguia enxergar milagres. Ela poderia tentar.

— Volto já — disse.

Alec a soltou. Eva avançou lentamente entre os espectadores sentados na fila deles, chegou aos largos degraus de cimento e os subiu correndo. Ela ainda se maravilhava com a velocidade, força e agilidade que ganhara com a marca gravada em seu braço. Sempre fora atlética, mas agora tinha se transformado em uma supermulher. Bem, ela não era capaz de voar. No entanto, conseguia pular muito alto, enxergar no escuro e derrubar portas, talentos que jamais imaginara que seriam necessários.

Chegou ao corredor e seguiu a sinalização até o banheiro mais próximo. A fila estava um pouco longa, mas, felizmente, ela podia esperar. Só queria se afastar um pouco de seu assento.

Ficou esperando pacientemente com as mãos nos bolsos. Uma brisa ocasional balançava seu rabo de cavalo e carregava o cheiro misturado das almas diabólicas, um fedor que embrulhava seu estômago, algo entre cocô fresco e em decomposição. O fato de Desmarcados não sentirem o cheiro fétido a surpreendia.

Como Eva vivera vinte e oito anos de sua vida em completa ignorância? Como Alec vivera séculos plenamente consciente dessas coisas?

— Mãe! — O garotinho na frente de Eva estava trançando as pernas e se sacudindo de desespero. — Não aguento mais — ele informou.

Embora a mulher parecesse irmã do menino, Eva não ficou surpresa. Muitas californianas não envelheciam. Tornavam-se caricaturas plastificadas de sua aparência na juventude. Aquela era uma loira tingida com um bronzeado perfeito, seios imensos para um corpo bem franzino e boca esticada.

A mãe olhou ao redor.

— Por que você não me deixa ir ao banheiro dos homens? — o menino perguntou.

— Não posso entrar lá com você.

— É só um minuto!

Eva achou que o menino tinha cerca de seis anos; ou seja, idade suficiente para fazer xixi sozinho. No entanto, ela entendia a preocupação materna. Um menino fora morto em um banheiro público em Oceanside enquanto sua tia o esperava do lado de fora. O Demônio que planejou aquele horror tinha utilizado o truque mais velho da Bíblia: fingira que era Deus.

A mãe hesitou por algum tempo, mas, então, concordou com um gesto de cabeça. — Não demore. Você pode lavar as mãos no banheiro feminino.

O menino passou rapidamente pelos bebedouros e entrou no banheiro masculino. Eva deu um sorriso em solidariedade à mãe. A fila andou um pouco. Duas adolescentes se colocaram atrás de Eva. Estavam vestidas de acordo com a moda: regatas sobrepostas e calça jeans de cintura baixa. Um perfume caro saturou o ar em torno delas, criando uma sensação de alívio bem-vindo contra o cheiro de decadência. No estádio, a multidão urrava. Um dos defensores do San Diego era um Lobisomem. A julgar pelos uivos em alta frequência dos Demoníacos na multidão, ele fizera algo merecedor de aplausos.

— Por que a fila está tão grande? — perguntou a garota atrás de Eva.

Eva deu de ombros, mas a mulher a sua frente respondeu, apontando para a esquerda: — O outro banheiro está fechado para manutenção.

A marca gravada no braço de Eva começou a latejar e, em seguida, a queimar. Ela suspirou e abandonou a fila. — Pode ficar com meu lugar. Não estou tão apertada.

— Obrigada — disse a adolescente.

Eva dirigiu-se para a esquerda, resmungando para si mesma: — Dia de folga!

— Você estava entediada, querida — murmurou uma voz familiar.

Dando uma olhada para o lado, Eva percebeu Reed Abel a acompanhando, com a boca curvada em um sorriso malévolo, escondendo as asas e o halo que ocasionalmente ostentava para chocar. Ele era um *mal'akh*, mas não havia nada de muito angelical no irmão de Alec.

— Mas não queria ser convocada para o trabalho. — Reed era o encarregado das missões de Eva, o que era um truque sujo, na opinião dela. Por que Deus permitia e estimulava a discórdia entre os irmãos estava além de sua compreensão.

— Podíamos explodir essa barraca de tacos — Reed sugeriu. — Seria uma diversão bem quente pra nós dois.

Eva não se envolveria com aquilo. Como seu irmão, Reed sabia deixar uma garota louca no bom e no mau sentido. — Você está brincando a respeito da missão, não está? Precisa de mim para algo mais substancial ou não?

— Antes você achava isso substancial o bastante — Reed afirmou, piscando de forma travessa.

— Não seja rude. Não serei o brinquedo da vez pelo qual você e seu irmão brigam. Encontre alguma outra garota para brincar.

— Não estou brincando com você.

Havia algo de sincero no tom dele. Por necessidade, Eva ignorou, embora algumas partes dela, menos cautelosas, tivessem se animado.

— O banheiro? — ela perguntou, quando percebeu a placa de sinalização amarela dizendo EM MANUTENÇÃO.

— Sim. — Reed agarrou o braço dela e a puxou para mais perto. — Raguel acha que chegou o momento de complementar seu treinamento em sala de aula. Vou procurar Caim.

Eva tinha caído na jurisdição do arcanjo Raguel. Ele era o fiador, Reed era o despachante e ela era a caçadora de recompensas. Era um sistema bem ajeitado, mas o caminho fora acidentado desde o início.

Inspirou profundamente. O cheiro cáustico de um Demoníaco irritou seu nariz. — Sabe, é como mandar uma estudante de medicina para uma neurocirurgia no dia em que lê sobre isso pela primeira vez.

— Você não conhece seus pontos fortes, querida.

— Sei quando estão me sacaneando — Eva disse, fuzilando Reed com os olhos.

— Você está se saindo muito bem até agora. É um Lobisomem e você sabe cuidar bem deles. Mas tome cuidado.

— É fácil falar, não? Você não está arriscando sua pele.

Reed deu um beijo rápido, mas quente, na testa de Eva. — Arriscar a sua já é o suficiente. Confie em mim.

Contornando a placa, Eva entrou no banheiro masculino, lamentando o fato de que estava usando sua sandália favorita. Devido aos rigores do "trabalho" dela, começara a usar botas sempre que saía de casa, mas Alec a convencera a usar algo casual naquele dia. Se arrependimento matasse, ela pensou.

O cheiro de amônia dos restos de urina invadiu suas narinas. Foi fácil achar o alvo. Ele estava no centro do recinto, sozinho. Um Lobisomem adolescente, sinistramente familiar.

— Lembra-se de mim? — ele perguntou, sorrindo.

O rapaz era alto e magro, com um rosto longo e comum. Usava uma blusa de moletom com capuz cinza e um jeans tão baixo que deixava a bunda exposta. Uma mancha escura cobria seu rosto e se acomodava sobre sua bochecha esquerda, com espirais em torno de uma forma de diamante. Como a marca no braço dela, funcionava como uma insígnia militar.

Eva logo o reconheceu e, então, sentiu um calafrio percorrer sua espinha. — Você não deveria estar no norte da Califórnia com sua alcateia?

— O Alfa me mandou aqui para um acerto de contas. Ele acha que Caim precisa aprender o que é perder alguém que ama.

— Não houve jeito de salvar o filho dele — Eva afirmou. — Caim não escolhe sua caça. Ele segue ordens.

— Caim fez um acordo. Por você. E não cumpriu a parte dele.

Eva ergueu a sobrancelha, em sinal de dúvida. Alec jamais mencionara um acordo por ela. Mas investigaria aquilo depois. Havia uma questão mais imediata. — Você acha que consegue dar conta de mim sozinho?

— Eu trouxe um amigo — ele disse, dando um sorriso largo.

— Ótimo. — Aquilo não era bom.

Nos fundos do banheiro, a porta da grande cabine para pessoas com deficiência se abriu de repente. Algo absolutamente assustador surgiu. *Puta merda.* O cheiro de um Demoníaco imenso podia ser sentido a quilômetros. No entanto, o único cheiro que Eva sentira antes fora o do jovem Lobisomem.

O Dragão não tinha feito a mudança por completo. Usava calça e sapatos, e cabelos pretos cobriam sua cabeça. Contudo, a boca era um focinho saliente com dentes afiados, os olhos eram os de um lagarto e as partes visíveis do corpo estavam cobertas com escamas.

— Você tem um cheiro bem gostoso — ele bradou.

Eva ouvira falar que os Marcados tinham um cheiro levemente doce para os Demoníacos, o que a tinha feito sorrir por dentro. Não havia um Marcado doce. Todos eram amargos. — Você não tem cheiro de nada — ela disse.

Falhamos, Eva pensou, com uma sensação ruim. Os Demoníacos ainda tinham meios de se ocultar na multidão.

— Genial, não? — o Lobisomem comentou. — Vocês não conseguiram eliminar nossa operação.

O Dragão rugiu, e um som apavorante e ensurdecedor ecoou no espaço confinado do banheiro. Mas os humanos não eram capazes de ouvi-lo e os tímpanos de Eva eram indestrutíveis, apesar de sua sensibilidade celestial. Outra dádiva concedida pela marca. O Dragão empurrou o Lobisomem para o lado e avançou na direção dela.

— Imagino que seja a deixa para eu partir — o Lobisomem disse para Eva. — Vou dizer ao Alfa que você mandou lembranças.

Eva fixou o olhar nele e disse: — Pode dizer que mexeu com a garota errada.

O Lobisomem sorriu e partiu. Eva quis poder fazer o mesmo.

Por causa de sua ousadia, estava em uma situação delicada. Se ela tivesse uma reação física humana ao estresse, sentiria falta de ar e o coração dispararia. Sem sombra de dúvida, ela estaria sofrendo ao final do confronto, se ainda estivesse viva. Uma pessoa religiosa rezaria para que Alec aparecesse logo ali, mas aquela não era uma opção para Eva. O Todo-Poderoso fazia exatamente o que Ele queria e nada mais. O objetivo da reza era fazer o suplicante achar que estava agindo. Mas Eva sabia que estaria apenas desperdiçando seu fôlego.

— Onde está Caim? — o Dragão rosnou, aproximando-se de Eva com seu andar pesado e desajeitado. — Sinto o fedor dele em você.

— Está assistindo ao jogo, que é o que você deveria estar fazendo. — Eva não podia se arriscar a dizer que Alec estava vindo ajudá-la. O Dragão poderia matá-la rapidamente e cair fora. Em sua aparência mortal, sem nenhum cheiro para denunciá-lo, ele escaparia facilmente de Alec. No entanto, se achasse que tinha tempo, poderia demorar. Os Demoníacos gostavam de brincar com a presa.

— Preciso comer alguma coisa. — A voz do Dragão era tão gutural que ela quase não conseguia entender o que ele dizia. — Você vai servir.

— Experimentou os nachos? — Eva sugeriu, cerrando os punhos. Lá no fundo dela, havia força. Ânsia e agressividade também. Eram abjetas e animalescas; de modo algum o tipo de violência elegante que Eva esperava que Deus empregasse na destruição dos inimigos. Era brutal... e viciante. — As tortilhas são velhas e o queijo é muito ruim, mas é menos perigoso para a saúde.

O Dragão bufou, lançando uma rajada de fogo do focinho. — Ouvi falar de você. Não é uma ameaça para mim.

— Sério? — Eva franziu a sobrancelha, denotando uma dúvida zombeteira. Os Demoníacos utilizavam sarcasmo, subterfúgios e mentiras a seu favor. Eva também. — Quando foi a última vez que ouviu falar de mim? O Inferno tem um boletim informativo? Uma sala de bate-papo virtual? Caso contrário, você está desatualizado.

— Você é metida. E burra. Acha que as confusões que armam em Upland a tornam uma heroína? O Inferno é como a Hidra. Corte uma cabeça, duas surgem em seu lugar.

Eva sentiu um nó no estômago. — Então, mais cabeças para cortar — ela disse, com um ligeiro tremor.

O Dragão levantou as mãos, exibindo as garras afiadas que cresciam nas pontas dos dedos. Ele olhou de soslaio e deixou escorrer saliva da mandíbula aberta. — Você é uma criança. Deve ser suculenta e macia.

— Uma criança? — Eva zombou, resistindo à vontade de recuar. — Você tem alguma ideia do que passei nessas últimas seis semanas? Meu trabalho me transformou. — Eva se aprumou, ergueu os punhos e respirou fundo. Aquilo iria doer. Pronto para ver por você mesmo?

Dilatando o peito, o Dragão completou a transformação, assumindo sua aparência natural. Ele se avultou sobre Eva, a cabeça sobre o pescoço longo e elegante curvado para não bater no teto. Era uma bela criatura, com escamas iridescentes e linhas esbeltas. O problema era que aquela pele impressionante era como cimento. Qualquer tentativa de chutá-lo ou golpeá-lo só geraria dor; nela, não nele.

Sua pele é quase invulnerável, Raguel tinha ensinado em Introdução a Dragões. *Os pontos fracos são o tecido entre os dedos dos pés, as juntas que ligam as patas dianteiras ao tronco, os olhos e o reto. O primeiro ponto fraco não provoca ferimentos mortais; o segundo e o terceiro exigem uma proximidade que é capaz de matar; e o quarto... bem... você não vai querer chegar perto dele.*

Estendendo a mão, Eva pediu uma arma. Uma espada apareceu, flutuando no ar, incandescente, exceto o punho. Fogo. Fogo no Inferno, fogo no Céu, fogo escapando das narinas do Dragão, forçando Eva a dar um pulo para trás para não se queimar.

Piromaníacos, muitos deles.

Se Eva tivesse escolha, teria preferido seu revólver. Porém, ela não podia portá-lo o tempo todo e o Todo-Poderoso preferiu a espada em chamas. Ninguém podia dizer que Deus não tinha talento para o teatro. Ele conhecia seus pontos fortes, e um pouco de intimidação flamejante era um deles.

O Dragão riu, gargalhou ou engasgou... Não importava. Ele não tinha ficado impressionado. Nervosa, Eva dobrou o pulso e ergueu o peso substancial da espada para se preparar para a luta. Tinha começado como uma das piores da turma no manejo da espada. Mas tinha melhorado a cada dia, e agora era razoavelmente competente naquilo.

— Você não me acertou — Eva provocou o Dragão, assustando-se quando suas sandálias grudaram no piso pegajoso. Tinha sido uma péssima escolha de calçado.

Uma das muitas coisas que ela aprendera com aquele trabalho era que uma aparência adequada era muito útil para ocultar suas deficiências. Os inimigos podiam sentir seu medo e tirar proveito dele. Surpreendê-los com um pouco de atrevimento era, às vezes, a única maneira de obter alguma vantagem.

O Dragão deu um passo na direção dela, as garras entalhando os ladrilhos e o peso fazendo tremer o chão. As chamas tinham esquentado o recinto, mas Eva não suava. Não podia; seu corpo agora era um templo.

A besta rugiu com um propósito terrível. Eva deu um salto, para fugir, e a reação foi uma chicotada da cauda, que ostentava uma escama pesada e dura na extremidade, podendo ser utilizada como clava. Eva conseguiu escapar, cambaleando, momentos antes de a cauda atingir o ponto em que estivera.

O Dragão virou, a cauda arrancando as pias da parede. Eva correu para o lado dele e conseguiu cortar uma das escamas com um golpe apressado da espada.

A besta tinha demolido o banheiro, e ela fizera apenas um corte insignificante nele.

— Sua vagabunda! — ele berrou, aparentemente, desatento para a água jorrando loucamente dos canos quebrados. A intensidade do ódio e da malevolência nos olhos do réptil contribuiu para o crescente endurecimento da alma de Eva, que a transformava de modo lento e permanente.

Sua fúria cresceu e se sobrepôs a seu pânico. Demoníacos como aquele eram muito mais avançados que Marcados. Se ele não tivesse disfarçado seu cheiro, Eva não estaria lutando contra ele.

Ela estava ferrada. E estava cansada de se molhar. Todo Demoníaco com que topava a deixava ensopada.

— Reed. — A voz não parecia dela. Era mais grave e mais profunda, na linguagem dos Marcados. O tom, conhecido como arauto, era instintivo e indecifrável para os Demoníacos. — Depressa! Estou em apuros!

A sensação de uma brisa quente de verão a alcançou: era a resposta de Reed.

Levantando o braço livre para manter o equilíbrio, Eva começou a simular ataques e defesas, com o tronco posicionado de lado para reduzir o alvo. Ela se escondeu atrás da espada quando outra labareda escapou das narinas do Dragão e gritou quando o dorso da mão ficou chamuscado. O ferimento sararia rapidamente, mas aquilo não impedia a dor inicial.

Eva recuou, tropeçou sobre ladrilhos quebrados e gemeu quando um pedaço afiado atravessou a sola da sandália e penetrou fundo no calcanhar. O calor viscoso e a sensação escorregadia na sola denunciaram a perda de sangue. O Dragão rugiu em triunfo com o cheiro dos ferimentos de Eva e trincou os dentes afiados para ela.

Eva não morreria em um banheiro masculino. De jeito nenhum.

— Como os poderosos caíram — Alec falou arrastado.

Ela suspirou de alívio ao escutar sua voz. Desviou da cauda da besta e correu para ficar junto dele.

Alec apoiou-se contra o batente da porta com os braços cruzados. Parecia relaxado e um pouco entediado. Mas Eva percebeu uma expressão sombria em seus olhos quando a mirou de relance. Ela era seu único ponto fraco; uma vulnerabilidade que se esforçava para ocultar.

— Caim — o Dragão ressoou, com a postura desconfiada.

— Damon... Você costumava ser o cara. Um cortesão de Asmodeu. Agora, o melhor que você consegue fazer é aterrorizar Marcadas novatas?

— Ei! — Eva protestou. — Estou me saindo melhor que o banheiro, pelo menos.

O fato de seu adversário estar de costas para ela e de não parecer achar que isso era um perigo a irritava. O que precisava fazer para conseguir algum respeito?

A frustração anulou o medo de Eva, deixando somente uma determinação bastante furiosa. Ela se moveu para o lado esquerdo do Dragão, deu um salto bem alto e, na queda, aplicou uma estocada poderosa com a espada na dobra fina pela qual a minúscula pata dianteira se ligava ao tronco, fazendo a patinha cair no chão. O sangue jorrou do buraco recém-aberto e se misturou com a água que escapava dos canos retorcidos.

O Demoníaco urrou e rodopiou, batendo nas costas de Eva. Ela deslizou alguns metros sobre o o aguaceiro tingido de sangue que cobria os ladrilhos destruídos. Ele retaliou com uma língua de fogo. O inferno a engolfou, fundindo os cabelos e a pele desde o alto da cabeça até os pés, cozendo-a na corrente de água que a lavava. A dor a impediu de emitir um som e, quando as chamas cessaram abruptamente, Eva esperou pelo alívio da morte.

Mas ela não morreria sozinha.

Alimentada pela adrenalina e pela animosidade de uma mulher completamente farta, Eva se pôs de pé. Golpeou com força o pescoço e a barriga da besta, agarrando com uma mão as extremidades das escamas. O impacto em sua pele ferida e queimada foi devastador, e ela gritou, quase deixando cair a espada.

Alec estava ali, diante dela, com um braço em torno do pescoço do Dragão e os dedos da outra mão enfiados nos olhos da besta. O Demoníaco se sacudia e berrava, movendo o pescoço de um lado para o outro, em um esforço inútil para se livrar dos agressores.

Quando Eva cravou toda a extensão da lâmina da espada na carne vulnerável criada pela pata dianteira ausente, sentiu as garras do Dragão rasgando suas costas. Arqueou o corpo, forçando a espada a penetrar nos últimos centímetros que faltavam para alcançar o coração.

A besta uivou e, em seguida, explodiu em brasas incandescentes.

Eva caiu com estrépito sobre o chão, paralisada por causa dos ferimentos. Ofegante, ficou piscando, cercada pela chuva provocada pelos canos rompidos.

Então, sentiu a vibração dos passos que atravessavam a água. Logo, Alec a pegava cuidadosamente no colo.

— Anjo... — Alec tocou a pele ferida de Eva e suas mãos tremeram. — Não se atreva a morrer. Ouviu?

— Alec. — Eva tentou abrir os olhos, mas o esforço exigia mais energia do que possuía. Seu maltratado corpo tiritava. O cheiro de cloro da água encanada penetrava em suas narinas, assim como o de cinzas, Demônio e sangue. O sangue dela.

Finalmente, conseguiu sentir e provar a doçura dele.

— Estou aqui — Alec disse.

— O Alfa fez isso.

— O quê?

— O Alfa. Ele queria… O filho… Ele tentou…

— Não fale, anjo. — Uma lágrima dele caiu sobre a pele em carne viva dela. Depois, outra. — Poupe energia.

— Deixamos escapar algo em Upland —, Eva murmurou, mergulhando na escuridão. A dor cedia e o medo sumia. — Temos que voltar… Deixamos escapar algo…

2

SEIS SEMANAS ANTES...

No momento em que entreolharam-se, Eva soube que eles teriam um caso tórrido e breve.

Ele roçou o ombro nela quando passou. O cheiro da pele dele penetrou as narinas de Eva que ficou arrepiada. Ela não sabia o nome dele, não o conhecia, mas a vontade de levar aquele homem lindo e desconhecido para casa era forte e irresistível.

Uma voz interior a incitou a ser cautelosa, disse-lhe para ir mais devagar. Para pensar duas vezes. Eva não era adepta ao sexo casual. Jamais tinha sido. No entanto, daquela vez, o desejo a atingiu como um carro desgovernado.

Suas feições... Meu Deus, eram muito parecidas com as de Alec Caim, como se fossem irmãos. A pele lisa e cor de oliva, os cabelos bem pretos e os olhos castanhos como café expresso. Era o sexo encarnado. Ainda que uma década tivesse passado desde a noite em que Alec a fizera perder o interesse por outros homens, Eva duvidava que ele tivesse mudado muito. Homens como Alec só melhoravam com a idade.

Aquele que acabara de passar por Eva tinha o mesmo ar de perigo e aparente força interior firmemente contida. Era alto, musculoso e usava um refinado terno Armani, o que só enfatizava a qualidade primitiva do desejo dela. A atração era animalesca, fazendo seu coração disparar e seu estômago revirar de ansiedade.

Eva escutava os sapatos baterem ritmicamente contra o piso de mármore com nervuras douradas. Em algum lugar bem no fundo dela, o alarme começara a soar. Quase sentia como se estivesse fugindo, como se a visão e o cheiro de um macho-alfa fosse algo a temer. No entanto, algumas partes íntimas dela não sentiam o menor medo.

O imenso saguão do Gadara Tower estava cheio de executivos interessados em trabalho. O zumbido contínuo das diversas conversas e o som dos motores dos elevadores panorâmicos não conseguiam ocultar a respiração acelerada de Eva. Cinquenta andares acima dela, um imenso teto envidraçado permitia que a iluminação natural inundasse o átrio. Foi aquela luz brilhando sobre as mechas de cabelo espessas e escuras que inicialmente chamaram sua atenção para o homem misterioso. O calor ameno, combinado com a vegetação exuberante em vasos, criava uma umidade leve e sensual.

Eva estava excitada. Um olhar para aquele homem sedutor tinha incitado uma urgência sexual incomum, misteriosa, que a acossava. Desde o instante em que entrara no Gadara Tower, sentiu-se estranha, agitada, como se tivesse bebido muito café. Nunca propensa ao nervosismo, não se sentia como ela mesma. Queria ir para casa e tomar um banho quente para se acalmar.

A mão de Eva, suada por causa do nervosismo, escorregou na alça de sua pasta de couro. No interior dela, estavam alguns de seus melhores desenhos, o motivo pelo qual estava ali. Raguel Gadara estava expandindo seu império imobiliário e Eva era uma das poucas designers de interiores selecionadas para concorrer a uma vaga de emprego. Ela tinha posto seu corpo e alma naquela apresentação. Tinha certeza de que sairia do prédio com o objetivo conquistado. Mas ficou aguardando na sala de espera durante vinte minutos e, então, foi informada de que o sr. Gadara teria de marcar uma nova data para vê-la. Eva captou a mensagem: *Tenho o poder de escolher você ou não.*

Gadara estava prestes a aprender uma dura lição a respeito de Eva Hollis: ela tinha o poder de aceitar ou não, e não trabalharia para um homem que fazia joguinhos. Ele tinha perdido a melhor designer de interiores do país.

Dizer que ela ficou muito decepcionada seria pouco. Tinha se agarrado à oportunidade de se apresentar a Gadara com um ardor pouco usual. Durante semanas, ficara agitada. Esperançosa. Como se estivesse no ponto mais alto de uma montanha-russa, prestes a descer. Naquele momento, parecia que tinha voltado para a estação de embarque, sem ter saído do lugar.

Os elevadores para a garagem estavam a alguma distância dela e Eva acelerou o passo. Então, vislumbrou uma porta pintada de cinza com uma placa sinalizando a escada.

Sentiu-se compelida a pegar aquela direção, quase como se fosse uma passageira em seu próprio corpo.

Ao pegar na maçaneta, o homem misterioso apareceu atrás dela, empurrando-a com o peito para a escada mal ventilada. Ele a virou com força e a imobilizou contra a porta fechada. A preciosa pasta de Eva caiu no chão de cimento e foi rapidamente esquecida.

— Ah! — Eva exclamou, passando de uma sensação de medo a uma de excitação. O homem começou a lamber e chupar a nuca de Eva, seu corpo muito mais alto encurvado sobre o dela. O aroma picante da pele dele inundou os sentidos de Eva, como um potente afrodisíaco. Ela deslizou as mãos entre o paletó e a camisa dele, acariciando toda a extensão de suas costas musculosas. A pele do homem queimava. Eva começava a suar pelo contato íntimo com seu corpo.

Com a mão esquerda, ele segurou o seio dela através da blusa de seda, apertando-o e massageando-o. Com a direita, pegou a bainha da saia reta listrada e a puxou para cima com força. Um rasgo ruidoso ecoou quando a fenda na parte posterior cedeu sob a pressão.

— Devagar — Eva pediu, mesmo se sentindo ainda mais excitada. — Não costumo fazer esse tipo de coisa.

O homem a ignorou, agarrando-a e puxando-a para mais perto dele. Eva sentiu sua ereção, grossa e dura, contra seu ventre e tremeu. Já fazia muito tempo desde sua última relação sexual. Muito tempo. Ela estava pronta, e quando ele pôs a mão entre suas pernas soube o quanto.

— Provocadora — ele murmurou, com a voz profunda e agressiva. Com um movimento do pulso, rasgou sua calcinha e jogou os restos no chão. Soltou-a por tempo suficiente para tirar o paletó. — Abra meu zíper.

A ordem foi clara.

Desajeitadamente, Eva procurou soltar o cinto dele. Enquanto isso, o homem passava os dedos entre as pernas dela, deslizando através da umidade. Com a outra mão, começou a acariciar o bico do seio dela. Eva gemeu e abriu mais as pernas, impotente em relação ao desejo.

Um zumbido monótono chamou sua atenção. Uma rápida olhadela para o alto confirmou sua suspeita: uma câmera de segurança estava apontada na direção deles e a luz vermelha abaixo da lente circular confirmava que estava funcionando.

Corando de vergonha, Eva se perguntou o que devia parecer com a saia levantada na altura da cintura. Uma devassa? Uma vagabunda?

O que tinha dado nela? Jamais fizera algo assim antes.

Apesar do choque, ela estava gostando. O homem que trazia Alec Caim à sua memória estava dando conta do recado, desativando todos os seus pudores.

— Rápido — ele resmungou.

Reagindo ao som da voz grave dele, Eva reiniciou a tarefa, conseguindo de algum modo soltar o cinto e abrir a calça, que caiu em torno dos tornozelos dele. Quando ergueu a parte traseira amarrotada da camisa dele, descobriu que não estava usando cueca. O membro estava grosso, comprido e bem disposto.

— Meu Deus — Eva murmurou, com o corpo se retesando de excitação e desejo estonteantes.

— Sim — o homem sussurrou, pouco antes de pegá-la pelas coxas e suspendê-la facilmente. — Ele sabe.

— Camisinha? — Eva indagou baixinho, olhando para ele. Seu olhar era sombrio e decidido, turvo de segredos misteriosos e desejos perigosos. Ela começou a ofegar, entre o desejo e o medo.

— Quieta — ele ordenou, beijando-a. Eva sentiu os músculos da bunda e das coxas se contraírem.

Então, ele penetrou fundo nela.

O grito de Eva foi tanto de dor como de prazer. Ele não deu tempo para ela pensar. Lançou-se em um ritmo firme e frenético e a conduziu direto ao orgasmo. Eva se contorceu e gemeu, o corpo tremendo violentamente nos braços dele, que manteve um movimento de vaivém, impelindo-a a outro orgasmo violento. E a outro.

— Por favor, pare — Eva suplicou, investindo fracamente contra os ombros dele. — Não aguento mais...

Segurando-a com um braço sob sua bunda e com um gesto abrupto do outro braço, o homem fez todos os minúsculos botões da blusa dela se soltarem e se espalharem pelo piso de cimento. Ele despiu o ombro dela e observou quando teve um novo orgasmo, que fez seu corpo se curvar com um arco bem esticado. Ele ergueu a mão e expôs a palma, revelando uma tatuagem complicada no centro, que começou a brilhar intensamente, transformando-se em uma marca incandescente.

— Carregue a marca de Caim — o homem rosnou, pressionando a mão contra o braço dela e queimando sua pele. Ele a beijou, sufocando seus gritos, movendo-se em vaivém dentro dela em um ritmo resoluto.

Eva cravou as unhas nas costas dele, com a mistura de dor e prazer sobrecarregando seus sentidos, fazendo-a ver coisas que não podiam ser reais.

Seu amante parecia se metamorfosear, iluminando-se a partir do interior, as roupas desaparecendo gradualmente para revelar um corpo musculoso e uma pele brilhante e dourada. Os olhos escuros dele assumiram uma cor âmbar vertiginosa quando ele jogou a cabeça para trás e rugiu. Seu pescoço poderoso se enrijeceu a medida que o membro dele endureceu cada vez mais, bem fundo, dentro dela.

Era uma mistura de pesadelo e sonho erótico, lançando Eva em uma experiência que roubava sua sanidade. De repente, asas emplumadas, brancas e imensas, desfraldaram-se das costas dele e a abraçaram.

A escuridão veio em seguida, fechando-se rapidamente em torno dela.

3

— *SENHORITA HOLLIS? SENHORITA HOLLIS? PODE ME OUVIR?*

As pálpebras de Eva tremularam e, em seguida, se abriram.

— *Senhorita Hollis?*

Eva sentia dores e calor em todo o corpo, mas estava tremendo, como se estivesse gripada.

A consciência dos arredores a atingiu em ondas: a voz masculina chamando-a, os curiosos que olhavam para ela ali deitada, o teto envidraçado do Gadara Tower.

Eva se aprumou, a cabeça batendo no queixo de um curioso. O homem praguejou e cambaleou para trás, mas a atenção de Eva estava voltada para suas próprias roupas. Olhou para sua saia muito bem passada, seus dedos percorreram a fileira de minúsculos botões que fechavam a blusa azul-clara.

— O que aconteceu? — Eva perguntou, com a voz rouca e grave, como se tivesse gritado.

— Não sabemos direito.

Eva virou a cabeça e viu os olhos azuis de um paramédico uniformizado. Em seguida, notou o crachá de identificação: *Woodbridge*.

— Você comeu hoje? — ele perguntou, com o braço musculoso nas costas dela.

Pensando na manhã, Eva fez que sim com a cabeça, e disse: — Tomei café e comi um iogurte.

— São duas da tarde — Woodbridge afirmou, sorrindo. — É muito tempo para ficar só com um iogurte no estômago. Acho que sua taxa de glicose no sangue caiu. Você ficou tonta e desmaiou.

Dois guardas da segurança do prédio afastaram os curiosos e Eva se pôs em pé com a ajuda do paramédico. Por um instante, ela cambaleou, mas mãos firmes a ampararam. Então o paramédico examinou a cabeça dela. — Está sentindo dor em algum lugar?

Eva sentia dor em todos os lugares, mas entendeu o que ele quis dizer e respondeu: — Não.

— Não achei nenhuma batida na cabeça, mas gostaria que fosse ao hospital como medida de precaução.

— Tudo bem. — Eva se segurou no braço dele quando o recinto girou.

No momento em que sentiu o filete inconfundível de sêmen percorrendo a parte interna das coxas, ela enrubesceu. Sua tontura piorou e seu estômago vazio se manifestou.

— Espere. Mudei de ideia — Eva murmurou através da boca ressecada. Então, ergueu a mão direita para tocar no braço esquerdo. Uma marca dolorosa podia ser sentida através da manga da blusa. — Quero ir para casa.

EVA OLHOU PARA A TELA do computador e sentiu um pânico estranho, indefinido.

A marca de Caim. A marca dada por Deus a Caim como proteção enquanto vagava pela terra como punição por ter matado Abel, seu irmão.

Eva fora marcada por um fanático religioso.

Aquilo era bastante assustador. No entanto, o que era ainda mais amedrontador era a familiaridade do desenho. Ela o vira antes, acariciara-o com as pontas dos dedos, ainda que tornasse o homem que o portava ainda mais rebelde. A tatuagem de Alec Caim a excitara, estimulando uma noite de pecado que a assombrava até aquele dia.

Afastando a cadeira da mesa do computador, Eva ficou de pé e saiu do escritório. Cada passo que dava em direção a cozinha a lembrava do encontro excitante na escada. A dor entre as pernas impossibilitava esquecer a sensação do homem misterioso movendo-se furiosamente dentro dela.

Soltou um suspiro trêmulo, como o resto de seu corpo.

Como Eva podia explicar o prazer que não quisera sentir? A marca em seu braço? As condições impecáveis de suas roupas? E as asas... Meu Deus, o homem tinha asas brancas e macias.

— Estou enlouquecendo.

Depois de tomar banho, olhou para a queimadura no braço: uma triquetra de dois centímetros e meio, delimitada por um círculo pequeno de três serpentes, cada uma comendo o rabo daquela diante dela. Ao contrário da maioria das queimaduras profundas, os detalhes intricados da marca eram claramente visíveis. Eva poderia ter achado que o desenho era exótico e belo se o tivesse escolhido. Naquele momento, estava oculto sob uma bandagem e uma camada espessa de creme contra queimaduras.

A campainha tocou e Eva correu para a sala de estar. Estendeu a mão até o aparador, perto da porta, e pegou o revólver. Com determinação, abriu o zíper do coldre acolchoado. Era uma mulher solteira, morando sozinha no centro de uma metrópole. Fazia sentido ter uma arma de fogo com porte registrado. E, como Eva acreditava que algo que valia a pena fazer era algo que valia a pena fazer bem, era sócia de um clube de tiro local e praticava com frequência.

— Evangeline?

A voz era familiar e querida; pertencia à vizinha, a sra. Basso. Eva deu um suspiro de alívio, surpresa em constatar que ficara com medo de algo tão simples quanto uma visita. Guardou a arma.

Ao abrir a porta, viu a vizinha esperando por ela com uma expressão de preocupação e segurando um recipiente de plástico nas mãos. A sra. Basso usava seu traje habitual: calça, camisa social e colete de lã. Naquele dia, as roupas eram de diversos tons de azul. Pérolas ornavam as orelhas, o pescoço e o pulso. Em sua juventude, ela fora de uma beleza estontante. Naquele fase da vida, tinha uma elegância majestosa, arranhada apenas pela leve inclinação dos ombros.

— Você está bem? — a sra. Basso perguntou. — Parece cansada.

— Estou bem — Eva mentiu.

A sra. Basso era dona do Basso, um conhecido restaurante italiano. Ela e o marido tinham cuidado do estabelecimento juntos, mas com a morte dele, um ano antes, a sra. Basso arrendara o negócio. Isso lhe garantia uma renda segura e constante, sem muito trabalho. Como a vizinha morava sozinha, Eva ficava de olho nela. Quando ia ao supermercado, sempre perguntava se precisava de alguma coisa. Em troca, a vizinha a mimava como se fosse sua neta preferida.

— É melhor fazer uma exame de tireoide — a sra. Basso disse.

— Vou fazer — Eva afirmou, sorrindo.

A mulher entregou o recipiente para Eva e disse: — Fiz uma canja de galinha, com bastante alho e manjericão.

— Não precisava se incomodar — Eva protestou.

— E você não precisava se incomodar comigo — a sra. Basso disse.

Eva aceitou a oferta: — Entre e coma comigo, senhora Basso.

A vizinha fez um gesto negativo com a cabeça: — Obrigada, mas vai passar uma reprise de *Buffy, a caça-vampiros* na TV. É uma das minhas séries favoritas.

— Que temporada?

— Sexta.

— Ah, é quando ela e Spike finalmente ficam juntos.

— Esse Spike é lindo — a sra. Basso disse, ficando vermelha. — Tome toda a sopa, ouviu?

— Claro — Eva afirmou, sorrindo. — Obrigada.

— É o mínimo que posso fazer considerando tudo o que você faz por mim. — Com um aceno, ela recuou e pegou o corredor de volta para seu apartamento. Então, parou e disse: — Na próxima semana, vai estrear um novo filme do Hugh Jackman. Ele também é lindo.

— Vamos ver juntas.

A sra. Basso piscou e se afastou.

Durante algum tempo, Eva ficou olhando para o corredor vazio, agarrando-se à sensação de normalidade. Assim que fechou a porta, lembrou-se da dor latejante em seu braço e entre suas pernas, e da necessidade desesperada de entender o que tinha acontecido.

Depois de pegar uma colher na cozinha, sentou-se no sofá creme e ligou a TV. Já tinha visto *Buffy*. Um namorado a tinha viciado na terceira temporada. Era a única coisa de que se lembrava daquele relacionamento. E era mais do que conseguia dizer a respeito dos muitos relacionamentos que tivera desde aquele com Alec Caim. No entanto, se fosse honesta, precisaria admitir que não tivera um relacionamento com ele. Fora simplesmente fodida por ele, de diversas maneiras.

Enquanto Buffy e Spike brigavam na TV, Eva sentiu os ombros e os braços se retesando até doer. Uma energia selvagem, tensa e agressiva pulsava em suas veias. O suor pontilhou sua boca e sua visão ficou embaralhada.

A campainha voltou a tocar, e Eva se pôs de pé. — Tomei cada gota da sopa —, gritou, dirigindo-se para a porta. Sorriu com o pensamento de que a sra. Basso tomava conta dela como se fosse uma criança.

— Anjo.

Eva hesitou.

— Abra a porta.

Voltou a apanhar o coldre e tirou o revólver de dentro dele. Na ponta dos pés, caminhou lentamente até a porta e usou o olho mágico.

Por um instante, Eva ficou imóvel, sem piscar, incapaz de acreditar em quem estava ali, do outro lado da porta.

— Vamos, anjo — ele disse, usando o apelido carinhoso que só ele usava. Evangeline. Eva. *Anjo*. — Deixe-me entrar.

Mesmo através da lente do olho mágico, Alec Caim era de tirar o fôlego, de dar água na boca.

Infelizmente, ele também parecia muito com o homem que a atacara mais cedo. O alarme estava soando bem alto. Eva não o escutara antes e sofrera as consequências.

Recuou silenciosamente.

— Anjo — Alec disse, com a voz mais baixa daquela vez, mas tão clara que ela sabia que ele tinha de estar com a testa encostada na porta. — Sei o que aconteceu hoje. Você não deve ficar sozinha. Deixe-me entrar.

A voz de Alec. Ouvi-la, depois de todos aqueles anos, era como uma punhalada. Decadente, pecaminosa. Tinha a incitado a perder a virgindade; algo que era doloroso para a maioria das mulheres, mas fora o auge do prazer para ela. Naquela noite do passado, Eva se entregara de corpo e alma. Teria feito o que ele quisesse, ido para onde ele quisesse. *Qualquer coisa*, se isso significasse que ficariam juntos.

31

Que idiotice! Quanta ingenuidade!

Fazendo um gesto negativo com a cabeça, Eva continuou recuando, com lágrimas escorrendo por seu rosto. Os braços estavam estendidos e firmes, apontando a arma diretamente para a porta. Ela não ficou surpresa com o fato de que ele sabia o que acontecera com ela naquele dia. Alec sempre sabia. Desde o início, tinha um jeito estranho de saber o que ela estava pensando e sentido. Ela tinha certeza de que esse era o motivo de ser tão bom na cama. Antes que Eva soubesse o que queria, Alec já estava dando para ela.

— Eva, escute. Você não pode ficar sozinha agora. Não é seguro.

Você não é seguro, ela pensou.

— Sou a pessoa mais próxima a você — ele replicou, como se tivesse lido a mente dela.

Não. Vá embora. Ela não conseguia falar. Sua garganta estava seca.

— Não quero, anjo. Vou entrar. Se afaste.

— E-Eu vo-vou atirar em você.

Eva conseguiu sentir a hesitação dele.

Então, a porta foi aberta à força, em uma explosão de estilhaços de madeira e fechaduras tortas. Três fechaduras. Do tipo que balas não conseguiriam abrir.

Eva sentiu o corpo tremer violentamente, mas conseguiu manter a mira da arma em Alec.

Ele entrou no apartamento com grande tranquilidade, as botas golpeando pesadamente o piso de madeira polida.

De estatura elevada e com um bronzeado perfeito, Alec Caim usava preto da cabeça aos pés, desde a camiseta justa até a calça de couro. Os cabelos pretos estavam um pouco longos, chegando à nuca e caindo sobre a sobrancelha. Os lábios carnudos expressavam tensão. Os olhos castanhos estavam ardentes. Aquela intensidade tinha perturbado o equilíbrio de Eva quando ela era uma garota maluca de dezoito anos. E naquele momento também perturbavam.

A última década não o envelhecera.

— Eu disse para você ir embora, Alec.

Ele jogou o casaco de couro e o capacete sobre o sofá quando passou ao lado dele. — Você vai mesmo atirar em mim se eu não for embora?

— Se não der meia-volta e sair da minha casa, sim.

Alec podia ficar parado e ser simplesmente deslumbrante. No entanto, ao se movimentar, tudo poderia acontecer. Havia um encanto fluido nele, predatório, que era instigante. Uma mulher não conseguia deixar de se perguntar se seria assim perfeito na cama. Eva sabia que era. O sexo era uma forma de arte para Alec, e ele era um mestre.

— Não vou embora, anjo.

As narinas de Eva se dilataram. Então, ela apertou o gatilho.

4

O SOM DO DISPARO ECOOU NA SALA SILENCIOSA. SE houvesse munição no tambor, Alec estaria ostentando um buraco fumegante no peito.

— Você não pode me ferir — Alec disse, baixinho.

— Não me subestime. Sempre guardo a arma com o tambor vazio. Você não vai escapar ileso quando eu disparar com ela carregada. — Com um movimento do queixo, Eva gesticulou em direção a porta. — Saia, enquanto ainda está são e salvo.

O apartamento não parecia mais pertencer a Eva. Alec tinha dominado a sala de estar. O preto das roupas dele estava completamente em desacordo com o champanhe da decoração criada por Eva para o recinto. Em uma estranha ironia do destino, a cor da roupa deles combinava. Eva usava uma regata de algodão e um short pretos.

— Não posso. — Alec deu as costas para ela e fechou a porta. As fechaduras tortas se encaixaram nos buracos abertos do batente destruído. Ele prendeu a corrente fina no lugar (a única peça de segurança que Eva não usara antes), agarrou uma cadeira próxima e colocou sob a maçaneta dependurada, travando a porta.

E prendendo os dois juntos.

Alec encarou Eva e disse: — Essa marca em seu braço vai começar a incomodar.

Aquilo já a estava incomodando, pois latejava e queimava. — O que é isso?

— Tanto uma bênção como uma maldição. — Alec se aproximou de Eva, totalmente despreocupado quanto ao perigo representado pela arma. — É um castigo, uma forma de penitência.

— Minha nossa! Sou agnóstica e você é um louco. Caia fora da minha casa com seu papo furado lunático.

— Você vai ficar doente e vai precisar de alguém aqui.

— Bem, com toda a certeza não será você. Vou chamar uma amiga. Alguém de confiança.

A alfinetada não pareceu afetá-lo, mas Eva sentiu que o recado estava dado.

— Uma mulher não vai ser capaz de ajudar você, Eva. A não ser que seja bissexual. Mas acho que você gosta muito de homem para isso.

— Não, só gosto de certas partes dos homens.

— Você gostava de mim por inteiro.

— Eu era uma garota idiota — Eva disse, bufando. — Mas aprendi logo a lição. — Ela perdeu o fôlego diante do sorriso desafiador de Alec e se calou, assimilando o que ele dissera. — Ei, você estava falando de sexo?

Eva arregalou os olhos, observando a virilha de Alec. Ele estava pronto para a ação, com uma ereção curvada para um lado. Cada centímetro daquele corpo musculoso estava marcado pela tensão e pela excitação. Uma fúria súbita deu força a ela, que parou de tremer.

— Nem pensar, Alec. Você está louco se acha que vou deixar você me tocar de novo. Vá encontrar outra mulher para atormentar.

— Anjo... — Alec murmurou, com as linhas rígidas do rosto se suavizando.

— Não me chame de "anjo". Não sou seu anjo. Não sou coisa alguma sua.

— Você é tudo para mim. Por isso parti.

— Cale a boca. — O ardor estava tomando conta dela, dificultando o pensamento.

Alec a observou com atenção. — A febre está vindo. Você está suando. Seu rosto está ficando vermelho. Você precisa deitar.

— Sei. Isso seria muito conveniente para você, não? Tirar a minha arma e me colocar na horizontal.

— Se eu só quisesse transar, por que ficaria implorando para uma mulher rancorosa? Não preciso disso.

Droga! Ele sabia que poderia estalar um dedo e ter a mulher que quisesse. Eva deveria ficar confortada ao saber que não era a única obcecada por Alec. No entanto, aquilo só a deixava com ciúmes e irritada.

— Se você sabe o que aconteceu, então sabe que o homem parecia com você. — Embora, com Alec ali, em carne e osso, Eva percebesse as diferenças entre eles. Nenhum homem era igual a Alec, embora aquele fosse bastante semelhante.

No entanto, àquela altura, Eva não se importava. Só queria que Alec fosse embora. Não era capaz de lidar com ele. Não aquela noite. Meu Deus, nunca mais. Mesmo após todos aqueles anos, Alec ainda a enlouquecia.

Eva sentiu o suor escorrer pelo rosto e o enxugou com impaciência. — O que aconteceu hoje à tarde me fez criar ojeriza de homens de seu tipo. Mudar de time parece muito bom neste momento.

— Não — Alec disse, firmemente, os músculos dos braços se contraindo. — Eu caçaria aquele sujeito agora se você não estivesse prestes a ficar muito doente. Você precisa de mim aqui, mais do que precisa de mim fora daqui.

A risada de Eva foi hostil e sem humor. — Você é algo de que não preciso na minha vida, principalmente agora.

Alec coçou a nuca, expondo o bíceps bem definido. Eva se enfezava com o fato de ainda achá-lo tão atraente.

— Sinto muito, anjo.

De algum modo, ele conseguia encher aquelas palavras de arrependimento. No entanto, Eva não acreditava nele. Era um daqueles caras que nunca ficavam parados em um lugar por muito tempo e partiam corações pelo caminho. No passado, ela era muito jovem para saber das coisas. Agora, não havia desculpas.

O suor se acumulou entre seus seios e escorreu pelo peito. Ela esfregou a regata sobre a pele úmida. — Foi um dia bem ruim, Alec. Preciso ir ao médico pela manhã. Se você fosse embora e não voltasse, faria um grande favor para mim. Posso até mesmo perdoar você por ser louco. Algum dia.

Eva sentiu uma onda de calor percorrer o corpo, deixando-a tonta e fazendo-a cambalear. Alec a agarrou, acomodando seu corpo trêmulo no chão. Tirou a arma de seus dedos frouxos e a colocou com cuidado ao seu lado.

— Alec... — O cheiro da pele dele, dolorosamente familiar, entorpeceu os sentidos já confusos dela.

— Estou aqui, anjo — ele murmurou, puxando-a e abraçando-a.

Eva agarrou o braço de Alec com força e sentiu sua marca saliente com a ponta dos dedos. Virou a cabeça e a viu. O laço da trindade e as serpentes. Iguais à marca dela. Mas a de Alec tinha outra imagem no centro. Um olho aberto. Parecia uma tatuagem, enquanto a dela era claramente uma queimadura causticante.

— Meu Deus, o que está acontecendo? — Eva sussurrou, respirando com dificuldade conforme sentia a consciência se esvair.

Alec afastou as mechas de cabelo do rosto de Eva. A pele latejava onde ele a tocava. Tudo a respeito da maneira como Alec a olhava exacerbava sua febre. Não havia nada no mundo como ser alvo de um anseio primitivo. A única coisa de que ela jamais duvidou era de que Alec a desejava ardentemente.

— Você sentiu atração por ele por minha causa, não? — Sua boca pairou sobre a de Eva, de modo que as respirações ofegantes se misturaram e viraram uma só. Aquilo era tão íntimo quanto sexo.

Ela não precisava responder. Ele sabia. Sempre sabia.

Alec acariciou o rosto dela com o polegar. Moveu-se para beijá-la, mas Eva afastou a cabeça.

— Maldito! — ela sussurrou, cravando as unhas na pele dele.

— Somos dois malditos. — Alec a puxou para o colo e acomodou seu rosto enrubescido junto ao seu pescoço, onde o cheiro de sua pele era muito forte.

Contra sua vontade, Eva se aninhou ali, esfregando o suor na pele dele. Tirou a língua para fora e começou a prová-lo. Alec ficou arrepiado e ainda mais excitado. Eva sentiu a ponta dos dedos dele se moverem muito de leve sobre a bandagem que cobria sua ferida.

— Não fiz nada de errado — Eva murmurou.

— Você tem razão, anjo — Alec disse, beijando a testa úmida dela.

— Então por quê?

— Por minha causa — Alec revelou, bufando. — Porque não consegui resistir a você.

Eva abriu a boca para responder, mas o cansaço a dominou por completo, e ela mergulhou na escuridão.

O RONCO GRAVE DO ESCAPAMENTO DA MOTO CHAMOU A ATENÇÃO DE Eva para o estacionamento da sorveteria onde trabalhava depois da escola. Eram cinco da tarde, e o dia estava terminando. O horizonte apresentava uma mistura de cor de tangerina e vinho.

Ela caminhou até o final do balcão para dar uma olhada na Harley modelo Heritage Softail, que passou devagar em frente à loja de conveniência Circle K. Era uma beleza, preta e prateada, com bolsas laterais personalizadas e assento gasto pelo uso.

— O que eu não daria para ter uma moto como essa — Eva murmurou. — E a liberdade da estrada.

Não que ela estivesse insatisfeita com sua vida. Não estava. Mas era bastante... comum.

Suspirando, Eva virou a cabeça, olhou para o relógio e, silenciosamente, pediu que andasse mais rápido. Seu turno de trabalho acabava às seis. A final do campeonato de futebol americano começava às sete e quinze. Sua escola ficava do outro lado da rua, mas o campo ficava a alguns quilômetros de distância.

— Vamos a festa do Chad depois do jogo?

Eva olhou para sua amiga Janice e encolheu os ombros. — Não sei. Depende se Robert vai ou não.

Fazendo um gesto negativo com a cabeça, Janice retomou o trabalho, limpando os balcões, seu rabo de cavalo longo e loiro balançando com o esforço.

— Você não pode evitar o cara para sempre.

— Eu sei. E também sei que ele vai parar de falar merda a meu respeito quando transar com alguma outra garota. Mas, enquanto isso, quero ficar fora do caminho dele.

Eva agachou e abriu as portas de um armário, tirando de lá o limpa-vidros e um rolo de papel-toalha.

— Ele é um babaca. Ainda bem que você não transou com ele — Janice disse.

— Ainda bem — Eva concordou, ficando de pé.

Ela lançou um último olhar de desejo na direção da Harley e ficou paralisada de assombro. Seu dono estava enfiando um saco de papel dentro de uma das bolsas laterais. Em seguida, montou na moto e se acomodou no assento.

Uau!

Ele era alto, bronzeado e perigoso. Um jeans folgado e de cintura baixa cobria suas longas pernas e sua bunda saliente; a camiseta branca, bem justa, deixava expostos os bíceps musculosos. O queixo era quadrado e seguro de si, os lábios firmes, sensuais e... malvados. Somando tudo, ele era maravilhoso.

Completamente alheio à fascinação de Eva, ele ligou a moto e acelerou, com as botas de couro pretas apoiadas firmemente sobre o asfalto, prontas para sair. A expectativa da partida fez Eva sentir um calafrio.

Então, ele virou a cabeça e a viu.

Eva soube o momento exato em que ele tomou conhecimento do olhar dela, porque ele ficou imóvel, o corpo viril visivelmente tenso. Tirou a mão da coxa e a levou até os óculos escuros, empurrando-os para o alto da cabeça.

Então, os olhares se encontraram. Uma corrente elétrica percorreu o espaço entre eles. Eva ficou arrepiada. O limpa-vidros caiu de sua mão e bateu no piso emborrachado.

— Uau... — A voz de Janice expressou a sensação de assombro de Eva. — Ele vai ser famoso.

— Por quê? — ela perguntou, sem conseguir quebrar o contato visual.

— Nenhum cara normal é assim — Janice afirmou. — Ei! — ela exclamou, estalando os dedos na frente do rosto de Eva.

— Oi?

— Pare de olhar para ele. Não passe uma ideia errada...

— Talvez a ideia não seja errada.

Janice puxou Eva para perto e a fitou com os olhos verdes semicerrados.
— Eva, não. Primeiro, esse cara é muita areia para seu caminhãozinho. Segundo, é muito velho. Terceiro, tudo nele sugere problema.

O ronco do escapamento da Harley parou e Eva virou a cabeça para observar. Ele estava parado ao lado da moto, olhando para ela.

— Você é azarada com os caras. Ainda mais azarada do que eu. E isso diz alguma coisa. Esse cara, gato como ele é, é encrenca na certa. É só olhar. Homens com essa aparência... — Janice disse, bufando. — Eu olho para ele e vejo gravidez na adolescência e desemprego.

Não foi isso que Eva viu quando olhou para ele. Não sabia o que era, mas alguma coisa dentro dela ficou tão atraída por aquele homem que sentiu uma corda invisível a puxando, obrigando-a a diminuir a distância entre eles.

— Oi — Eva balbuciou, tentando sorrir, mas não conseguindo. Não havia motivo para sorrir.

Ele cerrou o punho, parecendo tenso. O olhar misterioso dele era quente. Nenhum homem tinha olhado para Eva com aquela intensidade. Como se nada no mundo existisse, exceto ela.

Mordendo o lábio inferior, Eva quis que ele se aproximasse. Falasse com ela.

Percebeu o gesto quase imperceptível de cabeça. Ele puxou os óculos escuros para baixo, cobrindo os olhos. Ignorou-a quando se sentou na moto e religou o motor. No entanto, Eva sabia que ele ainda sentia seu olhar.

Ele partiu sem olhar novamente para ela.

Eva ficou com uma sensação de perda inexplicável durante dias.

O TECIDO MOLHADO SOBRE SUA PELE trouxe-a de volta a uma consciência distante. O ventilador de teto movimentava o ar e refrescava sua pele febril. Sua língua parecia grossa em sua boca, levou a mão até o pescoço, sua garganta ressecada. Quando o antebraço cruzou o peito, Eva percebeu que estava nua e odiou a sensação de desamparo.

— Aqui. — Ela sentiu um braço musculoso deslizar sob seus ombros e erguê-la até um copo. Abriu a boca e a água gelada encheu seu estômago vazio, fazendo-a tremer. Pelando de quente por fora e congelando por dentro.

Sentiu um cheiro picante e exótico que era inconfundível. Perguntou baixinho: — Alec?

— Em pessoa. — Ele cobriu o corpo de Eva e se sentou na beira da cama.

— Não quero que você me veja... desse jeito. Vá embora.

Dando um beijo na testa de Eva, Alec se acomodou junto ao travesseiro dela. Mechas sedosas de seu cabelo acariciaram a pele hipersensível dela. O prazer percorreu seu corpo. Um prazer familiar. Nostálgico. Contradizendo a ordem que dera para ele partir, ergueu a mão até alcançar os cabelos espessos de Alec e os acariciou. Em seguida, segurou a parte de trás da cabeça dele para mantê-lo próximo dela.

— Estou mal — Eva murmurou.

— Eu sei. Sinto muito, anjo. As mulheres sempre recebem a Mudança com mais dificuldade.

— Mudança? Que mudança?

— Não fale — Alec disse, secando a testa dela com uma toalha. — Durma agora. Vou cuidar de você.

Eva sentiu o bico dos seios pulsar, como se beliscados por grampos. Moveu as mãos para cobri-los. Então, Alec pôs sua mão sobre as dela, afastando-as. Aos dezoito anos, ela não era tão curvilínea. Aos vinte e oito, estava muito mais cheia; um fato que ele parecia apreciar pois iniciou uma massagem rítmica com sua mão sobre todo o corpo dela. Eva suspirou, sentindo alívio com a pressão do toque.

Com os dedos, Eva percorreu o corpo de Alec, sentindo a pele quente e macia, esticada sobre músculos esbeltos e rijos. A imagem de seu peito nu lampejou por trás das pálpebras fechadas dela, seguida por lembranças ardentes da última vez que ele a tocara tão intimamente.

Doente como estava, o corpo de Eva ainda o desejava. Como podia ficar tão excitada em um momento como aquele? — Alec... O que está acontecendo comigo?

— Você está ficando como eu.

— Meu Deus. — Ao sentir uma dor intensa na queimadura do braço, Eva lamuriou-se: — Atire em mim agora.

— Espere mais alguns dias, anjo. Você é forte. E vai ficar ainda mais quando chegar ao final disso.

— Mais alguns dias? Há quanto tempo eu estou...?

— Três dias.

Três dias?

E ele ainda estava ali.

Eva tentou ficar acordada, mas perdeu a batalha e adormeceu.

Assim que saiu da sorveteria pela porta dos fundos, soube que ele estava ali. Fechou os olhos e suspirou. Então, endireitou os ombros e trancou a porta.

— O que você quer, Robert? — Eva perguntou de forma cansada, com pedaços soltos de asfalto velho estalando sob a sola de seu tênis. — Tive um dia longo e quero muito ir para casa.

Seu ex-namorado se apoiou contra o capô de seu Mustang 67 branco, com os braços e as pernas cruzados. Loiro californiano, de olhos azuis, tinha um corpo esbelto resultante do surfe ao amanhecer na Huntington Beach e do futebol americano à tarde. No entanto, sua aparência não fora o suficiente para tentá-la a perder a virgindade.

Aos dezoito anos, Eva não conhecia nenhuma garota de sua idade que ainda era virgem. Às vezes, a pressão era brutal, mas ela se sentia bem esperando por mais do que uma transa rápida e dolorosa no banco traseiro do carro de algum cara.

— Achei que você quisesse uma carona para a festa do Jason — Robert disse, com um sorriso maroto.

Eva fez um gesto negativo com a cabeça. — Obrigada, mas não vou.

Seu uniforme, short vermelho-vivo e camisa polo branca com o logo da Henry's Ice Cream bordado sobre o peito, estava irritando Eva. Ela só queria jogá-lo no cesto de roupa suja e assistir ao último episódio de Barrados no Baile usando um moletom folgado.

— Tenho um cooler no carro e erva — ele disse, tentando persuadi-la. — Podemos deixar a festa pra lá e pegar a estrada.

— Dá um tempo. — Eva começou a caminhar. — Você terminou comigo e disse para todo mundo que sou ruim de cama. Agora todo mundo acha que dei pra você. Chega.

Robert começou a segui-la. — Por favor, Eva. Sei que você tem medo, mas vou tomar cuidado. As pessoas estão começando a falar que você é fria. Essa coisa da gostosa não está mais colando.

— Não importa.

Robert agarrou o braço dela e disse baixinho: — Algumas cervejas, um baseado e você vai ficar relaxada para transar. Não quer ficar virgem para sempre, ou quer?

Eva abriu a boca para repreendê-lo.

— Quem disse que ela ainda é virgem?

Eva tremeu ao som da voz grave e estrondosa. Sabia que era ele.

— Quem é você? — Robert perguntou, desafiador, empurrando Eva para o lado.

A iluminação repentina do farol da Harley revelou sua posição. — Você está pronta para ir, anjo?

O apelido carinhoso surpreendeu Eva. Ela hesitou, mas começou a caminhar na direção da moto, um passo de cada vez. Pouco depois, recebeu um capacete. Ela o vestiu com rapidez, o corpo reagindo instantaneamente ao exótico cheiro masculino que impregnava seu interior. Eva sentiu o bico de seus seios enrijecer e a respiração se alterar.

Ela o queria, como jamais quisera algo ou alguém na vida. Todos os hormônios de seu corpo adolescente se descontrolaram perto dele. Tivera sessões de amassos íntimos que não a haviam deixado tão excitada, e isso apenas sentindo o cheiro dele.

— Papo furado, Eva — Robert disse, rispidamente. — Namoramos durante meses. Você me deve isso.

Ela mostrou o dedo médio para Robert e, em seguida, montou na garupa da moto, passando os braços em torno da cintura esbelta do homem misterioso. Ele tinha um cheiro picante, exótico, delicioso. Eva pressionou o nariz nas costas dele e respirou fundo. Incapaz de combater a tentação, acariciou o abdômen definido dele com a ponta dos dedos.

Ele colocou uma das mãos sobre as de Eva, interrompendo as explorações dela.

— Calma — murmurou.

Acelerou a moto, e os dois saíram em disparada pela noite.

ABRUPTAMENTE, EVA RECUPEROU A CONSCIÊNCIA.

Tinha sido tomada por um desejo imenso. Contorcia-se em tormento, agitando a cabeça e abanando os braços. Os seios estavam inchados pela necessidade de serem tocados e acariciados.

O perfume de alfazema e baunilha penetrou em suas narinas. A realidade a atingiu em cheio, forçando-a a respirar.

Era o cheiro do amaciante de roupas. Eva virou a cabeça e respirou fundo: lençóis limpos.

Estava em casa. Sozinha. Tudo não tinha passado de um sonho.

— Alec? — chamou, sua pele tão quente e rija que sentia como se pudesse se abrir.

O bico dos seios estavam rijos e doloridos, mas, naquele momento, a carne entre as pernas estava roliça e lisa, e a marca no braço queimava, chegando a latejar.

— Alec? — Eva voltou a chamar, com toda a força de uma gatinha que choraminga. Sua boca parecia cheia de algodão. Seu corpo tremia de vontade. Incapaz de fazer outra coisa, ela esticou as pernas e estendeu a mão até os pelos pubianos úmidos entre as coxas. Ela jamais se sentira tão excitada em sua vida; a necessidade de sexo era mais forte que a de respirar.

Através da respiração ofegante, escutou o ruído surdo de passos sobre o piso de madeira. Era um passo firme e confiante, familiar e bastante reconfortante.

Cada vez mais perto. Cada vez mais perto.

O som dos passos parou abruptamente, na porta do quarto.

— Alec. — Com os dedos, Eva separou os lábios, expondo a carne ardente à brisa suave do ventilador.

— Meu Deus — ele sussurrou, com a voz grave e sensual. — Tenha piedade.

Eva se moveu sinuosamente sobre os lençóis da cama. Eram púrpura? Ou Alec era sentimental e escolhera lençóis brancos? Por mais que quisesse abrir os olhos para ver, não tinha forças.

— Alec. — Eva enfiou dois dedos dentro da vagina, mas não foram suficientes para preencher o vazio. Ela estava ensopada, desesperada. — O que está acontecendo comigo?

As palavras escaparam num gemido, com lágrimas escorrendo pelos cantos dos olhos fechados. Seu corpo não era mais seu; a fome de sexo era uma força estranha, agarrando-a em sua busca por liberdade.

Alec. Ela queria Alec. E, após uma década de fome, não estava disposta a esperar nem um momento a mais para tê-lo.

A respiração dele saiu através dos dentes cerrados. Eva escutou-o caminhando na direção dela. Em seguida, a cama afundou um pouco quando ele se sentou. Alec a beijou na panturrilha e, em seguida, disse:

— Eu sabia que a Mudança faria isso com você.

Então, ele passou a língua atrás do joelho de Eva, e a mão dela saiu de seu peito e foi para o cabelo dele.

Alec mordeu a parte interna da coxa de Eva, que arfou, surpresa.

— Mas eu não sabia o que faria comigo — ele disse.

Agarrando o pulso de Eva, Alec aquietou os movimentos dela e puxou sua mão livre. Ela gemeu quando sentiu sua língua lambendo seus dedos; um som bruto de pura satisfação masculina encheu o ar enquanto ele provava o desejo de Eva.

— Droga. — Alec se lançou sobre a carne pulsante entre as pernas dela, cobrindo-a com a boca aberta. Eva estremeceu violentamente, com os sentidos sobrecarregados pela sensação e pelo cheiro dele. Seu coração disparou com a proximidade e os sons da língua de Alec, que se movia agilmente. Eva dobrou os joelhos e levantou os quadris. — Fique quieta — ele disse, imobilizando-a contra a cama com suas mãos.

Alec a manteve aberta com os seus dedos e aninhou a boca no sexo dela, os cabelos dele roçando na pele sensível entre suas coxas.

Eva lutou contra seu domínio, mas ele era muito forte e ela era muito fraca. — *Por favor...*

Alec inclinou a cabeça e passou a língua pelos músculos contraídos, a textura áspera tanto suavizando como friccionando os tecidos sensíveis. Eva gostou da provocação, não tão grossa e longa quanto ela precisava, mas maravilhosa mesmo assim. Um movimento de vaivém. Penetrando nela com força e rapidez. Os gemidos dele eram animalescos, graves e brutos, como se tivesse sentido muito sua falta.

— Não é o suficiente — Eva sussurrou, contorcendo-se, curvando-se, pegando fogo, perdendo a razão. — Isso não é o suficiente.

Alec cercou o sexo dela com a boca, e passou a sugá-lo delicadamente. Sua língua continuava a provocar, num movimento de vaivém.

Quando ela gozou, Eva gritou e suas pernas tremeram. O alívio foi intenso, cada folículo e terminação nervosa comichando em um prazer agudo, quase doloroso. Alec fechou a boca, deu um beijo suave nela e voltou a abri-la. Sua abordagem se suavizou, e ele a lambeu em um ritmo paciente, amoroso.

Eva estendeu a mão até os ombros de Alec e encontrou sua pele cálida coberta por algodão macio. Puxou o lençol. — Nu.

Alec se levantou e a cama estremeceu com seu movimento violento. Então, ele se pôs sobre Eva. Pele nua contra pele nua. Com uma mão, agarrou os pulsos dela e os colocou sobre a cabeça delicadamente.

Eva reuniu forças para abrir os olhos secos. Os cabelos escuros de Alec estavam caídos sobre o rosto corado. As pupilas dos olhos castanhos estavam dilatadas, turvas de uma necessidade violenta.

— Não me odeie pelo que está acontecendo com você — Alec sussurrou, pressionando o rosto contra o dela.

Depois de forçar a abertura das pernas dela, Alec introduziu seu membro. Seu corpo foi tomado por um tremor violento. — Anjo... Você está me deixando louco.

O pau de Alec estava duro e grosso, pronto para dar prazer a uma mulher. Eva sabia que ele a preencheria completamente, proporcionando uma sensação incrível e viciante.

— Mais fundo — ela pediu, erguendo os quadris.

No momento em que Alec alcançou o fundo, a dor sumiu, deixando somente prazer.

Ele murmurou elogios, puxando-a para mais perto de si, começando a se mover.

Eva gemeu, o suor gotejando de cada poro e ensopando os cabelos. A cama. Ele.

Com as coxas flexionadas contra as dela, Alec a mantinha imobilizada e se movia com destreza. Lentamente. Ondulando os quadris. Eva o observava com os olhos pesados enquanto ele a penetrava. Ela se contorcia e sussurrava o nome dele.

Alec era incansável. Ele podia gozar, mas seu pau jamais amolecia completamente. Os gemidos de Eva nesse momento o endureciam novamente. E estava pronto para uma nova investida.

Nenhum outro homem conseguia competir com Alec. Ele a acostumara mal desde o início. Ninguém a tocava como ele. Ninguém a olhava como ele, analisando cada nuance de sua reação, ajustando seus movimentos para que continuasse gozando. E gozando. Ninguém tinha aquela voz pecaminosamente grave que a incitava. Sussurrando como ela o satisfazia, o quanto ele gostava de estar dentro dela.

Transaram durante horas. Os momentos se fundindo uns aos outros. Alec a penetrando naquele ritmo indolente, sensual, que dizia: *Sente isso? Está sentindo? Estou em você. Dentro de você.*

Com o pôr do sol, o quarto foi escurecendo.

Doente como estava, Eva não deveria ter sido capaz de transar, mas ficava mais forte a cada momento que passava, com a pulsação da queimadura em seu braço lhe proporcionando uma força selvagem, instigante. Ela arranhava suas costas, mordia seu pescoço, batia com os calcanhares na bunda musculosa dele.

Com determinação, Eva tirou o controle de Alec, agarrando-o pelo pescoço e pelos testículos, e dando-lhe uma profunda satisfação sexual. Enquanto ela o possuía brutalmente, os gritos guturais dele enchiam o recinto, elevando-se através do teto abobadado do apartamento.

— Está se preparando para partir de novo? — Eva perguntou asperamente, agarrando-se com força ao corpo coberto de suor dele. — Guardando lembranças para o futuro?

Alec rosnou e lambeu o rosto dela. — *Compensando o tempo perdido. Você vai me encher de lembranças todos os dias.*

— Você bem que gostaria. — Eva mordeu a orelha dele, fazendo-o praguejar. — Curta a viagem enquanto durar.

Alec levantou a cabeça, revelando olhos incandescentes. Mantendo uma mão sobre a cama, ele se impeliu vigorosamente na direção dela. Eva ficou tão concentrada no choque dos quadris dele contra os seus e no orgasmo iminente que só conseguiu registrar o perigo quando já era muito tarde.

Alec ergueu a mão livre, expondo a imagem incandescente de um olho no centro da palma da mão.

— Ah, não! — ela exclamou.

— *Coloque-me como um selo sobre seu coração, como um selo sobre seu braço…*

Alec agarrou o braço de Eva e o queimou de novo.

Ela praguejou e golpeou o queixo dele.

6

EVA FICOU TRISTE QUANDO A HARLEY DOBROU A ESQUINA E ENCOSTOU a algumas casas de distância de onde morava. Naquele momento, seu pai devia estar cochilando no sofá, sua mãe devia estar no andar superior, na cama, lendo, e sua irmã mais nova devia estar falando ao telefone. Era sua casa, e ela a amava, mas não queria entrar agora. Ficou assustada com a ideia de se separar do homem sentado na frente dela na moto.

— Tínhamos que vir direto para cá? — Eva perguntou, arrependendo-se de responder com sinceridade quando ele pediu o endereço.

Quando ele desligou o motor, Eva entrelaçou os dedos para mantê-lo próximo. Ele era tão quente, tão sólido, tão grande. Nada parecido com os garotos da escola.

Com delicadeza, ele soltou os dedos dela. — É melhor para você, anjo.

— Não podemos ir a outro lugar? Ainda é cedo.

— Não.

— Por quê? Por que você veio se não quer ficar comigo?

— Eu não "fico", e, mesmo se ficasse, não poderia ficar com você.

— Por causa da minha idade? — Meu Deus, ela estava cansada de ser tratada como criança.

— Entre outras razões.

Ele virou a cabeça ligeiramente. O vislumbre do perfil dele, mesmo sob a fraca iluminação da rua, tirou o fôlego dela. O coração de Eva passou a bater mais forte.

Ela sabia que ele também tinha sentido alguma parte da atração que ela sentira; caso contrário, ele não a teria esperado sair da sorveteria.

No entanto, Eva quis uma prova. Curvou o tronco e esfregou o bico ereto dos seios nas costas dele.

Sua respiração sibilou através dos dentes cerrados. — Desça da moto.

O tom de voz não permitia nenhuma discussão. Eva saltou fazendo biquinho. — Qual é seu nome?

Houve um longo silêncio, enquanto ele a observava com aquele olhar quente e intenso. Finalmente, ele respondeu: — Alec Caim.

Eva concordou com um gesto de cabeça e ajustou a alça da bolsa no ombro. — Obrigada pela carona, Alec.

Ela começou a caminhar na direção de casa. Pouco depois, ouviu a Harley se afastar. Embora a vontade de olhar para trás fosse quase irresistível, seu orgulho era maior.

Eva sabia que, se ele sentisse algo igual ao que ela sentia, Alec a procuraria de novo.

APOIOU A MÃO DIREITA SOBRE O AZULEJO e ficou com a cabeça inclinada sob o jato de água do chuveiro.

Sete dias. Sete dias intensos de sua vida se foram.

Eva sabia que algo drástico acontecera a ela durante aquele pouco tempo. As marcas em seu braço esquerdo estavam completamente cicatrizadas, formando algo que se assemelhava a uma tatuagem tribal. Exatamente como a de Alec. Após quase uma semana sem se alimentar e bebendo pouquíssima água, ela deveria estar fraca e desidratada. Mas não. Em vez disso, sentia-se muito bem, e batia o pé impacientemente no piso do chuveiro porque não conseguia conter toda a energia inquieta dentro dela.

Depois de desligar o chuveiro, pegou uma toalha que colocara sobre a tampa do cesto de roupa suja, se secou rapidamente, enrolou os cabelos úmidos e foi para o quarto.

Não havia jeito de ignorar o homem nu deitado de bruços na cama. Alec escolhera os lençóis brancos, fazendo a cama parecer uma nuvem. Sua masculinidade bronzeada sobre aquele fundo o fazia parecer um anjo caído.

Eva nunca se esqueceria da noite em que perdera a virgindade. Alec se deitara debaixo dela, como uma fantasia pecaminosa sobre lençóis brancos, incitando-a com encorajamentos proferidos com rouquidão.

Suspirando, Eva desviou o olhar do rosto dele para a vastidão musculosa de suas costas, alcançando as covinhas pouco acima de sua bunda perfeita.

— Tenha piedade — Eva murmurou, repetindo as palavras que ele usara.

Olhou ao redor do quarto, notando as toalhas de rosto sobre o criado-mudo de mogno. Pensou no que deveria ter sido a última semana para ele, a intimidade envolvida nos cuidados dedicados a ela. O homem em quem não podia confiar fora confiável na hora mais terrível. Qual era o sentido daquilo?

Alec sabia exatamente o que acontecera a Eva uma semana antes. Então, fizera a mesma coisa com ela. Por causa dele e do misterioso homem alado, Eva estava alterada. Física e mentalmente. Conseguia sentir a mudança como uma droga correndo em suas veias.

Eva virou-se, pegou um robe curto pendurado na porta do quarto e saiu. Foi para a cozinha, comer e tomar um café, sabendo que precisaria disso para o confronto iminente.

Alec observou Evangeline Hollis deixar o estacionamento da escola, atravessar a Euclid Street e entrar na loja de conveniência Circle K. Seu olhar absorveu cada nuance dela — as pernas longas e ágeis; as curvas leves, mas atraentes; o bronzeado dourado californiano; e os cabelos negros, longos e sedosos. Ela caminhava com três outras garotas, mas não combinava com elas. Não porque fosse asiática, mas porque estava acima delas, além delas. Cada centímetro exuberante de seu corpo exalava uma enorme promessa sexual e uma confiança admirada por Alec.

Às vezes, ele amaldiçoava a vontade súbita que tivera de comprar uma garrafa de água na loja de conveniência no primeiro dia em que a viu. Se não a tivesse encontrado, não teria se metido naquele apuro. No entanto, sabia que o destino e a coincidência eram conceitos humanos. Um plano divino estava em ação, e, de algum modo, aquela garota-anjo se encaixava nele. Infelizmente para ela.

Querendo protegê-la, Alec combatera a compulsão de conhecê-la e fugira, pegando a Interestadual 5 para San Diego. Outra cidade, para a lista interminável das que ele visitara no decurso de sua vida errante. Sua moto passou rugindo pelo parque da Disney, o lugar mais feliz do planeta.

Então, Alec compreendeu a fonte da atração que sentia por ela. Quando dissera *Oi* com aquela boca pintada com batom vermelho brilhante, ele sentira os primeiros sinais de conexão, algo que não experimentava fazia tanto tempo que já tinha quase esquecido como era.

Por que ela? — ele se perguntou, em desespero. Era jovem. Muito jovem. Séculos mais jovem do que ele.

No entanto, sabia a resposta. Ela era o fruto proibido, planejada para seduzi-lo com aquilo que jamais poderia ter. Bastava provar uma vez e Eva seria sua, mas o preço que ela pagaria destruiria os dois.

Apesar de saber as consequências, Alec se viu pegando o retorno da estrada e voltando para ela. Agora, duas semanas depois, ele a observava sob a sombra de uma grande árvore, e sofria com a sensação de que ela se entregaria a ele.

Uma única vez. Ele estava desesperado por aquilo.

Não conseguia esquecer a sensação dos seios dela em suas costas, da ponta dos dedos percorrendo seu abdômen, do som da voz dela perguntando: — Não podemos ir a outro lugar?

Sim, ele teve vontade de dizer. Vamos, para nunca mais voltar.

Tentação. O teste que Deus utilizava com mais frequência.

Mas Alec não fracassaria naquele teste. Partiria naquele dia, mesmo que aquilo o machucasse muito. Tinha ido vê-la pela última vez. Em seguida, partiria, encontrando forças no fato de que resistiria à sua própria carência em favor dela.

Estava prestes a partir, finalmente pronto para subir em sua moto, deixando Eva para trás. Quando ela parou na esquina e virou a cabeça em direção a ele. Alec se deteve. Esperou. Imaginou se ela o tinha visto.

Eva arqueou uma sobrancelha, encarando-o. Então, soprou-lhe um beijo zombeteiro e lhe mostrou o dedo médio. Em seguida, virou e começou a se afastar.

Morra de vontade, foi o que as ações de Eva quiseram dizer.

Provocando-o. Tentando-o. Não entendendo que ele tinha medo por ela, e não por ele. Ela pagaria o preço por esse delito. E a punição dele seria saber que era a causa do delito dela.

Com os dentes cerrados de tensão, Alec recolocou os óculos de sol, caminhou até a moto e partiu.

DETENDO-SE NA PASSAGEM entre a sala de estar e o corredor, Alec observou Eva. Ela estava de costas para ele, usando um robe de seda vermelho-sangue. Seus cabelos pretos caíam até a metade das costas, as mechas balançando por causa da brisa marinha que penetrava pela porta aberta da varanda.

Eva parecia relaxada, o quadril apoiado no batente da porta corrediça de vidro. Segurava uma caneca de café fumegante e observava a vastidão do mar. No entanto, Alec sabia que os sentidos dela estavam alertas: a audição mais aguçada e o olfato preciso de modo inumano. Ao alcançar a força plena, a velocidade e a resistência de Eva fariam atletas olímpicos chorarem de inveja... se ela se movesse de maneira bastante lenta para que eles conseguissem vê-la. Agora, ela era uma caçadora, uma predadora.

Apertando o nó da toalha que enrolara em torno da cintura, Alec cruzou o espaço da sala de estar, admirando como Eva tinha prosperado na vida. Ela era dona de um reluzente Chrysler 300 e seu apartamento ficava tão perto da praia que a varanda da sala pairava sobre a areia.

Eva iria odiá-lo por arruinar sua vida perfeita.

— Bom dia, anjo.

Ela se virou para encará-lo. Apesar das muitas horas de sexo intenso, não parecia exausta. Seus olhos negros, amendoados e emoldurados por cílios espessos, estavam claros e luminosos. Agora, ela se restabeleceria com uma velocidade fora do comum. Ao menos por fora. Quanto ao interior...

Alec passou a mão nos cabelos úmidos. Será que ela entenderia quando ele explicasse? Em caso afirmativo, aliviaria o fato de que ele era o motivo pelo qual aquilo acontecera a ela?

Eva levantou uma mão, detendo o avanço de Alec quando chegou bem perto dela. — O que eu sou agora? — perguntou.

— Você é uma Marcada — Alec respondeu, fingindo tranquilidade. — Está mais forte, mais rápida...

— Melhor, mais forte, mais rápida? — A risada de Eva foi hostil. — Virei a Mulher Biônica? O que foi aquela febre?

53

Alec cruzou os braços sobre o peito desnudo e decidiu falar. Eva tinha todo o direito de estar irritada e confusa. — Castigo. A sexualidade feminina foi usada contra as mulheres desde que minha mãe comeu o fruto proibido. Por que você acha que o parto é tão doloroso?

— Você é louco? Parto? O que isso tem a ver comigo? — Eva fez um gesto de censura com a mão. — Pensando melhor, não responda. Só explique o motivo pelo qual estou sendo punida.

— Por ter me seduzido.

— Eu não via você há dez anos! — Eva disse com rispidez. — Você me comeu e caiu fora.

Eva jamais fora capaz de esconder algo dele. Ela estava magoada.

— Eu amo você — Alec disse, com a voz rouca.

Tremendo, Eva estendeu a mão e agarrou a porta de vidro. — Vá se danar!

— Evangeline…

— Vá pro inferno!

— Meu trabalho é mandar os demônios de volta para lá. Agora, também é o seu.

— Você está louco. Precisa de ajuda. Procure um psiquiatra. Há muitos por aí. Pode até levar a lista telefônica com você. Pelos bons e velhos tempos.

— Ele mostrou suas asas para você, anjo? — Alec perguntou, chegando mais perto de Eva. — Ele as desfraldou? Ele a intimidou com elas?

Seus dedos apoiados no batente estavam brancos, assim como seus lábios.

— Aposto que ele deu um grande show durante a marcação, não? Como ele disse isso? — Alec rosnou, com a voz bem grave, e o imitou: — Carregue a marca de Caim!

A caneca caiu da mão de Eva, estilhaçando-se no piso de madeira e espirrando café para todos os lados. Em seguida, ela sentiu os joelhos dobrarem. Alec correu para segurá-la.

Ele a carregou para o sofá e a deitou, colocando sua cabeça em seu colo. Acalentou-a, confortando-a.

— Você que me seduziu — Eva acusou. — Como eu poderia resistir? Uma garota da minha idade… Um cara como você…

Eva deixou escapar um soluço. Alec acariciou os cabelos dela e a segurou com mais força junto dele.

Aquela noite o perseguia. Ele reservara uma suíte em um hotel, comprara as flores mais perfumadas que conseguira em uma floricultura e iluminara o quarto com inúmeras velas. Tirara a virgindade dela em lençóis de cetim brancos cobertos com pétalas de rosas.

— Não fui capaz de fazer diferente — Alec afirmou baixinho.

— Você sabia que não poderia ficar quando me seduziu.

Ele falou com os lábios próximos de sua cabeça. — Tentei poupar você de qualquer sofrimento com minha partida. Esperava que, me afastando, você poderia ter o mesmo futuro de antes de me conhecer.

Eva procurou se livrar do abraço dele, mas com tanto ímpeto que caiu no chão. — Você é um imbecil. — Ela se ajoelhou e o esbofeteou.

Alec trincou os dentes e ofereceu a outra face.

Eva praguejou e se pôs de pé, com o robe torto. Alec também se levantou, segurando a toalha e a encarando.

— Me poupar de qualquer sofrimento — Eva zombou, olhando com raiva para ele. — Que desculpa esfarrapada, Alec. Conta outra.

— O que você quer que eu diga?

Ela passou as duas mãos pelos cabelos e disse entre dentes: — Algo que faça sentido. Algo sincero e verossímil.

— Sinto muito, anjo.

Boquiaberta, Eva olhou para ele. — É isso? Você sente muito?

— Seria melhor se eu dissesse que faria tudo de novo?

— Não faça isso — ela disse, desviando o olhar.

— O quê?

— Não olhe para mim desse jeito.

— Você me ama — Alec afirmou, sorrindo ironicamente.

Eles se entreolharam através dos poucos passos que os separavam.

— Odeio ter de contrariar você, mas tenho coisas mais importantes em minha vida. Você é dispensável — Eva afirmou, com raiva.

— Na realidade, não sou. Mas vamos falar disso depois. Agora, você não pode ignorar o que aconteceu ontem à noite.

— Não significa o que você acha que significa — Eva disse, indo na direção da cozinha.

— Significa que estamos ferrados. Também significa que tirar você dessa confusão vai ser muito mais complicado.

Eva pegou duas canecas do armário e mudou de assunto: — Você quer dar uma explicação a respeito do homem alado?

— Sim, irmão, você gostaria de me explicar?

Eva se virou ao som da voz que ela jamais esqueceria. Ele veio andando a passos largos da varanda como se fosse o dono do lugar. O homem que transara com ela e a deixara inconsciente na escada. Seu sorriso era sensual e ligeiramente cruel, fazendo-a estremecer.

Alec rosnou e saltou pela sala com uma ferocidade e uma velocidade que amedrontaram Eva, golpeando o irmão com brutalidade. A luta resultante estava longe de ser uma briga fraternal. Era um combate mortal, e os sons e as visões da batalha causaram algo estranho nela. Fizeram sua marca queimar, seu coração disparar. O cheiro de sangue no ar provocou uma reação física que Eva comparou à sede de sangue. Um rosnado grave escapou de seu peito.

Alec ergueu o irmão no ar como um lutador de UFC e o atirou contra a mesa de centro com tampo de vidro, destruindo-a. No instante seguinte, quebrou a cabeça do irmão com um vaso de cristal.

O barulho de um crânio quebrado deveria ter horrorizado Eva, tê-la feito vomitar. Mas, enquanto ela cambaleava na direção da pia para fazer exatamente isso, Alec desapareceu.

Sumiu sem deixar sinais.

Eva se deteve, sem piscar; uma reação natural de espanto provocada pelo choque. Então, dirigiu o olhar para o homem morto no chão.

Em seguida, virou-se para a pia e tentou de fato vomitar, mas seu organismo não cooperou.

— Meu Deus — ela disse, apoiando-se na beira curvada da bancada de granito para se manter de pé. A marca queimou em sua pele e um som agudo escapou de sua garganta.

— Sim, eis aonde ele chegou — A voz grossa veio da sala de estar. O cadáver se levantou e sua cabeça desfigurada se restaurou diante dos olhos de Eva; a cavidade lentamente se encheu como um balão. Asas brotaram das costas do homem e ele as sacudiu, testando cada uma com uma batida rápida antes de recolhê-las.

— Caim nunca aprende — disse, piscando para Eva, novamente parecendo o executivo vestido de Armani do Gadara Tower.

— Estou louca — Eva disse, arfando. — Louca.

O irmão de Alec riu. — Não entre em pânico, meu bem. Ele vai voltar. São e salvo.

— Você está morto — Eva murmurou. — E eu vou desmaiar.

— Você está muito saudável para isso. Todas as reações físicas que costumava ter em relação ao estresse são coisa do passado.

— Quem são vocês?

Ele sorriu, com a curva insolente da boca ecoando debilmente a de Alec. *Irmãos.*

Naquele momento, Eva conseguiu perceber aquilo. No outro dia, sentiu-se atraída por ele porque era Alec: o mesmo sangue, os mesmos genes, as mesmas características. No entanto, todo o calor e o amor que brilhavam nos olhos de Alec estavam ausentes nos daquele homem. Seu olhar estava repleto de maldade e machismo.

— Sou o cara que fez você gozar três vezes, querida.

— Vejo que há uma competição de imbecilidade em sua família. — A realidade de conversar com um estranho com quem tinha transado em um lugar público, com um estranho que por um acaso era irmão de Alec, que tinha asas e estava morto havia um minuto, atingiu-a em cheio. Eva se apoiou sobre a bancada da cozinha.

— Reed — ele disse mais baixo, seu olhar malicioso se tornando algo mais sincero. — Meu nome é Reed, Evangeline.

— O que você fez comigo?

— Alec disse que você está marcada agora? — Reed perguntou, sentando-se em uma cadeira e pegando uma maçã da fruteira. — Condenada a caçar o flagelo da humanidade e tornar o mundo mais seguro para todos?

— Entendi a parte de que estou condenada. Mas quem está me condenando é um pouco nebuloso.

— Digamos simplesmente que você deveria reconsiderar seu agnosticismo.

Eva abriu a torneira e jogou água no rosto. — Meu Deus... Merda! — ela disse, com a marca queimando.

— Está chegando perto — Reed apontou, sorrindo ironicamente.

57

— Ha ha — Eva riu, sem achar graça. Forçando-se a agir normalmente, recuperou uma das canecas e a encheu com café fumegante. — Por que agora? Passaram-se dez anos.

— As rodas da justiça giram tão lentamente lá em cima como aqui em baixo.

— Como Alec se encaixa em tudo isso? — Eva perguntou. — Ele está bem?

— Está ótimo. Não foi a primeira vez que ele me matou. Quanto a como se encaixa, bem... — Reed deu de ombros. — Ele poderia ter poupado você se tivesse resistido à tentação.

Eva tirou o creme da geladeira e colocou uma boa quantidade no café. — Não entendo essa parte. Ele está sob algum tipo de voto de castidade? — Era uma ideia interessante.

— Essa é boa — Reed disse, rindo.

De cara feia, Eva recolocou o creme na geladeira e a fechou com mais força do que a necessária.

— Querida, seu nome pode ser Eva, mas, nesta história luxuriante, você desempenha o papel da maçã. Ou seja, "Olhe, mas não toque" — Reed afirmou, dando uma mordida vigorosa na maçã que estava em sua mão.

— Isso é doentio. Quem tortura as pessoas desse jeito?

— O livre-arbítrio — Reed afirmou, mastigando a fruta com gosto. — Você sempre tem uma escolha, mas, às vezes, o caminho pelo qual precisa seguir é óbvio. Se seguir o outro, vai precisar encarar as consequências. — Reed lambeu os lábios. — Se Alec tivesse feito a escolha certa, você estaria casada agora, cuidando de dois filhos. Feliz.

Eva encarou seu café e se perguntou como seria aquela vida.

— Então, para que serve a marca? — ela perguntou, finalmente.

Examinando Reed discretamente, Eva notou que seus cabelos eram muito mais curtos que os de Alec, sua boca era mais fina, e seu jeito era mais intenso. Ao contrário dos trajes informais de Alec, os de Reed eram perfeitamente confeccionados. Naquele dia, ele usava uma calça social cinza justa e uma camisa preta, com o colarinho aberto e as mangas dobradas.

— Bem, a marca possui diversos usos. Originalmente, coloca você na fila para uma audiência. A agenda da corte está cheia, então, é importante se inscrever o mais breve possível.

— Uma audiência?

— Todos têm uma audiência, meu bem. — O sorriso de Reed a afetou; não pôde evitar. Não eram somente suas semelhanças com Alec que a atraíam. — A contribuição de Alec à marca evitou a audiência e vai agir como uma espécie de acordo entre acusação e defesa. Em vez de discutir seu caso, você tem de ganhar indulgências no campo de batalha.

— Por que não parece que Alec me fez um favor?

Reed deu de ombros, em sinal de indiferença. — Depende de como você olha a coisa. Era a única maneira de garantir que ele ficaria com você o tempo todo. Se fosse a julgamento, você teria sido designada ao cargo para o qual estivesse mais qualificada. Nem todos exigem mentores e nem todos os cargos são no campo de batalha. — Reed semicerrou os olhos para contemplá-la e concluiu: — Dessa maneira, Alec tinha certeza de que ficaria com você.

— E o que eu devo fazer no campo de batalha?

— Caçar demônios, fadas, seres interdimensionais, magos e diversas outras criaturas sórdidas. Você vai ter de trabalhar pela absolvição da mesma forma que Alec está trabalhando há séculos.

— Séculos? — Ela tinha se entregado à luxúria com um homem que tinha séculos de idade? Eva bebeu todo o café antes que deixasse cair a caneca novamente. — Ele é imortal?

— Quase. Os Marcados se curam rapidamente. Então, é muito difícil matar um deles. Não existe limite em relação ao tempo que você tem para provar seu valor, e a proteção completa da vingança sétupla é capaz de deter a maioria dos riscos.

— Vingança sétupla?

— É mencionada no Gênesis: "E o Senhor lhe disse: se alguém matar Caim, sofrerá sete vezes a vingança. E o Senhor colocou em Caim uma marca, para que ninguém que viesse a encontrá-lo o matasse." Você tem a marca. Tem a proteção.

— Quão ruim é isso? A coisa das sete vezes.

— Tudo o que o demônio faz contra o Marcado, ele recebe em troca. Sete vezes mais.

— Então é muito ruim, não? — Eva disse, erguendo a sobrancelha.

— Em geral, sim. Como eu disse, detém a maioria dos riscos. Só as criaturas mais diabólicas, desgraçadas e insanas não se preocupam.

— Fascinante.

Reed ficou de pé e contornou a bancada. Tinha transferido o foco de sua atenção para outro lugar.

Eva ergueu o queixo, em provocação. Ele a encurralou contra a bancada. — Além de aprender a como matar e lidar com o perigo, você vai ter de controlar Alec e seus sentimentos quanto ao que aconteceu com você por causa dele. — Ele levantou a maçã meio comida e mostrou para ela. — Então, há as maçãs.

Eva ergueu a sobrancelha, tentando ocultar a maneira como seu corpo reagia à proximidade de Reed. Seus sentidos lembravam-se dele: o cheiro, o poder e o calor do corpo másculo, a quase brutalidade da paixão. Os orgasmos que arrancara dela.

— As maçãs? — Eva perguntou baixinho.

Reed moveu o lado mordido da fruta do pescoço dela até a fenda entre os seios. Tremendo, Eva estendeu a mão para trás e agarrou a bancada. Ele abaixou a cabeça lentamente, observando-a, dando-lhe tempo para se afastar. Reed tocou sua pele com a língua, e a deslizou para cima, em um movimento longo e lento. Então, mordeu seu queixo e, em seguida, moveu-se para pegar a boca dela. Eva virou a cabeça para o lado.

A risada discreta de Reed preencheu o ar carregado de eletricidade entre eles. Então, ele mudou de tática, deslizando a mão para dentro do robe de Eva e segurando o seio dela. Enquanto seus dedos achavam o bico do seio e o beliscavam, sua língua deslizou pelo ouvido de Eva. — Maçãs, meu bem. Tentações. O exercício do livre-arbítrio.

Reed pressionou seus quadris contra os de Eva, dobrando os joelhos para que seu membro duro alcançasse a maciez do sexo dela. Investiu delicadamente, cutucando-a. Eva arfou, mantendo as mãos na bancada. O corpo dela estava tão firmemente preso que a menor provocação a tinha deixado pronta para arrancar as próprias roupas. A qualquer momento. Em qualquer lugar.

— Tinha curiosidade de saber o que em você havia deixado Caim tão amarrado — Reed disse, com a boca próxima do ouvido dela. Com a outra mão, pegou a bunda dela e a incitou a se balançar, enquanto beliscava o bico do seio, enviando ondas de choque na direção da carne ansiosa entre as pernas dela. — Agora eu sei.

— Se afaste.

Reed enfiou a língua no ouvido de Eva e os joelhos dela dobraram.
— Foi a trepada mais quente que eu já tive. Sua boceta molhada engo-
lindo meu pau. E aqueles ruídos que você fez… Aqueles gemidos… — ele
rosnou. — Quero comer você agora. Enfiar meu pau até o fim e ver você
gozar até não aguentar mais. — Reed tirou a mão da bunda dela, usando-a
para erguer a perna de Eva e prendê-la em seu quadril. Suas investidas
ficaram mais ousadas, mais intensas. — Você é uma predadora, agora,
Eva. E predadores gostam de trepar.

— Se afaste! — disse Eva, empurrando-o. Reed voou através do
espaço e pousou sobre o tapete da sala de estar. — Meu Deus! — ela exclamou. A marca queimou sua pele mais uma vez e a deixou zonza.

Reed jogou a cabeça para trás e riu, pondo-se de pé com uma graça
natural. — Viu? Já está pegando o jeito.

Ele apoiou a mão e se ajeitou, chamando a atenção dela para o evidente ponto úmido na calça dele, onde estivera se esfregando nela.
— Tome cuidado com as maçãs, meu bem.

Em um piscar de olhos, Reed sumiu, da mesma forma que Alec.
Pouco depois, Alec reapareceu. Ainda nu, mas sem o sangue, com seu
belo rosto afetado por uma expressão de mau humor feroz.

Eva pegou uma maçã e a jogou nele.

7

ALEC PEGOU A MAÇÃ E ESMAGOU SUA POLPA SUCULENTA com a mão.

Ele era um caçador bem-sucedido por sua paciência. Ao contrário da maioria dos Marcados, seu objetivo não era quantidade, mas qualidade. Os Demoníacos eram iguais a todos os organismos parasitários. Aprendiam, adaptavam-se e sofriam mutações. Como sobreviviam a ataques frequentes, ficavam mais fortes e mais temíveis.

Quando Alec era convocado a realizar uma caça, estava preparado para esperar durante dias, semanas, meses ou até anos para realizar o ataque. As batalhas prolongadas eram cansativas e chamavam muita atenção. Ele preferia o assassinato rápido e aguardava o momento propício até a oportunidade se apresentar.

Eis por que ele ficou frustrado com sua incapacidade de ser paciente com Abel. Seu irmão era como unhas sobre um quadro-negro. Alec não conseguia ignorá-lo ou perdoá-lo. Seu rancor estava profundamente arraigado.

Com passos largos, Alec se dirigiu à cozinha e acionou o triturador de lixo. Abriu a mão, soltando a maçã destruída. Um suco pegajoso cobria seus dedos, e ele observou quando começou a escorrer. Gota após gota.

Eva fez um barulhinho e Alec olhou para ela. Estava parada de pé, próxima, com os olhos excitados e brilhantes.

— Fique longe dele — Alec proferiu em voz baixa, por entre dentes.

Ela ergueu o queixo, pronta para discutir, mas virou de costas, ficou na ponta dos pés, abriu a porta de um armário e estendeu a mão para pegar uma garrafa de Baileys.

— Se você está querendo se embebedar, não vai conseguir — Alec disse.

Eva se deteve no meio do movimento.

— Seu corpo não metaboliza o álcool — ou qualquer substância psicoativa — como antes.

Ela deixou a mão cair e bateu o punho fechado sobre a bancada. Encarou Alec, semicerrando os olhos com raiva. — Você está dizendo que nunca mais vou sentir um barato?

— Você pode ter um orgasmo daqui até a eternidade — Alec revelou. — Não é barato suficiente para você?

— Merda.

— Posso ajudar nisso.

— Cale a boca! — Eva vociferou. — A culpa é toda sua.

— Isso é tudo o que você tem a dizer? — Alec provocou, nervoso. Fora punido por matar seu irmão de novo, o que o deixara ávido por uma briga. Ou por uma boa trepada. Como o que metera Eva numa encrenca fora a última, Alec achava que se daria melhor com a primeira alternativa.

— Sua vida acabou de ir pelos ares e "Cale a boca" é a melhor coisa que você pode dizer?

Eva cerrou os punhos e ele sentiu certa satisfação. Se estava furiosa com ele, não estava pensando em Abel.

— Não sei — ela disse, bufando. — Estou me sentindo uma super-heroína. Seria capaz de chutar sua bunda pelada. Talvez nós dois nos sintamos melhor se eu fizer isso.

Alec riu e se encaminhou para a pia, para lavar as mãos. — Consegue dizer isso depois de me ver matando um homem? Você é corajosa, anjo. Graças a Deus, pois vai precisar ser.

— Não faça graça, Alec.

Depois de fechar a torneira, ele se aproximou dela. Seus quadris imobilizaram Eva contra o armário, enquanto suas mãos úmidas acariciaram seu rosto. — Não estou fazendo.

— Parece que eu perdi a cabeça.

— Você não perdeu nada. É a mesma mulher inteligente e sexy de que me lembro.

— Na época, eu não era uma mulher — Eva murmurou.

— Também vai discutir comigo a respeito disso? — Alec perguntou, continuando a caricia no rosto dela.

Eva suspirou e repousou o rosto sobre a mão dele. — Você o matou?

— Sim.

— Explique isso para mim. — Eva encarou Alec com uma mistura de repulsa e fascinação desconfiada. — Ele disse que não foi a primeira vez.

—*Sou eu o responsável por meu irmão?* — Alec declamou baixinho.

Eva olhou rapidamente para ele, com uma ruga afetando a beleza de seu rosto. — Você vai citar a Bíblia numa hora...

Conforme a voz de Eva perdia força, Alec observava a confusão dela se transformar em uma compreensão nascente. Jamais fora capaz de esconder algo dele, mas teria de aprender a assumir uma fisionomia inexpressiva agora. Os Demoníacos tirariam proveito de qualquer fraqueza visível.

— A marca de Caim — Eva sussurrou. — Alec *Caim*.

— Eu sei que parece fantástico — Alec afirmou.

— Acredito em você. — Eva fez um gesto de impaciência com a mão e deu um sorrisinho. — Não estou muito surpresa. Não depois da última semana. Sete dias. Droga... Acho que não é coincidência.

— Coincidências não existem.

— O que está acontecendo? — Eva cobriu com a mão a sua marca. — O que isso significa?

— É um chamado, anjo. Um...

— Achei que era uma punição.

— Também pode ser.

A maneira como Eva mordeu o lábio inferior foi mais um sinal de sua aflição, mas a espinha de aço, que tinha chamado a atenção de Alec de imediato, não falhou. — Matar demônios e fadas? Olhe para mim, Alec. Acha que sou capaz de fazer isso?

— Você é capaz de fazer qualquer coisa que precise ser feita. Muito mais do que a maioria dos Marcados.

— A maioria dos Marcados? Há outros? — Eva perguntou, com os olhos arregalados.

— Milhares.

— Deus do Céu... Ai! Droga! Essa coisa continua queimando.

— Porque você está pronunciando o nome de Deus em vão. Precisa parar com isso.

— Isso é besteira. Por que eu? Por quê?

Alec bufou, despenteando os cabelos de Eva. Não havia maneira de negar sua culpa na queda dela. No entanto, ele não continuaria chamando a atenção para isso.

— Depois que meu pai foi criado, ordenaram aos anjos que se prostrassem diante dele, afinal, ele tinha sido criado à imagem de Deus — ele disse, em vez de responder diretamente ao desabafo de Eva.

— Deus não está de saco cheio de si mesmo? — Eva perguntou, de modo provocativo.

— Cuidado! — Alec advertiu, sacudindo-a um pouco. — Essa sua boca vai meter você em apuros.

— Não é a única parte problemática em mim.

— Alguns anjos se opuseram, insistindo que eram superiores aos homens...

— Tendo a concordar com eles.

— Aqueles que se opuseram à vontade divina foram banidos dos céus. Caíram na terra, onde deitaram com homens e geraram os nefilins, semianjos que sentiam animosidade em relação a Deus. Minha família começou a perder sua posição na cadeia alimentar.

— Então, Deus recrutou você?

Alec riu baixinho, sem humor. — Ele disse que o pecado jazia à nossa porta e que era meu dever dominá-lo. Se conseguisse, seria perdoado pela morte de meu irmão. Caso contrário, os Demoníacos me matariam.

— Por que ninguém conhece essa parte da história?

— Está na Bíblia, anjo. A sequência dos eventos está um pouco distorcida, mas é mencionada.

— Então, você não teve escolha.

— Sempre temos escolha. Foi meu irmão, Seth, que insistiu para que eu aceitasse a oferta. Como tenho... experiência, faz sentido. No final das contas, fiquei agradecido por ter um objetivo. Sou bom no que faço.

— Você tem outro irmão? — Eva perguntou, chocada com a ideia.

— Trinta e dois irmãos e trinta e duas irmãs. Nem todos ainda estão aqui, na terra. Muitos já ascenderam.

— Nossa! Coitada de sua mãe — Eva disse, assustada.

— Você tem de levar em consideração que sem televisão, rádio e esportes, o sexo era a melhor forma de entretenimento que existia.

— Eu me absteria se isso me livrasse de dar à luz tantas crianças.

— Não, você não se absteria — Alec caçoou, extremamente consciente do estado de excitação latente dela. Sob o medo e a confusão de Eva, sentia o sabor subjacente do puro desejo. Em combinação com a brisa marinha, era vigoroso e sedutor. Por natureza, Eva era uma criatura sexual. A tendência se intensificaria agora.

— Volte à sua explicação — Eva pediu. — Você começou a matar os nefilins?

— Sim, mas isso enfureceu Samael.

— Samael?

— Satanás.

— Entendi.

— Quando os nefilins começaram a cruzar com outros nefilins e anjos caídos, Samael treinou seus filhos, injetando neles um ódio por tudo, exceto por ele. Eu não podia cuidar do trabalho sozinho. Existiam muitos para matar, diversas variações e mutações.

— Então Deus começou a marcar outras pessoas?

— Pecadores. Dando a eles a oportunidade de se livrar aos poucos das transgressões.

— Não sou uma pecadora. E tudo isso é completamente insano. Há milhões de fanáticos religiosos em todo o mundo que matam em nome de Deus todos os dias. Por que não usar esses caras? Faria muito mais sentido. Melhor recrutar babacas relutantes como eu. É mais divertido. Vê-los sofrer, ameaçá-los...

— Evangeline... — Alec disse, nervoso. — Você não precisa gostar Dele, mas você precisa respeitar Seu poder.

— O que mais Ele pode fazer contra mim? — ela disse, afastando-o.

Por pouco tempo, ele considerou resistir, mas, então, considerou que a nudez poderia lhe dar uma vantagem. Ele era um caçador por natureza, um predador. Sabia que teria de abordá-la com cuidado. Teria de manobrar com destreza, curvando-se e se ajustando para mantê-la por perto. Ela teria de vê-lo se aproximando, pois, surpreendê-la com um agarrão abalaria ainda mais sua confiança e ela precisava confiar nele. Caso contrário, não poderia mantê-la viva.

Como se Eva percebesse sua intenção, lançou-lhe um olhar astuto e apertou o cinto do robe. — Você foi ver Deus assim? Com tudo à mostra?

— Não tive escolha.

— Não posso fazer isso, Alec. Você me meteu nessa história. Vai ter que me tirar dela.

— Estou tentando.

— Tente mais — Eva disse, rosnando baixinho, como uma gatinha nervosa. — Olha, não consigo assistir a filmes de terror. Fico angustiada só de andar sozinha em estacionamentos. Ser a mulher biônica não vai mudar o fato de que não sei matar coisas.

— Você não é a mesma mulher que me recebeu na porta com uma arma?

— Autodefesa é diferente — Eva sustentou, dando as costas para ele e bebendo avidamente o café esquecido.

— Ele não a teria marcado se você não fosse capaz de lidar com isso.

Eva virou a cabeça na direção de Alec. — Estamos falando do Deus que prometeu a Moisés que iria para o céu se trabalhasse como um condenado e arruinasse sua vida, e, então, no último minuto, quebrou a promessa?

Enquanto entrelaçava os dedos, Alec cerrou os dentes. — Estou começando a achar que Ele não a escolheu por minha causa, mas por sua causa. Você tem muito a aprender.

— Não importa. Seu irmão me disse que eu poderia ter um julgamento. Quero um.

— É muito tarde para isso.

Uma terrível quietude tomou conta dela. — Por causa do que você fez?

Alec concordou com a cabeça. Eva tinha de confiar nele, cegamente. E, naquele momento, ela tinha todos os motivos para não confiar. O campo de batalha não era um lugar para duvidar da pessoa que vigiava suas costas. — Não posso ajudar você se estiver do outro lado do mundo. Tive de fazer o que fiz para ficarmos juntos.

Eva começou a caminhar, saindo da cozinha e pegando o corredor que levava ao quarto.

Alec a seguiu. — Para onde você está indo?

— Não quero ficar com você agora.

— Anjo...

Eva virou-se em um movimento ágil, gracioso e sensual.

— Vou tirar você disso — Alec afirmou, lutando contra a reação de seu corpo ante a visão de Eva. Seu pau doía de tão duro.

Eva dirigiu o olhar para baixo, apontou para a ereção dele e disse: — Guarde essa coisa! Já me meteu em apuros demais.

Em seguida, entrou no quarto e bateu a porta.

— Minha roupa está aí dentro — Alec gritou, sorrindo.

Logo em seguida, o jeans e a camiseta dele foram jogados para fora e o atingiram diretamente no peito.

— Prefere que eu não use cueca? — ele perguntou.

— Cale a boca e se vista.

— Mas a conversa não acabou.

— Dá um tempo, tá?

Alec foi para o quarto de hóspedes, com os pés descalços batendo sobre o piso de madeira polido em um ritmo desolado. O quarto de hóspedes tinha o mesmo estilo ligeiramente moderno do principal, e era quase do mesmo tamanho. Grandes placas de madeira envernizada pendiam de trilhos metálicos no teto e funcionavam como porta para o armário que ocupava toda a parede direita. O piso de madeira estava coberto por diversos tapetes brancos felpudos de formatos irregulares. Prateleiras embutidas decoravam a metade inferior da parede traseira, enquanto a metade superior estava coberta de fotos em preto e branco e molduras prateadas.

A cama ficava do lado esquerdo. Era baixa e bastante grande. Estava coberta por um edredom de cetim chocolate, travesseiros com fronha creme e enfeites marrons e cor de ferrugem.

A visão da cama perfeitamente arrumada o seduziu tanto quanto o deprimiu. Alec estava exausto. Enquanto o corpo de Eva estivera mudando e armazenando energia, o dele tinha sido drenado por preocupação, culpa e falta de sono.

Estava cansado de ficar sozinho. O que piorava a enorme confusão em que se encontrava.

Sua vontade de fazer o que era melhor para Eva — devolver a vida dela —, estava em oposição direta com sua necessidade de longa data de parar de errar ao léu. Pela primeira vez, sua função de mentor lhe deu a oportunidade de provar que podia interagir bem com outras pessoas.

Finalmente, após séculos de vida errante, fora designado a uma base domiciliar. Por meio de sua função como mentor de Eva, podia descobrir o que precisava saber para alcançar suas aspirações. Se captasse bem todos os níveis do sistema de marcas, tentaria pleitear julgamento por estabilidade. Ele poderia ensinar outros a atuar tão bem no campo de batalha como ele... se ele tivesse um grupo de encarregados e Marcados à sua disposição.

Fora seu sonho de longa data um dia convencer Jeová de que se dirigisse sua própria empresa, seria mais produtivo. Todos sabiam que a expansão do sistema de marcas estava bastante atrasada. Queria ser aquele a comandar quando a nova empresa fosse criada. Ninguém tinha sua experiência de campo.

Como sempre, as escolhas dadas a ele eram malditas em todos os sentidos. Precisava de Eva para progredir. Mas não era aquilo de que ela precisava.

Seus olhos estavam pesados.

— Não faça isso comigo — ele pediu, dirigindo o olhar às alturas. — Você sabe muito bem que não é uma boa hora para eu adormecer.

No entanto, seu desejo foi ignorado, como de costume. Ele ainda estava sendo punido pelo assassinato de Abel, e Jeová tinha mantido o método de castigo severo em adiantamento. Tirá-lo do jogo foi uma maneira fácil e eficaz de colocá-lo em seu lugar: abaixo da média.

Alec deitou-se e perdeu a consciência, apesar de seus esforços contrários.

Algumas horas depois, ao acordar, sua raiva aumentou repentinamente, como se tivesse cozinhado em fogo brando ao longo de seu cochilo forçado. Através da porta aberta para o corredor, os grasnados das gaivotas e os sons das ondas quebrando na praia o lembraram de muitos outros despertares. Inúmeros dias de sua vida, todos iguais, misturando-se de maneira contínua e nada notável uns aos outros. Ele queria uma vida diferente, que dividisse com alguém. Queria Eva, mas não podia tê-la.

Teria de achar uma maneira de libertá-la e, em seguida, deixá-la partir. De novo. Não fazia ideia de onde acharia forças para se afastar uma segunda vez, mas teria de achar. Mesmo se isso o matasse.

— Eva! — ele gritou, passando as mãos pelos cabelos antes de se levantar.

Ela tinha saído. Sentiu isso. A ausência dela deixava um vazio arrepiante. Era potencialmente letal. Um Marcado não instruído era um alvo suscetível e irresistível para os Demoníacos.

Praguejando, Alec vestiu-se rapidamente e saiu correndo do apartamento.

RESPIRANDO FUNDO, Eva abriu a porta do carro e saiu sob o sol do sul da Califórnia.

Por um instante, ela se deteve em passar as mãos sobre a camiseta. Se tivesse pensado melhor, em vez de agir por instinto, teria achado algo mais adequado para usar para rezar do que uma calça de moletom e uma camiseta desbotada. Embora não acreditasse em religiões baseadas em instituições, respeitava as crenças daqueles que as tinham. Mas não tinha planejado ir até ali.

Eva desviou o olhar do teto do carro para uma nova igreja católica. Em sua opinião, parecia mais algo do mundo cristão moderno, mas o que ela sabia a respeito daquilo?

Era exatamente o motivo pelo qual estava ali. Jamais abordava qualquer projeto sem uma pesquisa inicial exaustiva. Quando criança, seus pais, membros da Igreja Batista do sul dos Estados Unidos, tinham exposto Eva à religião, mas suas recordações daquelas primeiras aulas a respeito da Bíblia eram muito débeis.

Contornou o carro e cruzou o grande estacionamento, dirigindo-se às portas de madeira entalhada que protegiam o interior da igreja. Havia carros estacionados na frente. Alguns tinham adesivos ou símbolos religiosos na traseira, mas, na maioria dos casos, não existiam indicadores externos de devoção. O tipo de devoção que poderia motivar alguém a visitar uma igreja no meio da semana.

Girando a maçaneta, Eva abriu a porta e entrou no interior silencioso e frio da igreja. Como o exterior, tinha um design minimalista. O teto formava arcos a mais de nove metros de altura da área de culto e ostentava vigas de madeira expostas em um padrão complexo. Bem em frente, uma estátua de bronze da crucificação se projetava da parede e brilhava sob a luz de um grande refletor. Eva tremeu ante a visão, achando a representação do suplício eterno mais arrepiante do que inspiradora.

Como sempre, ela se deteve na entrada, procurando no íntimo qualquer sensação de reverência ou satisfação. Diversas pessoas descreviam um sentimento de retorno ao lar quando ingressavam na casa de Deus. Ela não sentiu nada diferente de quando entrava em uma loja de conveniência.

O murmurinho à sua direita chamou a atenção de Eva para um nicho com uma estátua em tamanho natural da Virgem Maria e diversas velas acesas. Duas pessoas estavam ajoelhadas ali, uma mulher e seu filho, com a cabeça inclinada em oração.

— Posso ajudar?

A rouquidão cálida da voz masculina a deixou paralisada. O timbre era de um operador de telessexo, o que era muito estranho em uma igreja.

Curiosa, Eva virou-se para encarar o dono da voz. Ficou surpresa ao descobrir um homem corpulento e parcialmente calvo em uma batina.
— Oi — ela conseguiu dizer.

— Olá — ele respondeu.

Não era a mesma voz. Ela franziu a sobrancelha, em dúvida.

— Sou o padre Simmons. Este é o padre Riesgo. — O padre Simmons indicou alguém atrás de Eva, e ela se virou para ver a quem se referia.

O queixo de Eva quase caiu, mas ela o conteve a tempo. — Padre — disse.

Pelo menos duas décadas mais jovem que o padre Simmons, o padre Riesgo parecia um peixe fora d'água na batina. O traje dava a impressão de ser mais um figurino do que qualquer outra coisa. Suas feições eram fortes, com olhos verdes incríveis e o rosto ostentando uma cicatriz que, Eva supôs, tinha sido causada por uma faca. Com os cabelos escuros penteados para trás em um rabo curto, ele parecia mais um renegado do que um missionário.

— Olá. — O padre Riesgo sorriu, revelando dentes brancos perfeitos. — Posso ajudar?

— Preciso de uma Bíblia.

Os dois padres se entreolharam, surpresos. Intimamente, Eva se censurou pela idiotice. E também por seu pai não ter uma Bíblia e a da sua mãe ser em *kanji*. Ela deveria ter ido a uma livraria, não dirigido a esmo até achar uma igreja na qual exibiria sua tolice a rédeas soltas.

O padre Simmons pôs a mão sobre o ombro do padre Riesgo e disse: — Vou começar o trabalho.

Seu dia fora muito estranho até aquele momento, e Eva não deixou passar despercebido o fato de ter sido deixada aos cuidados do padre Riesgo. Talvez achassem que ela era uma maluca, e que poderiam precisar de alguma força para se livrar dela. Eva não conseguiu decidir se aquilo era divertido ou triste.

Riesgo concordou com um gesto de cabeça e esperou até que o outro padre ficasse fora do alcance de sua voz. Então, voltou a dirigir a atenção para Eva, estudando-a por certo tempo. — Qual é seu nome?

Eva recuou, então estendeu a mão e disse: — Desculpe. Evangeline Hollis.

— É um prazer conhecê-la, senhorita Hollis. — O aperto de mão dele foi forte e destemido, como se poderia imaginar. Apontou para o banco mais próximo, mas Eva fez um gesto negativo com a cabeça. — Tudo bem — ele afirmou, com aquela voz pecaminosa. — Você pertence a esta paróquia?

— Para ser honesta, padre, nem sou católica.

— Então por que veio aqui, na St. Mary's?

Eva hesitou por um instante, relutante em se mostrar tola de novo. Riesgo era o tipo de homem que alguém abordava sem zombaria. Seus olhos verdes pareciam captar tudo com grande intensidade e seu queixo determinado prevenia contra subterfúgios. No final das contas, entretanto, ela disse a verdade, porque era de sua natureza. — Não tenho certeza. Quis refrescar minha memória a respeito de algumas histórias bíblicas, em particular sobre Caim e Abel, e percebi que não tinha uma Bíblia. Por um acaso, cruzei com este prédio na hora errada.

— Talvez não fosse a hora errada.

Eva tentou dar um passo em direção a porta.

Riesgo também deu um passo, acompanhando-a. — Oferecemos aulas sobre o rito da iniciação cristã. Gostaríamos muito que você participasse. Para muita gente, a Bíblia é uma jornada que requer um guia. Não gostaria que se sentisse perdida ou oprimida pela dúvida.

— Agradeço a oferta, mas não estou interessada em me ligar à Igreja. Só preciso de uma fonte de referência.

Riesgo voltou a sorrir e disse: — O Walmart vende Bíblias. Por uns cinco dólares.

— Claro. — Mentalmente, Eva se censurou. — Eu devia ter pensado nisso. Obrigada.

Ela voltou a ir em direção a porta.

O padre Riesgo a acompanhou de novo, sorrindo. — Senhorita Hollis?

— Sim?

Ele enfiou a mão no bolso, tirou um cartão de visita e o entregou para ela. — Se tiver alguma dúvida, fique à vontade para entrar em contato conosco.

— O senhor é muito amável. — Ela só aceitou o cartão por educação. — Mas há igrejas mais perto de onde eu moro. Duvido que voltarei a incomodá-lo.

Por natureza, o padre Riesgo era desconcertante, mas quando seu foco se estreitava, a intensidade era impressionante. Ele não era bonito pela definição-padrão, mas carisma… tinha aos montes. Em combinação com a voz rouca, provavelmente, atraía muitas mulheres para a missa.

— Hum… — O ruído deixou Eva um pouco na defensiva.

— Tenho um péssimo senso de direção.

Ele balançou a cabeça. — Não acho. Você está procurando respostas e sua busca a trouxe para cá. Você se importaria de esperar um instante? Tenho algo para você.

— Estou com pressa — Eva alegou, temendo uma longa preleção e um trabalho de venda concentrado na sequência.

— Um minutinho. Serei rápido.

O padre Riesgo se afastou a passos largos na direção da nave da igreja. Fascinada, Eva o observou, notando distraidamente que a severidade de sua batina negra não reduzia em nada a graça com que se movimentava.

— Vá embora — Eva ordenou para si mesma.

Bateu em retirada em direção a porta. Imaginou que, se alcançasse o estacionamento antes de ele voltar, estaria salva.

Havia uma caixa fechada a cadeado para o recebimento do dízimo perto da saída. Ela deixou o cartão de visita cair na fenda e estendeu a mão para pegar a maçaneta da porta.

Sua mão mal tinha entrado em contato com o metal frio quando o padre Riesgo apareceu no final do corredor com uma sacola vermelho-escura na mão. Ele parecia agitado e fervoroso, impossibilitando a partida de Eva.

Em um piscar de olhos, o padre a alcançou e começou a falar apressadamente: — Na semana passada, senti-me instigado a comprar isto... — Então, ele enfiou a mão na sacola e tirou um livro dela. — Embora não soubesse o motivo. Minha irmã tem uma Bíblia que pertence à nossa família a gerações e minha mãe não está mais conosco.

Eva aceitou a Bíblia ofertada com mãos vacilantes. Tinha uma capa de couro macio, cor de vinho, e era adornada por bordados femininos de videiras floridas e borboletas coloridas. Aquilo era caro. Ela olhou fixamente para o livro, confusa.

— É sua — ele disse.

— Não posso aceitar isso!

— Eu a comprei para você.

— Não, não comprou.

— Sim, comprei — ele disse, com os olhos brilhando.

— O senhor está louco.

— Eu acredito em milagres.

— Pegue-a de volta — Eva disse, empurrando a Bíblia para ele.

— Não.

— Vou deixar cair — ela ameaçou.

— Não acho que você consiga.

— Veja.

— Pegue emprestada — o padre Riesgo sugeriu.

— Hein?

— Você precisa de uma Bíblia. Eu tenho uma. Pegue emprestada. Quando não precisar mais, devolva.

Eva franziu a testa.

O padre cruzou os braços, deixando claro que não cederia.

— O senhor está equivocado a meu respeito — Eva afirmou. — Não sou uma alma perdida, esperando ser encontrada.

Eva já fora encontrada. Aquele era o problema.

— Certo — ele reagiu. — Faça sua pesquisa e me traga ela de volta. A Bíblia deve ter algum uso, não ficar dentro de uma sacola em uma gaveta.

Alguns minutos depois, quando Eva saiu da igreja, não conseguia acreditar que carregava uma Bíblia na mão. Frustrada com as reviravoltas estranhas que estavam afetando o curso outrora regular de sua vida, ela se deteve na calçada, na extremidade do estacionamento, e suspirou.

— Não gosto disso — disse em voz alta, imaginando que a proximidade da igreja não poderia prejudicar suas chances de ser ouvida por alguém lá em cima.

Então, uma gota atingiu seu rosto. Depois, outra respingou na extremidade do nariz. Franzindo as sobrancelhas, ela ergueu os olhos e viu o céu azul e sem nuvens. Então uma gotinha alcançou seu olho, que ardeu.

— Ai! Droga!

Uma gargalhada em alto volume desviou o olhar de Eva para a igreja. Ela esfregou os olhos e procurou sua origem. Exatamente quando sua visão clareou, um jato de líquido atingiu o centro de sua testa.

Eva deu um salto para trás e passou a mão pelo rosto. Ergueu os olhos para a arcada acima dela.

Ouviu uma voz alegre. — Haha!

Ao encontrar a origem, Eva arregalou os olhos. Em seguida, semicerrou-os defensivamente quando constatou que o líquido gotejando nela era urina.

Urina de gárgula.

A pequena besta de cimento tinha o tamanho de um galão, aproximadamente. Ostentava asas minúsculas e uma cara risonha. Dançando com alegria, saltava de pé em pé, num círculo frenético, que deveria tê-la derrubado no chão.

— Joey marcou a Marcada! Joey marcou a Marcada! — a gárgula cantava, fazendo xixi o tempo todo.

75

— Puta merda — Eva sussurrou, beliscando-se.

Uma pancada forte na parte posterior da cabeça dela arrancou a sacola de suas mãos, confirmando que não estava tendo um pesadelo.

— Que coisa feia!

Eva virou-se para encarar sua agressora: uma velha recurvada, brandindo uma bolsa muito pesada.

— Não é o que a senhora pensa — ela se queixou, esfregando o galo que inchava rapidamente.

— Bata nela de novo, vovó — sugeriu a gárgula com aparência angelical ao lado dela.

— Vá embora! — a velha ordenou com um movimento ameaçador da bolsa.

Eva ponderou os méritos de rir... ou gritar. — Deixe-me em paz, senhora.

— Pecadora — a gárgula disse.

— Não sou uma pecadora. Não é culpa minha.

Uma mão volumosa e quente tocou o ombro de Eva e, então, a sacola caída entrou em sua linha de visão. — Aqui.

Padre Riesgo. A voz era inconfundível.

Ela deu uma olhada na arcada atrás deles. A gárgula tinha desaparecido. A criatura gótica era algo fora de propósito no exterior de uma igreja moderna.

— Padre — a mulher brandindo a bolsa disse com doçura, cumprimentando-o.

— Vejo que conheceu a senhorita Hollis. — O padre olhou para Eva. — Não perca a esperança em relação a ela ainda, senhora Bradley. Acredito nela.

Pegando a sacola de volta, Eva afastou-se depressa. — Obrigada. Adeus.

Enquanto se dirigia para o carro, ignorou o olhar fulminante da sra. Bradley. Mas não conseguiu se livrar da sensação de que estava sendo observada por uma força mais tenebrosa, malévola.

Essa sensação a assustou muito.

Depois de pegar o assento do motorista, Eva travou as portas e soltou o ar que sem perceber, estava prendendo.

— Vou cair fora disso — Eva prometeu para quem quer que estivesse ouvindo. Enfiou a mão na bolsa e tirou os lenços de papel que sua mãe, enfermeira aposentada, insistia que carregasse.

Depois de limpar o rosto e as mãos, ligou o motor. Em seguida, dirigiu pelas redondezas, procurando "Joey". Não tinha ideia do que faria se o encontrasse, mas não deixaria que fizessem xixi nela sem que fosse no encalço do merdinha.

UMA HORA APÓS UMA BUSCA INFRUTÍFERA, EVA ESTA-cionou o carro em sua vaga no estacionamento do prédio. Com as mãos no volante, ela se recusou a olhar para o espaço vazio onde a Harley de Alec estivera quando saíra. Ele podia ter partido por cinco minutos, cinco anos ou para sempre.

Na primeira vez em que fizeram amor, Alec desapareceu antes dela acordar. Eva esperara no quarto do hotel durante toda a manhã. Cansada, ferida, loucamente apaixonada. Acreditava que ele voltaria. Nenhum homem podia possuir uma mulher como Alex a possuíra e não voltar.

Partiu só quando a camareira disse que ela teria de pagar outra diária se não desocupasse o quarto.

Dias de espera, expectativa e mágoa se seguiram. Semanas se passaram, anos. Uma década depois, ela não se conformava de estar no mesmo ponto, sentindo a mesma dor. Pessoas inteligentes aprendiam com seus erros; não continuavam cometendo os mesmos.

Uma batida leve na janela do carro a afastou de suas reflexões. Amedrontada, ela olhou para o lado e viu a sra. Basso.

— Eva? Você está bem?

Seus ombros tensos cederam, em alívio. Ela abriu a porta do carro e disse: — A senhora me assustou.

— Parece nervosa hoje. — A sra. Basso segurava a correspondência e as chaves com suas mãos frágeis. As caixas de correio ficavam todas situadas no andar térreo, a apenas alguns metros de distância do estacionamento.

Eva conseguiu dar um sorriso tranquilizador. — Estou com a cabeça muito cheia.

— Aposto que parte disso inclui algo com um metro e oitenta e cinco de altura e cerca de noventa quilos.

Eva piscou.

— Ele estava procurando por você — a sra. Basso disse. — Parecia realmente preocupado com o fato de ter saído.

— Ele disse aonde estava indo? — *Ou se voltaria?*

— Não. Estava com uma mochila. Não fique triste. Se for inteligente, vai voltar. Você merece.

Eva tocou o ombro da sra. Basso com delicadeza e beijou seu rosto enrugado. — Obrigada.

— Venha, vou subir com você.

Deprimida com a perspectiva de voltar para o apartamento vazio, Eva considerou brevemente a hipótese de ir até a casa dos pais, mas achou que não conseguiria lidar com sua mãe naquele momento. Alguns dias, as esquisitices dela pareciam sob controle.Porém, na maioria dos dias, eram insuportáveis. Como Eva já estava à beira da insanidade, achou melhor manter distância naquele momento.

— Acho que preciso caminhar um pouco e clarear a mente — ela disse.

— É melhor você subir. Foi uma semana dura.

Eva sorriu discretamente, sem humor. Gostaria de poder explicar. Uma parte dela acreditava que a vizinha entenderia. — Não vou demorar. Apenas alguns minutos.

— Tudo bem — a sra. Basso disse, suspirando. — Ainda vamos ao cinema?

— Com certeza.

Eva observou a sra. Basso caminhar para os elevadores. Em seguida, saiu do prédio através da porta de pedestres do estacionamento.

Era um belo dia, e a quantidade de banhistas na praia deu-lhe uma sensação de segurança. Muitas testemunhas. O que era bom e ruim. A exposição que a mantinha segura também a revelava quando ela mais desejava ficar isolada.

Enquanto caminhava pela praia, manteve a cabeça baixa para desencorajar a interação. Estava muito ocupada com seus pensamentos para se interessar por uma conversa casual. Se quisesse cair fora desse negócio de marca, precisaria de algo de valor com o que negociar.

O vento jogava mechas de seu cabelo sobre o rosto e o pescoço. Seus sentidos intensificados aumentavam essa sensação a um ponto quase insuportável. Não de uma maneira desconfortável, apenas estranha. Desconcertante.

Eva sempre controlara cada aspecto de sua vida, mesmo quando criança. Sua mãe, nascida no Japão, era uma mistura eclética do *bushido* do passado e do desmazelo hippie dos anos 1970, e seu pai, nascido no Alabama, era muito despreocupado. Funcionário da companhia telefônica há vinte anos, o tom de voz normal de Darrel Hollis era o de um telefonista extremamente entediado. Em reação à indiferença amorosa dos pais, Eva tinha se tornado autossuficiente e responsável em um grau extremo. Tudo tinha seu lugar e podia ser primorosamente separado em compartimentos. Design de interiores se encaixava muito bem em sua maneira estruturada de pensar. Assassinar monstros para Deus, não.

— Oi, querida.

O grito flutuou através da brisa com um fedor abjeto. Eva virou a cabeça para ver o idiota. Alguns poderiam simplesmente ser ignorados, outros eram insolentes. Ela precisava saber que tipo de aborrecimento era aquele sujeito.

Eva o encontrou sentado na areia, sobre uma tolha preta, com as pernas bem esticadas, apoiado sobre os braços. Era loiro de olhos azuis e ostentava braços tatuados. O rosto tinha uma aparência estrangeira e as íris eram firmes e brilhantes como safiras. Usava uma bermuda improvisada, cortada grosseiramente abaixo do joelho. Tinha um olhar malicioso, o que fez com que a pele de Eva arrepiasse.

— Venha se sentar comigo — ele pediu com uma voz gutural. Deu um tapinha no lugar ao seu lado em um gesto que não tinha nada de convidativo, seu olhar fez a pele de Eva se arrepiar. Ela estava prestes a lhe dar as costas quando ele mostrou a língua para ela em um gesto indecente.

— Meu Deus! — Eva gritou, pisando em falso na areia próxima da água. Ficou tão horrorizada com a língua bifurcada, incrivelmente longa e esguia, que deslizara para fora da boca dele, que mal sentira a marca queimando em um castigo severo.

Um corte vermelho apareceu na face do demônio e ele silvou como a cobra que teria aquela língua. — *Du Miststück!* — falou depressa.

Eva não tinha ideia do que aquilo significava, mas não soou nada bem.

Quando ele se ergueu de um pulo, ela esquivou-se. — Não se aproxime de mim.

— Quero ver você me impedir.

O tom ameaçador com que as palavras foram ditas a enfureceu. Também enviou uma onda de calor e animosidade por suas veias. — Meu Deus, você é realmente uma obra-prima.

Inclinou a cabeça, como se golpeado, e, quando voltou a olhar para Eva, seus olhos estavam anormais: brilhantes e azuis de modo intenso, inumano. Ele investiu na direção de Eva, que gritou e se virou para correr, colidindo contra algo quente e duro como rocha.

— Deixe-a em paz — uma voz sombria advertiu. Braços masculinos abraçaram Eva e ela lutou por pouco tempo, até absorver o cheiro familiar da pele dele. Era o paraíso, em comparação com o fedor no ar, e Eva respirou aliviada.

— Reed — ela disse, agarrando a camisa social dele.

— Você não pode intervir — o homem disse, presunçosamente.

— Você correria o risco da ira de seus irmãos por ela? — Reed perguntou.

— Ela me cortou primeiro.

— Eu não... — Eva começou a falar, mas logo Reed pressionou o rosto dela brutalmente contra seu peito. Por um curto tempo, ela considerou mordê-lo, mas a libido hiperativa começou a agir furiosamente, misturando-se com a agressividade bombeada a partir da marca palpitante. Era como uma TPM multiplicada por um milhão.

— Ela estava brincando com você — Reed falou arrastadamente. — Assumindo que você fosse grande o suficiente para entender.

— Ela é grande o suficiente para entender?

— Você consegue *me* entender? — Reed replicou. — Você não está na fila, mas posso muito bem intervir.

Uma torrente de palavras ininteligíveis, que davam a impressão de ser em alemão, escaparam do homem e ela se soltou para encará-lo. Podia sentir o mal irradiando dele, e as tatuagens se retorceram sinuosamente sobre sua pele, como se estivessem vivas.

Imaginando se eram os únicos conscientes da presença do homem, seu olhar inspecionou a área ao redor deles. A proliferação de banhistas não tinha diminuído, mas ninguém prestava atenção na cena tensa ocorrendo ali.

Reed colocou a mão na parte inferior das costas dela, dando-lhe o necessário apoio em um mundo enlouquecido.

— Vá embora! — ele disse. — Vamos esquecer que isso aconteceu.

— Eu não vou esquecer. — O homem cruzou os braços. — Vamos nos encontrar de novo — ele disse para Eva.

— Se ultrapassar esse limite, vai começar uma guerra que nenhum de nós quer — Reed advertiu.

— Que *você* não quer.

Eva dirigiu o olhar de um lado para o outro, entre os dois homens enfurecidos, tentando captar o que se passava entre eles. Estavam em algum tipo de enfrentamento viril. Então, o loiro caiu sobre a toalha e se esparramou em uma pose tão relaxada que tinha claramente a intenção de insultar.

Você não é uma ameaça para mim, aquilo dizia.

Reed respirou fundo, detendo deliberadamente sua crescente ira. Recuar ante um desafio não era de sua natureza, mas ele não tinha escolha. Qualquer movimento ofensivo de sua parte colocaria a responsabilidade do confronto não autorizado sobre seus ombros. E, naquele momento, ele não precisava de mais um, depois da repreensão que sofrera por causa da briga com Caim.

Caim, o herói. Caim, o destemido. Caim, o invencível. Não importava a quantidade de vezes que quebrava as regras, Caim sempre emergia incólume, com a reputação fortalecida por sua audácia absoluta.

Naquele momento, Caim tinha recebido o que seu coração desejava e a amostra que Reed teve dos encantos de Eva foi repreendida. Os comentários dele a respeito da disposição dela não foram levados em consideração. Reed, que sempre obedecera às ordens sem qualquer questionamento, raramente tinha recebido algo que desejava.

Não toque em Evangeline, disseram para ele.

Cerrando os dentes, Reed pegou o braço de Eva e a afastou dali. Estaria ferrado se obedecesse às ordens nesse caso. Se ele precisava ir atrás de suas próprias recompensas, começaria com ela.

— O que está acontecendo? — Eva perguntou.

— Uma grande besteira — Reed respondeu. — Onde está Caim?

— Não sei. E por que vocês dois têm nomes diferentes? É confuso.

— Com o tempo, você também vai ter que mudar o seu. Vai chamar a atenção se nunca morrer.

— Dane-se.

Depois de saírem da praia, Reed a levou para um restaurante mexicano. Uma música animada saía em alto volume das caixas acústicas e o cheiro carregado dos temperos penetrou nas narinas dele. Escutou o estômago de Eva roncar e perguntou: — Você não comeu?

— Não pensei a respeito disso. Aliás, estou sem dinheiro.

Ele lançou a ela um olhar de relance: — Não espero que as mulheres com que saio paguem.

— Isso é um encontro?

— Agora é.

— Não parece. Não depois daquele cara horrível na praia.

— Ele era um Nix — Reed explicou. — E você precisa ter cuidado com o que diz. Se eu não tivesse aparecido naquele instante, estaria morta agora.

— Eu não disse nada. — Eva sentou em uma cadeira de plástico que Reed ofereceu a ela. A mesa deles ficava num canto formado por dois painéis de acrílico. Proporcionava-lhes uma visão da praia e, ao mesmo tempo, protegia a comida da brisa marinha e da areia.

— Você usou o nome do Senhor — ele explicou, sentando-se na cadeira diante dela. — É uma arma contra os demônios. Raramente mortal, mas sempre dolorosa.

— Como eu saberia disso? Ele estava me importunando. Se tivesse me deixado em paz, nada disso teria acontecido.

83

— Você é uma escolha perfeita. Uma Marcada inexperiente, desinformada. Eu poderia matar Caim por deixar você sozinha. Irresponsável, como de costume. — Ele bufou.

— O que é um Nix?

Reed notou que Eva tinha decidido ignorar a alfinetada contra Caim e sorriu por dentro. Na primeira vez em que a viu, estava vestida como uma mulher de negócios. Os cabelos soltos dela eram o único indício de doçura. Seu jeito de: "Olhe, mas não toque" mexeu com ele, mas foi no instante em que se entreolharam que o interesse foi além de meramente provocar Caim. Quem tinha dito que as mulheres asiáticas eram tímidas e reservadas não sabia de nada.

— Um demônio da água — Reed disse, gesticulando para um garçom. — Eles costumavam se concentrar na Europa, mas se espalharam pela maioria das cidades litorâneas.

— Não parecia um demônio — Eva murmurou.

— Qual é a aparência de um demônio?

— Não essa. Com exceção das tatuagens, deu a impressão de ser um instrutor de esqui, que devia usar gola rolê e se sentar perto de uma lareira de pedra em um chalé.

— Você tem bastante imaginação. Mas aquilo não eram tatuagens. Eram *detalhes*. Marcas que falam a respeito de suas afiliações e de seu status nelas.

— Como marcas de gangues?

— Exatamente. Mesmo no Inferno há uma hierarquia, constantemente ameaçada por facções rivais. Muito provavelmente os Demoníacos transmitiram a prática de marcar símbolos na carne aos humanos. — Reed observou o garçom que se aproximava; um jovem latino usando óculos escuros, brincos de argola, jeans e um avental amarrado na cintura. — Dois pratos da casa — ele pediu.

— E duas doses de tequila — Eva acrescentou.

— Isso não vai...

— Me deixar de porre? Não me importo. — Ela conseguiu dar um sorriso breve para o garçom. — E uma porção de tacos, por favor. Com muito molho. Do mais picante.

— Duas porções — Reed disse.

Eva esperou que o garçom se afastasse. — Os *detalhes* do cara se moviam, se retorciam.

— Ele estava tentando intimidar você. — E aquilo não funcionara muito bem; algo que Reed percebera e o admirara. — Os Demoníacos podem mover os detalhes à vontade, mas só outros da espécie deles e Marcados conseguem ver.

— Por isso é que ninguém prestou atenção nele na praia?

— Exatamente. Alguns Demoníacos preferem manter seus detalhes o mais visível possível, principalmente se são do alto escalão. Outros preferem mantê-los escondidos, conservando a discrição. Não podem remover os sinais, mas podem colocar onde ninguém consegue ver. — Reed deu de ombros com elegância. — É inútil, na realidade, porque eles cheiram tão mal que dá para sentir quando se aproximam. E, quando chega a hora, eles morrem. Detalhes ocultos ou não, uma vez que estão na fila, é questão de tempo.

— O que era aquele cheiro? Fedia como esgoto.

— Alma em putrefação. Não tem como errar.

Eva arregalou os olhos, horrorizada. Reed sentiu um pouco de compaixão... mesmo estimando como o inevitável ressentimento de Eva criaria uma brecha entre ela e Caim.

Eva se inclinou para a frente, apoiando os cotovelos sobre a mesa e olhando para ele com determinação. — Como eu caio fora desse troço?

— Não há como...

— Não acredito nisso. Deve haver uma maneira.

Reclinando-se, Reed acomodou-se de modo mais confortável na cadeira. — Por quê?

— Porque me sinto uma vítima — Eva disse, cerrando os dentes com raiva. — E não sou do tipo que aceita as coisas sem contestar.

— Uma vítima — Reed repetiu e se calou.

— Você não se sentiria assim em meu lugar? — Eva desafiou.

Talvez. Provavelmente.

— Você foi colocada em uma posição de poder. Recebeu as ferramentas para mudar o mundo e tornar este lugar mais seguro para os outros. Não é capaz de enxergar isso como uma bênção, não uma maldição?

— A marca de Caim é uma bênção? Você é cheio de manha, mas nem tanto. E não sou idiota.

— Cheio de manha?

O garçom voltou trazendo uma bandeja com duas garrafas de cerveja, duas doses de tequila, batatas chips e molho. Eva endireitou-se na cadeira para abrir espaço na mesa. Reed continuou a observá-la, sorrindo.

— As roupas. A pretensão — Eva disse. Com um gesto impaciente de mão, ela o abrangeu da cabeça aos pés. — Cheio de manha.

— Estilo e confiança. Por um acaso, gosto disso. — Em seguida, ele baixou a voz para dizer: — E você também.

Eva fez um gesto negativo com a cabeça, mas sua expressão confirmou a afirmação.

Reed estendeu o braço e pegou a mão de Eva. Os dedos dela eram longos e esbeltos, a pele era macia como seda. Aquilo mudaria. Empunhar uma arma com muita frequência deixava sua marca, tornando áspera a carne. — Você não tem de admitir isso.

— Não vou admitir.

Reed expôs o pulso dela e, em seguida, abaixou a cabeça. Eva observou com fascinação quando sua boca se abriu e a língua acariciou sua pele. Ele conseguia sentir a crescente excitação dela e sabia que estava quente e molhada. A libido hiperativa recém-adquirida por Eva era uma dádiva dos céus para o plano dele de possuí-la de novo. A contenção era difícil nos primeiros anos. Os sentidos aguçados e as emoções instáveis eram excepcionais até a pessoa aprender a controlá-los ou ignorá-los. A melhor e mais rápida maneira de liberar toda a tensão era por meio de uma relação sexual longa e intensa. Reed estava determinado a ser o homem a quem Eva recorreria como válvula de escape.

Endireitando-se, manteve o olhar fixo nela. Pegou o sal com uma mão e lentamente acariciou a mão dela com o polegar da outra.

— Aonde isso vai levar?

— À cama.

— Não comigo.

Reed sorriu e espalhou sal sobre a pele úmida dela. Pegou o copo com tequila, lambeu o sal nela e entornou a bebida.

Eva entregou-lhe uma fatia de limão. — Você não veio aqui para transar.

— Como pode ter certeza disso? — Ele mordeu a polpa ácida com gosto.

— Você é do tipo que gosta de ser caçado, não de caçar.

— Você não me conhece tão bem quanto pensa. Isso vai mudar.

— Já disse: quero cair fora. — Com um brinde de improviso, Eva entornou sua dose de tequila e, em seguida, deu um longo gole de cerveja. — Tudo bem. Não é ruim. É como beber água.

— Você não pode barganhar com Deus, Eva.

— Você pode barganhar com qualquer pessoa, desde que tenha algo que ela queira e não consegue em outro lugar. — Eva virou a cabeça, dirigindo o olhar para o trecho de rua que podia ver dali.

O olhar de Reed seguiu o de Eva. Veículos utilitários trafegavam ao lado de carros esportivos de luxo. Corredores e patinadores em fila acenavam e se entrelaçavam.

— Algumas dessas pessoas são... *Demoníacos*? — ela perguntou.

— Sem dúvida.

Eva olhou de volta para ele. — E coexistem pacificamente com o resto?

— Só se você chamar uma vida de cobiça, depressão, assassinato e mentira de coexistência pacífica. — Reed pegou sua garrafa de cerveja e deu um grande gole. — A destruição completa da humanidade não é o objetivo. Os Demoníacos precisam dos humanos para se entreter.

— Beleza — Eva ironizou, bufando. — Na praia, você mencionou uma fila.

— Chega um momento em que o Demoníaco passa dos limites vezes demais.

— Eles devem passar dos limites primeiro?

— Não somos super-heróis — Reed afirmou, rindo. — Não podemos andar por aí açoitando os caras maus por puro prazer. Há um equilíbrio em tudo. Um *yin* e *yang*, por assim dizer. As ordens têm de vir de cima. Então, tudo pode acontecer.

— Tipo o quê?

— O Marcado mais próximo do local, que possui as habilidades necessárias, é enviado para eliminar o sujeito.

— Quem faz a convocação? Deus?

— O Senhor designa Caim diretamente. O serafim administra todas as outras pessoas.

Os lábios dela se franziram, e ele podia praticamente ver sua curiosidade. — Como isso funciona? — Eva perguntou.

— Relacionar ao sistema judicial humano pode ajudar a entender. Cada pecador ou pecadora tem um julgamento *in absentia* e o Senhor preside o caso. Jesus atua como defensor público. Está claro até aqui?

— Eu vejo *Law and Order*.

— Certo. Se houver uma condenação, um dos serafins envia a ordem para uma empresa cuidar da caçada do Demoníaco.

— Uma empresa?

— É como uma empresa de fianças. Um arcanjo se torna responsável pela captura, como um fiador. Na realidade, ele não realiza nenhuma caça. Os Marcados fazem o trabalho sujo, e recebem uma recompensa, exatamente como um caçador de recompensas; só que, nesse caso, o prêmio são indulgências. Com o bastante delas você se livra de sua penitência.

— Captura? Do tipo vivo ou morto?

— Morto.

— Com sangue? Ou algum tipo de morte mágica?

— Não há nada de mágico nisso. — Reed pôs a mão sobre a dela, procurando oferecer algum conforto. — Algumas vezes, é um serviço sujo; outras vezes, não. Você aprende a diferença. O treinamento é intenso e completo.

— Treinamento para caça de Demoníacos? — Eva fez um gesto negativo com a cabeça. — Não, obrigada.

— Alguns Marcados acham o trabalho glamoroso.

— Minha ideia de glamour é beber champanhe e usar um pretinho básico.

A boca de Reed se curvou. — Mal posso esperar para ver.

— Como eu me livro disso?

— Do vestido? Posso ajudar.

— Droga. Não do vestido. Dessa coisa de caçador de recompensas.

— Não é possível.

— Besteira. Quero falar com alguém.

— Meu superior? — Reed perguntou, sorrindo.

— Sim. Por que não?

— Você vai conhecer o sujeito em breve. Enquanto isso, terá aulas. Você vai ser avisada no momento oportuno.

— Aulas? — Eva olhou para Reed e odiou o fato de não ter ficado de porre, mas se sentir tonta.

O olhar dela foi além dele. Eva se endireitou. — Fique de olho. Temos companhia.

Reed nem mesmo vacilou, dizendo: — Era mais ou menos a hora de ele aparecer.

— O que estão fazendo aqui? — Alec vociferou, detendo-se na mesa deles.

— Esperando por você — Eva respondeu, oferecendo uma cadeira a ele.

Depois de se sentar, Alec olhou para Reed e perguntou: — O que você quer?

— Bom dia para você também.

— Quero saber como me livrar da marca — Eva disse.

— Ainda não descobri, mas estou trabalhando nisso — Alec disse, com a cara feia.

— É impossível — Reed zombou.

— Não apoio a escola de pensamento do impossível — Eva afirmou, cruzando os braços. — Qualquer coisa é possível. Só temos de descobrir como.

— Você nem sabe ainda no que consiste o trabalho, meu bem.

— Ela não é seu bem — Alec repreendeu.

Reed sorriu.

Eva olhou furiosamente para os dois e desabafou: — Sei que não quero ficar irritada e de saco cheio todos os dias da minha vida. Tenho um trabalho que adoro, uma casa que trabalhei duro para ter, e uma vida que me satisfaz, mesmo que não seja perfeita. Não quero caçar demônios e outras criaturas sórdidas.

— Calma! — Alec pediu.

— Sai para fazer umas coisas na rua enquanto você estava dormindo. Então me deparei com uma gárgula com um senso de humor detestável e uma bexiga enorme.

— Uma gárgula? — Alec perguntou, paralisado de assombro.

— Com o que parecia? — Reed perguntou.

— Com uma gárgula — Eva disse, asperamente. — Feita de pedra cinza ou cimento, asinhas, bocona. Era mais ou menos engraçadinha, com um rosto de *ewok*.

— Não, quero saber como eram os *detalhes*?

— Não tinha.

— Algum tipo de designador ela tinha — Reed afirmou. — Elas são marcadas exatamente como você.

— Então a gárgula enfiou os detalhes na bunda ou em algum outro lugar, pois vi cada centímetro dela, até as plantas dos pés. Ela ficou saltando, girando e rindo como uma idiota.

— Talvez sua visão ainda não estivesse funcionando bem — Alec sugeriu. — Não dá para esconder detalhes nas cavidades corporais. Nádegas, genitália ou até sob os cabelos, sim. Mas tem de estar na pele, em algum lugar.

— Pois essa gárgula não tinha nada nela — Eva insistiu. — E minha visão estava funcionando bem, porque vi os detalhes do babaca na praia muito bem.

— Babaca na…? — Alec começou a dizer, com a cara muito feia. — Você topou com alguma outra coisa?

— Agora você pode notar por que deixar Eva sozinha não foi uma grande ideia — Reed zombou.

— Vá se danar! — Alec pareceu pronto para matar de novo. — Deve ter sido culpa sua.

— Não dessa vez. Eu estava muito ocupado mantendo sua garota viva.

— Você nem consegue *se* manter vivo.

Eva ficou de pé.

Os irmãos perguntaram em uníssono: — Para onde você está indo?

— Para longe de vocês dois. Vou pegar minha comida e ir embora. Depois, podem brigar para ver quem paga a conta.

— Sente-se, anjo.

A voz de Alec a deteve com o inegável tom de comando. Era um lado diferente dele. Ainda mais gostoso que os outros.

Maldita libido.

Com raiva de seus desejos rebeldes, Eva voltou a se sentar.

— Conte tudo o que aconteceu. Cada detalhe — Alec pediu.

Quando Eva terminou, os dois irmãos se entreolharam.

— Então? — ela perguntou.

— O Tengu correu atrás de você? — Reed disse. — Não deveria.

— Tengu?

— O demônio que parecia uma gárgula.

— Eu me senti como a garota na escola que tem um cartaz de PODE ME CHUTAR pregado nas costas — Eva murmurou e olhou para Alec. O cartaz que ele não tinha nas costas dizia NÃO SE META COMIGO. Eva queria um assim também.

— Temos de encontrar o Tengu — Alec afirmou, tamborilando os dedos sobre o tampo da mesa de plástico.

O garçom chegou com a comida e a colocou na mesa. Alec pediu a mesma coisa e ficou observando Eva enquanto ela comia.

— Por que precisamos encontrar aquela coisa? — Eva perguntou, mordendo o primeiro taco.

— Para saber a quem está afiliado.

— Por meio dos detalhes?

— Sim.

— Legal.

Alec deu um sorriso e disse: — Você parece zangada.

— Nenhum dos dois acredita em mim. Aquela coisa era completamente cinza, da cabeça aos pés. Nenhum pontinho de cor ou de desenho.

— Provavelmente, seus sentidos só entraram em ação quando você deparou com o Nix na praia — Reed afirmou, limpando a boca com um guardanapo de papel. — Eles oscilam muito nas duas primeiras semanas.

— Um Nix? — Alec praguejou.

— Isso é ruim? — Eva perguntou, olhando para os dois.

— É. E aposto que você o irritou com essa sua boca.

— Não há nada de errado com minha boca.

Alec e Reed olharam para a boca de Eva, que formigou em reação. Ela pigarreou.

— E o Tengu também é ruim? — perguntou, para quebrar a súbita tensão.

— Qualquer demônio é — Reed respondeu. — Mas um Tengu é como um mosquito e um Nix é como um rato. Nossos recursos financeiros são limitados, e o Tengu está em um nível muito baixo na escala. Não os caçamos tão ativamente como outros Demoníacos.

— Mas vamos caçar esse — Alec afirmou, com raiva.

— Vou com vocês — Eva disse. — Se essa coisa tinha detalhes, quero ver.

— Tinha detalhes. — Reed bebeu um pouco mais de cerveja. — Sem sombra de dúvida.

— É o que você diz — Eva afirmou. — O que você pretende fazer quando encontrar a coisa? — perguntou para Alec.

Ele deu de ombros. — Sacudi-lo e ver que tipo de informação tiramos dele.

— A menos que tenha talentos ocultos, não parece uma luta justa. O Tengu era muito pequeno.

— É o demônio para quem trabalha que me interessa. Um Tengu é um demônio inferior, que carece de iniciativa e ambição. Não de chamar a atenção para si. Eles gostam de provocar confusão, mas só indiretamente.

— Não vai ser perigoso, vai?

Seu olhar se suavizou. — Você só vai mostrar onde ele está e sair do caminho.

— Sou capaz de fazer isso. — Eva pegou o garfo, serviu-se de um pouco de arroz e tentou se concentrar em comer. Não foi tão fácil quanto imaginara.

Eva estava muito alegre; uma reação que achou mais perturbadora que estimulante.

— Agora... — A voz de Alec estava carregada de frustração. — Conte o que aconteceu com o Nix.

9

QUANDO EVA DESTRANCOU A PORTA, DEDICOU UM INS-
tante a apreciar a velocidade com que tinha sido consertada. Mas, assim que entrou no apartamento, a admiração deu lugar ao medo.

Tinha alguém ali.

Alec sentiu sua hesitação. Pegou o braço dela e a puxou para trás de si, assumindo uma posição defensiva. Então, cheirou o ar e lançou um olhar interrogativo a Eva.

Ela suspirou. Não precisava de um olfato apurado para reconhecer o cheiro de curry e arroz. — É minha mãe — ela disse.

Uma expressão estranha atravessou o rosto de Alec: choque e cautela, depois espanto.

Era o pior momento possível para uma visita de Miyoko Hollis. Ela daria mais importância à presença de Alec na casa do que Eva estava preparada a dar.

— Eva-san? — Miyoko chamou.

— Oi, mãe. — Eva semicerrou os olhos para Alec. Esperava que seu pai não estivesse ali, pois se tivesse visto as coisas de Alec no quarto dela esperaria que estivessem pelo menos noivos. Apesar de sua criação japonesa tradicional, Miyoko tinha opiniões menos antiquadas a respeito do namoro.

— Comporte-se — Eva disse para Alec.

— Claro. — No entanto, o brilho nos olhos dele contrariavam a promessa.

A cabeça de Miyoko saiu de detrás do pilar que sustentava a bancada. Os mesmos cabelos pretos que transmitira para Eva eram cacheados em espirais curtas, deixando sua aparência tão jovem quanto a de sua filha.

— Ah, olá — Miyoko saudou, com a expressão se iluminando à visão de Alec. Ela gostava de um homem bonito tanto quanto qualquer outra mulher.

O resto do corpo de um metro e meio de altura de Miyoko apareceu, revelando que protegia com o avental uma regata verde-limão e uma saia colorida. Uma minúscula cruz, com um diamante incrustado, decorava seu pescoço. Os Hollis eram cristãos — Batistas do sul, mais precisamente — embora comparecessem a festas ocasionais no templo budista de Orange County. Eva fora batizada quando criança, mas se libertara na adolescência, recusando-se a acompanhar a família em qualquer evento da igreja. Ainda era um objeto de discórdia entre eles. Os pais não entendiam seu afastamento da religião, e jamais tentaram entender.

Eva fez as apresentações, com seu olhar dirigido para a extremidade do sofá, onde estavam duas malas.

— E o papai? Onde está?

— Pescando com os amigos de novo, perto de Acapulco.

Droga!

Sua mãe era uma profissional da saúde por natureza. Quando seu marido se ausentava, ela precisava de alguém para mimar. Como Sophia, a irmã de Eva, morava em Kentucky, ela era a destinatária daquela preocupação exagerada.

O dia fora terrível. Agora, sua mãe e Alec estavam em sua casa, ao mesmo tempo. Eva se encolheu de insatisfação em seu íntimo.

— É um prazer, senhora Hollis — Alec cumprimentou.

— Por favor, me chame de Miyoko.

— *Konichiwa*, Miyoko-san — Alec disse, curvando-se.

Eva percebeu uma expressão de satisfação e surpresa no rosto de sua mãe, mas o charme de Alec não seria suficiente para compensar seu exterior de *bad boy*. Seus cabelos um pouco longos demais, o jeans rasgado, o físico musculoso e as botas gastas de motociclista o tornavam inaceitável desde o princípio. Sua mãe tinha padrões impossíveis de ser satisfeitos para os pretendentes das filhas. Em todos os anos de namoro, Eva nunca tinha achado um homem que sua mãe aprovasse por mais de cinco minutos.

— O cheiro está maravilhoso — Alec elogiou.

— *Curry* japonês. Já experimentou?

— Sim. É um dos meus favoritos — Alec respondeu.

Por um instante, Eva ficou surpresa com a afirmação. Então, considerou o tempo de vida de Alec e quão longe ele viajara.

— Fiz dois — Miyoko revelou, voltando para a cozinha, onde cebolas, cenouras e batatas estavam em diversos estágios de preparo. — Picante e suave.

— Por que suave? — Eva perguntou, dirigindo-se até a geladeira em busca de uma lata de refrigerante. Ela mostrou uma para as visitas em uma consulta silenciosa. Os dois fizeram que sim com a cabeça e, então, Eva pegou as latas e fechou a geladeira.

— Convidei a senhora Basso para jantar conosco. Pobrezinha. Não consigo imaginar alguém vivendo sozinha.

— Fico feliz que tenha aceitado. — Eva colocou as latas sobre a bancada e abriu a lava-louças. Estava vazia.

— Já tirei a louça para você — Miyoko informou.

— Não precisava. Posso tomar conta de mim.

— Eu não me importo.

Talvez sua mãe não se importasse, Eva pensou, mas ela nunca a deixava esquecer que tinha feito alguma coisa.

Eva se virou para o armário onde guardava os copos e encontrou Alec ali, tirando-os. Ele entregou um para ela, depois encheu os outros dois de gelo.

Eva o observou com um misto de espanto e prazer. Aquele era o homem que tinha tirado sua virgindade dez anos antes. Parecia impossível que estivesse na casa dela, circulando como se tivessem morado juntos aquele tempo todo.

Eles se entreolharam.

— Há quanto tempo você está de visita, Alec? — Miyoko perguntou.

— Na realidade, os negócios me trouxeram para a região indefinida-mente — ele respondeu, colocando os dois copos cheios de gelo na frente de Eva e pegando o vazio da mão dela.

— Ah, é? O que você faz?

— Sou um caçador de talentos.

— De que empresa?

Alec sorriu. — Das Indústrias Megido. Somos especializados em evi-tar desastres.

— Que interessante. — Os olhos de Miyoko se iluminaram.

Eva sabia que, enquanto avaliava Alec, a mãe processava informa-ções. Alec se meteria em uma enrascada se Miyoko investigasse a empresa e descobrisse que era uma fraude.

— Como conheceu Evangeline?

— Há alguns anos, quando ela estava…

— … na faculdade — Eva interveio. Em seguida, deu um gole no refrigerante.

Miyoko se deteve no ato de lavar as verduras. Franziu as sobrance-lhas, em sinal de dúvida. Alec encostou o quadril na bancada e sorriu.

— Preciso tomar um banho. — Eva colocou seu copo vazio sobre a bancada.

— Não deixe o copo aí — a mãe repreendeu.

— A casa é minha, mãe — ela disse, antes de pegá-lo e deixá-lo na pia.

— Posso ajudar com alguma coisa? — Alec perguntou enquanto Eva saía.

— Você se importaria de cortar as cebolas? — Miyoko perguntou. — Não quero chorar.

Ao atravessar o corredor, Eva se forçou a se livrar da sensação de invasão. Evidentemente, sua mãe ficaria em sua casa por um tempo. A máquina de lavar roupa estava ligada e o ar cheirava a produto de lim-peza; o que a fez se perguntar quanto tempo Alec estivera fora.

Você teve sorte de não morrer, ele dissera quando ela terminara de falar do Nix.

Eva não conseguia imaginar levar uma vida em que uma caminhada na praia era arriscar a vida. Nem mesmo a igreja era sagrada. Nenhum lugar era seguro. Um calafrio percorreu seu corpo.

Depois de um banho muito quente e muito longo, Eva se sentiu um pouco melhor. Vestiu um abrigo de tecido aveludado cor de vinho e deixou seus cabelos soltos para secar. Chegando ao corredor, se deparou com Alec saindo do quarto de hóspedes. Ele tinha se trocado. Colocara uma camisa e uma calça. Ele parecia respeitável e elegante. Eva arregalou os olhos.

— Tenho muitos lados que você ainda não viu, anjo — Alec disse, sorrindo.

— Não por minha culpa.

— Não. — Ele avançou para ficar mais próxima dela. — Não é. O cheiro de sua pele a inebriou. — Virei uma ninfomaníaca.

— Estou disponível.

— Por quanto tempo? — ela desafiou. — Continuo querendo saber quando vou olhar para o lado e descobrir que você partiu.

— Vou ficar por aqui até achar uma maneira de libertar você.

— Então sua permanência é temporária.

— Você quer que seja permanente?

Eva pensou sobre aquela questão durante certo tempo. Então, deu de ombros. Ela não sabia o que queria. Uma semana antes, teria dito: uma carreira de sucesso, um marido amoroso, dois filhos e um cachorro. Normal. Confortável.

— Minha mãe está planejando passar a noite aqui — Eva disse, mudando de assunto.

Alec concordou com um gesto de cabeça, mas sua intensidade não diminuiu. — Já sei. Disse para ela que eu poderia me hospedar em um hotel, mas ela se recusou terminantemente a ficar no quarto de hóspedes. Disse que o futon no escritório está ótimo.

Eva suspirou. — Ela não gosta de dormir em uma cama de casal sem meu pai. Nem mesmo abre o futon. Dorme nele como se fosse um sofá.

— Se eu fosse casado faria o mesmo.

— Não consigo ver você casado.

— Só porque não funcionou da primeira vez, não quer dizer que não vai funcionar nunca.

Eva permaneceu calada.

— Eu já disse: há muita coisa que você não sabe a meu respeito.

— Nunca tive a oportunidade de saber.

— Você tem agora.

Eva se apoiou na parede. Alec avançou, aproximando-se e a prendendo com uma mão. As lembranças da noite recente juntos inundaram sua mente. O desejo intenso e desesperado. A fome torturante. A habilidade e a paixão que ele saciou.

Com apenas alguns centímetros separando os dois, Eva podia sentir o calor da pele de Alec. E, se ela escutasse com sua audição melhorada, poderia distinguir a batida gradualmente crescente do coração dele.

— Seu coração está começando a disparar — Eva sussurrou.

— Porque estou com você. O sexo é um dos raros momentos em que somos capazes de experimentar a força plena de nossas reações físicas.

— Não estamos transando.

— Na minha cabeça, estamos.

Seria fácil recorrer a ele em busca de conforto e apoio, mas foi isso que a metera em apuros originalmente. E, quando ela conseguisse se livrar da marca, ele a abandonaria.

Isso não a impedia de querê-lo. Ardentemente.

Seu estômago roncou, quebrando o clima.

— Não consigo acreditar que já estou com fome — Eva murmurou, grata pela intromissão, mas constrangida. — Em geral, aquele tanto de comida basta.

— Seu organismo está passando por algumas mudanças bastante drásticas. Exige combustível para administrar isso tudo.

— As coisas vão voltar ao normal quando eu ficar… livre?

Alec suspirou, soltando o ar nos lábios dela como um beijo leve como uma pena. — Não sei, anjo. Nunca conheci um ex-Marcado.

— Sério? — ela perguntou, mordendo os lábios.

— Sério. — Alec encostou seu rosto no dela. Eva conseguiu sentir seu apetite sexual na tensão subjacente de seu corpo viril.

— Vou achar um jeito — ela prometeu, tanto para si mesma, como para ele.

— Eu vou ajudar você.

A campainha tocou e eles se separaram. Eva desviou o olhar primeiro.

— E a gárgula? — perguntou, enquanto eles se dirigiam para a sala de estar.

— Vamos pegar o Tengu amanhã. — Alec notou o olhar interrogativo de Eva e explicou: — Eles não conseguem ir muito longe. Eles tiram sua energia dos moradores do prédio que decoram. Sentem ansiedade e infelicidade e se alimenta disso. Ficariam com fome indo longe demais.

— É fascinante.

— Todos os Demoníacos têm suas preferências e vulnerabilidades. Os Nixs precisam ficar perto da água. Assim como os Kappas. Os Trolls vivem perto das matas. Quando você começar suas aulas, vai aprender as excentricidades de cada ramo. Conhecimento é poder. Explorar um ponto fraco pode salvar sua vida.

Eva estendeu a mão e pegou a maçaneta da porta. — Quantos ramos existem?

— Centenas. Mas cada um possui milhares de subdivisões.

— Ah, meu D… — Eva conseguiu se conter.

— Cuidado.

— Estou tentando — ela rosnou.

Abrindo a porta, sentiu seu astral melhorar quando viu a sra. Basso. Naquela noite, a vizinha usava calça cor de oliva, colete combinando e colar de esmeralda. Uma blusa branca folgada deixava o conjunto feminino e casual.

Eva a abraçou.

— Você está deslumbrante — a sra. Basso disse.

— A senhora também — Eva retribuiu. Em seguida, apresentou Alec.

A sra. Basso segurava um saco de papel pardo e uma garrafa de Chianti. Eva se ofereceu para levar para ela, mas a sra. Basso declinou a oferta.

— Eva-san! — Miyoko chamou. — Pode pôr a mesa?

— Sim, mãe. — Eva olhou para Alec. — O controle remoto está na mesa de centro se vocês quiserem ver TV.

Quando Eva se dirigiu para a cozinha, escutou o zumbido de vozes suaves atrás dela. Esforçou-se para escutar, curiosa acerca de Alec e da maneira que interagia com outras pessoas. Ele tinha razão. Ela não sabia nada a seu respeito, a não ser a atração inflamável que seu corpo sentia pelo dele. Talvez Eva devesse investigar, e talvez descobrisse algo que a desligasse dele o suficiente para esquecê-lo.

99

Quando ela abriu o armário e tirou quatro pratos, as vozes na sala de estar aumentaram de volume. Não porque Alec e a sra. Basso estavam falando mais alto, mas porque a audição de Eva tinha se aguçado. De repente, cada ruído pareceu se amplificar, como se os ouvidos dela tivessem um botão de volume que alguém tivesse ajustado.

— Trouxe isto para você, senhor Caim — disse a sra. Basso.

Eva escutou o saco de papel trocar de mãos.

— Obrigado. — A surpresa na voz de Alec a fez sorrir.

— Era uma das receitas favoritas de meu falecido marido. Inclui alguns dos temperos que são mais difíceis de achar.

Inclinando-se ao lado do pilar da bancada, Eva estendeu o pescoço para dar uma olhada. Estavam de pé na sala de estar, com as luzes embutidas banhando-os em uma incandescência branca. Alec era cerca de trinta centímetros mais alto que a sra. Basso, dando a impressão de um homem falando com uma criança. Ele olhava para o saco e a expressão de perplexidade dele a intrigou.

— Adicione uma xícara de Chianti ao molho pouco antes de servir — a sra. Basso disse. — Em seguida, saboreie o resto da taça. Você vai ver que o prato fica com uma atmosfera suave, luxuriosa.

— Atmosfera suave?

Eva tirou os pratos do armário rapidamente, contendo uma risada.

A sra. Basso pigarreou e disse: — Evangeline é parecida comigo de alguma maneira. Podemos parecer mais duras do que somos. Mas acho que uma noite romântica, com boa comida, vai ser bom para ela.

Alec virou a cabeça e percebeu o interesse de Eva, que, por sua vez, desviou o olhar rapidamente, movendo-o para a gaveta dos talheres, em dissimulada ignorância da conversa. Ela sentiu o olhar de Alec em suas costas e mordeu o lábio. Escutar a sra. Basso dar dicas de sedução a Alec era muito divertido.

— Não se esqueça dos garfos — Miyoko ordenou, despejando o curry da panela para a travessa. — Mesmo quando você tem planos de só usar colheres, deve colocar garfos na mesa.

— Por favor, mãe, fique quieta — Eva disse, a mãe em um gesto de impaciência.

— Por que está sussurrando?

— Hã… - Alec tossiu.

— Fico preocupada com Evangeline. — A voz da sra. Basso ficou forte. — Uma mulher jovem, bonita, morando sozinha. Nunca foi completamente seguro, mas hoje em dia… São tempos difíceis.

— A senhora tem razão — Alec concordou.

— Ela é uma garota tão adorável, por dentro e por fora. Gostaria que encontrasse alguém especial e, essa tarde, quando você saiu… Bem, ela pareceu perdida. Acho que há algo aí.

— Senhora Basso…

— Espero que as coisas corram bem entre vocês. Isso é tudo. Não quero deixar você constrangido. Pareço uma velha intrometida.

Eva se apoiou na gaveta e segurou as lágrimas, profundamente comovida. Então, viu uma tigela de vidro cheia de água com uma bela flor de lótus sobre a bancada.

Sua mãe era uma jardineira amadora, com um dom impressionante. Frequentemente, trazia plantas e flores de seu jardim. No entanto, jamais trouxera algo parecido.

— Essa flor de lótus é linda, mãe — Eva disse, atraída por sua perfeição.

— Não é? Ainda estou julgando seu Alec. No entanto, essa atenção dele é um bom sinal, se a mantiver. Os homens sempre se esforçam mais no início e, depois, fazem corpo mole. Seja como for, você deve pôr a flor de lótus na mesa, como destaque.

— Alec trouxe a flor de lótus? — Eva perguntou, olhando por cima dos ombros para a sala de estar. Naquele instante, ele estava sentado no sofá com a sra. Basso.

— Acho que sim — Miyoko disse. — A menos que você tenha outro namorado.

— Ele não é meu namorado. — Será que Reed tinha lhe dado aquilo? Ela não sabia o que pensar a respeito.

— Entregaram quando você estava no banho e Alec estava trocando de roupa. Um cara muito bacana. Recusou a gorjeta. Bonito, também. Ele me lembrou daquele ator loiro de *Uma mente brilhante* — Miyoko disse.

Eva ficou paralisada de assombro, com os garfos em uma mão e as facas na outra. — Paul Bettany?

— Sim. Esse mesmo. Uma cara escandinava. Também tinha um pouco de sotaque.

A flor de lótus adquiriu um novo significado, transformando-se de um presente encantador em uma advertência sinistra. Um cheiro de algo nocivo penetrou em suas narinas e Eva compreendeu o que aquilo significava. Suas mãos tremeram violentamente.

O Nix sabia onde ela morava.

ASSIM QUE ALEC ESCUTOU a porta do banheiro ser fechada por Miyoko, deixou a sala de estar em busca de Eva. Ele a encontrou no escritório, sentada diante do computador.

O espaço de trabalho de Eva era amplo, capaz de receber duas mesas grandes: uma para o computador e uma para desenhar. Também tinha um futon caramelo moderno, uma mesinha de centro e três estantes de livros.

— Sua vizinha é... interessante — Alec disse.

Eva riu. — Ela achou que você precisava de algumas dicas.

— Sabia que você estava rindo de mim. — Alec pousou as mãos sobre os ombros dela. Enquanto fazia uma massagem, seu olhar caiu sobre o monitor. Eva estava pesquisando sobre Nixs na Internet.

— O que você quer saber? — ele perguntou. — Posso lhe dizer mais coisas do que o Google.

— Posso matar um Nix com uma bala?

Alec deu um sorriso amargo. Eva achava que não estava pronta para ser uma Marcada, mas ele não tinha dúvidas. Porém, aquilo não alterava o fato de que acharia uma maneira de devolver a vida a Eva.

— Pode, se você acertar a cabeça dele quando estiver na forma totalmente mortal — Alec disse. — Não funciona quando ele está em forma líquida. A decapitação mata tudo, exceto uma Hidra. Você também pode desidratar um Nix. Ao contrário dos humanos, ele vai murchar em poucas horas. Mas não é tão fácil quanto parece. Ele pode usar qualquer fonte de água: torneiras, poças, lágrimas, umidade do ar. A menos que você o jogue no meio de um deserto, a morte não é garantida.

— Há outras maneiras?

— Fogo é bom. Espadas flamejantes funcionam, me disseram.

— E onde posso conseguir uma dessas? — Eva bufou e virou a cadeira, forçando-o a soltá-la e recuar.

— Você vai saber no treinamento.

— Com o tempo. Algum dia. Se ele não me matar primeiro.

Seus dedos passaram pela linha de sua mandíbula. — Você sabe que eu ensinaria se soubesse como. Jamais descobri por mim mesmo e, como consegui sobreviver durante todo esse tempo sem uma, não foi uma prioridade.

— O que você acha do presente dele? — Eva perguntou, expressando preocupação.

Alec cruzou os braços. — Acho que quer matar você — ele disse, sentindo uma angústia igual à de um peixe que é engolido vivo.

— Ele pode fazer isso? — Eva perguntou, baixinho. — Tem permissão?

— Há duas possibilidades: ou ele é um velhaco, que espera conseguir justificar a morte, ou tem autorização para isso.

— O que é pior?

— As duas alternativas são ruins.

— Captei isso.

— Por que você saiu de casa, Eva?

— É culpa minha? — ela perguntou, levantando-se. — Você vai me culpar por isso?

Alec passou uma mão no rosto. — Não. Droga! Não estou culpando você.

Apesar do corpo esbelto, um metro e sessenta e cinco de altura, coberto com uma calça de pijama de flanela e uma camiseta, Eva parecia formidável. Ela era formidável.

— Sai de casa porque precisava de uma Bíblia para pesquisar. Daí encontrei o Tengu. Então, fui para a praia porque precisava de ar depois do incidente com ele. E encontrei o Nix.

— Merda! — Alec disse, bufando.

— Nada é coincidência, você disse.

— Certo.

— Então, o que está acontecendo?

— Gostaria de saber. — As possibilidades eram muitas; nenhuma delas boa. — Você achou uma Bíblia?

— Sim.

— Está assustada?

— Apavorada.

— Bom. Então, vai ficar alerta. — Alec estendeu os braços para ela. Eva hesitou, mas, no fim, aceitou o abraço.

A coisa mais segura a fazer seria ficar longe dela para permitir que seu cheiro desaparecesse daquela pele, de modo que Eva não pudesse ser usada contra ele. No entanto, não havia ninguém em quem confiasse para mantê-la tão segura quanto ele a manteria. Se Eva tivesse de sair a campo, ele teria de ir com ela. Era a única maneira de manter a sanidade.

— O que vamos fazer? — Eva perguntou.

— Se o Nix for um velhaco, a morte dele vai acabar com isso. Se tiver autorização, ou a caça foi designada como pessoal e vai acabar com a morte dele, ou foi considerada uma afronta a toda a unidade dele e algum outro Nix vai intervir para terminar o que ele não conseguiu.

— Uau! — Eva ergueu os olhos para ele e perguntou: — O que posso fazer?

— Jamais saía do meu lado. Vamos cuidar de sua retaguarda. Vou pedir informações e ver o que eu descubro.

— Vamos caçar o Nix.

— *Eu* vou caçar!

— Não posso ficar às cegas.

— Anjo...

— Preciso saber o que estou enfrentando, Alec, e preciso ser mais do que um estorvo para você.

— Você não está me pedindo para deixar que seja minha parceira.

— Claro que não — Eva disse, sorrindo. — Só estou dizendo que preciso de informações e que você pode me usar se precisar de mim. Só me prometa que não vai ser teimoso o bastante para me manter desinformada.

A reação instintiva de Alec era proteger Eva o máximo possível. No entanto, ele sabia que isso só a alienaria e a deixaria mais obstinada. Sua busca por uma Bíblia lhe revelou que ela ainda pesquisava tudo em detalhes; uma tendência que notara na primeira vez em que fizera amor com ela. Eva mencionara os prós e contras de diversos métodos de controle de natalidade antes de ele ter conseguido parar de rir e ocupado os pensamentos dela com outra coisa.

— É meu trabalho exercer a liderança, anjo. Preciso saber que você vai seguir minhas ordens, mesmo se segui-las signifique ficar fora do caminho. E, por ora, não quero que saía do apartamento sem mim.

Por um instante, Eva refletiu. — O que somos um para o outro?

Alec deslizou as mãos pelas costas de Eva e segurou sua bunda.

— Comporte-se — ela advertiu.

— Você gosta quando sou malcriado — Alec murmurou, esfregando a boca na orelha dela. Sentiu Eva tremer, mesmo quando ela pressionou o corpo contra o dele. Era uma má ideia se envolver mais profundamente com Eva quando a separação era certa, mas ele não conseguia resistir.

Se Alec a deixasse partir, Eva não poderia voltar para ele mesmo se quisesse. Mas, se a retivesse e tentasse se livrar das penitências deles em uníssono, na esperança de que algum dia pudesse ser o que ela precisava, Alec a perderia.

Evangeline Hollis tinha a palavra *família* escrita na testa. Marido, dois filhos, um cachorro e uma cerca branca. Sua irmã era casada e tinha filhos. Seus pais tinham celebrado bodas de prata. O fato de que ela raramente namorava era tanto medo de um compromisso quanto de perder tempo com a pessoa errada.

Alec não podia dar a vida que ela desejava, e, se fosse honesto, admitiria que jamais seria capaz disso. Ele era um matador, um assassino. Todos tinham um talento, acabar com vidas era o dele. Jamais seria o homem de família que Eva queria e merecia.

— Tenho muitos problemas para resolver nesse momento — Eva afirmou, com a voz grave. — Não sei quando você vai partir, o que estou fazendo, onde essa marca está me levando ou como vou recuperar minha vida.

Alec sorriu; o caçador nele saboreava a caça.

Eva se soltou e disse: — Não preciso de mais complicações. Agora responda à pergunta: o que você é para mim?

— Todo Marcado designado para o campo de batalha tem um mentor. O treinamento é completo, mas nada pode substituir a experiência prática. Os mentores orientam os novos Marcados na transição da sala de aula para as ruas.

— Parece organizado. Treinamento. Tutoria.

— É. Bastante.

— Tá. Então, agora, eu sei como matar um Nix. Mas como espero que ele tente me matar? Das maneiras normais? Ele tem dons especiais que devo temer?

— Ele pode matar com um beijo. A boca sela a sua, e ele inunda seus pulmões com água, afogando você. Pode sugar sua umidade, desidratando você até a morte. Mas isso leva tempo. Você teria que ser imobilizada. E ele também pode matar das maneiras convencionais.

— Então, minha melhor opção é o bom senso: manter distância.

— Sem dúvida. Com alguma sorte, seu corpo vai se aclimatar rapidamente à marca, e você logo vai ser capaz de sentir o cheiro dele se aproximando.

— Senti um cheirinho mais cedo. Um pouco de odor residual.

Alec passou uma mão no rosto. — Em geral, os Marcados começam cheirando tudo e, depois, aprendem a controlar seus sentidos para se concentrar nas coisas pequenas. Com você está sendo ao contrário. Como pode sentir o cheiro de algo tão secundário tão rapidamente?

— Gostaria de saber — Eva disse, bocejando. — Chega de perguntas por hoje. Vou dormir. Estou acabada.

— Quer companhia?

— Não hoje à noite — Eva respondeu, torcendo o lábio e sentindo o coração disparar. — Tenho uma mãe em casa.

— Bom argumento. Amanhã, vamos sair e achar nosso pequeno amigo de pedra.

— Oba! Mal posso esperar.

Eva se afastou com um aceno atrevido.

10

— É UM POUCO FORA DE MÃO PARA VOCÊ, NÃO É? — ALEC perguntou, quando Eva entrou no estacionamento da St. Mary's.

— Dirijo ao acaso quando preciso pensar. — Ela olhou para o telhado do edifício e, em seguida, concentrou-se para achar uma vaga.

— Congregação movimentada — Alec observou.

Para Eva, era estranho tê-lo no carro ao seu lado. Durante anos, ela o imaginara sobre sua motocicleta. Ele parecia à vontade montado nela, como se fosse parte sua; um homem viril e seu cavalo de aço. No entanto, quando Alec se ofereceu para levá-la de moto, Eva recusou rapidamente. Precisava ficar com a cabeça tranquila para absorver a abundância de informações que recebia. De nenhuma maneira seria capaz de pensar com as coxas dele entre as dela e os braços em torno de sua cintura.

— Acho que sim — ela disse, em resposta à observação dele.

Eva estacionou o carro, tirou a chave do contato e soltou o cinto de segurança. Incerta de como a "caça" progrediria, tinha vestido um jeans gasto, um tênis e uma camisa de mangas curtas abotoada até em cima.

— Pronto?

Ele olhou para ela com um leve brilho nos olhos. — Por que não me perguntou o que queria saber?

— Você estava dormindo.

Alec bufou. — Bela desculpa.

— Qual é o problema de eu querer ler a Bíblia por conta própria?

— Muita coisa nela é mais fábula do que verdade.

— E você vai me oferecer um relato imparcial?

Em resposta, Alec sorriu e abriu a porta do passageiro. Eva continuou sentada enquanto ele desembarcava, com o olhar fixo na bunda e nas longas pernas dele, que também usava jeans. Calçava botas reforçadas e vestia uma camiseta azul. Ela ficou impressionada com como ele parecia normal.

Saiu do carro antes de Alec conseguir abrir a porta para ela. — E agora?

— Vamos inspecionar a igreja. — Ele colocou os óculos escuros. — Depois, saímos lentamente a pé até descobrir onde o Tengu mora.

— Achei que igrejas eram sagradas.

— Fique ao meu lado — ele disse. — Você vai aprender algo novo todos os dias.

— Nada que eu queira saber — Eva murmurou, fechando a porta do carro e guardando a chave no bolso.

Com Alec na liderança, eles ziguezaguearam entre as filas de carros. — Onde você o viu? — ele perguntou.

— Ali em cima — Eva respondeu, indicado a arcada. — Havia outras pessoas por perto, mas ninguém pareceu notar a gárgula.

— Elas não são marcadas.

— Têm sorte.

O olhar torto que ele lançou por cima do ombro trouxe um sorriso ao rosto dela.

— *Senhorita Hollis.*

A voz rouca e estrondosa do padre Riesgo era inconfundível. Eva se deteve e virou, o sorriso ampliando-se ante a aproximação do padre. Ela percebeu Alec se endireitando atrás dela.

— Padre — Eva o saudou, achando-o não menos incompatível na batina do que tinha achado no dia anterior.

Apresentou o padre a Alec e ficou surpresa quando ele estendeu a mão e falou em uma língua estrangeira. O padre Riesgo respondeu na mesma língua, apertando sua mão com firmeza e com os olhos verdes brilhando.

Riesgo olhou para Eva e disse: — Esse deve ser o homem que a estimulou a estudar a Igreja.

— Hein?

— Eu mesmo — Alec disse, sorrindo de modo malicioso.

— Excelente. O relacionamento deve estar ficando mais sério. — Então, o padre dirigiu-se exclusivamente a Eva: — Temos encontros para casais maravilhosos. Talvez você goste.

Alec passou um braço em torno do ombro de Eva e disse: — Ela é um pouca teimosa.

— Quanto mais teimosas são, mais devotadas podem se tornar — o padre Riesgo afirmou. — Vocês estão aqui para a missa da manhã?

Eva fez um gesto negativo com a cabeça. — Estou aqui para um tipo diferente de pesquisa. Sou designer de interiores. Ouvi falar que há um prédio em estilo gótico nesta região. O senhor sabe alguma coisa a respeito?

— Você veio para a igreja para isso? — o padre perguntou, um pouco surpreso. — Por que não dá uma volta por aí e procura?

Eva olhou para Alec. Ele parecia estar se divertindo com a situação por trás dos óculos escuros. Ela fechou a cara quando notou que não tinha intenção de ajudá-la.

— Foi ideia dele — ela disse, apontando para Alec.

— Trouxe você até a igreja por dois dias consecutivos, não? Eu disse que milagres acontecem — o padre comentou.

Eva deu uma cotovelada no estômago de Alec. Um gesto que só machucou o braço dela e fez com que ele sorrisse.

O padre Riesgo riu e disse: — A missa começa daqui a uma hora. Espero que vocês dois possam vir.

Acenando de modo hesitante, Eva conseguiu tirar Alec dali.

— Está vendo? — ele disse, enquanto deixavam o estacionamento. — Ninguém acredita que você é uma causa perdida.

Eva continuou andando.

— Está me dando um gelo, anjo?

— Estou procurando pela minha *amiga*.

Alec pegou a mão dela e entrelaçou seus dedos.

Quando dobraram uma esquina e deixaram a rua secundária mais tranquila, pegando a rua principal, o barulho aumentou consideravelmente, exacerbando a sensação de que ela estava deixando a segurança para trás e ingressando em um mundo novo, desconhecido e perigoso. Os carros percorriam o Beach Boulevard no habitual ritmo do sul da Califórnia; uma velocidade única, entre o lazer distraído e a impaciência. Os automóveis conversíveis estavam com a capota abaixada. Os outros estavam com as janelas todas abertas, deixando escapar uma torrente constante de música, em uma mistura eclética, incluindo country, rap e pop.

O céu estava azul, sem nuvens e ensolarado. A mistura certa de calor e brisa fresca...

Uma brisa que trazia um cheiro insalubre direto para o nariz de Eva.

O fedor fez ele se enrugar em protesto. Ela não conseguia descrever o odor nem para si mesma, sem referência para algo que cheirava tão mal.

Em um piscar de olhos, Alec mudou. O aperto de sua mão ficou mais forte, e seu passo se tornou casual, não tão largo para coincidir com o dela, com um objetivo predatório. Eva percebeu a mudança nele e sentiu-a em seu próprio corpo. Tudo se estreitou. Os ruídos de fundo desapareceram, sua visão se aguçou e seus músculos se retesaram. A adrenalina circulava quente e pesada em suas veias. A súbita pulsação forte foi brutal. E estimulante. Não inteiramente no sentido sexual.

— Senti o cheiro deles — Eva murmurou, tremendo. Ela sentiu que podia correr como o vento e rasgar uma lista telefônica com as mãos.

Euforia. Era isso. Causada pela agressividade. Como as duas se misturavam?

— Sim. — Alec olhou ao redor e, então, apontou para um homem de terno embarcando em uma Range Rover alguns metros adiante. — Ali está um.

— Onde estão os detalhes?

— Escondidos debaixo das roupas ou dos cabelos. É um demônio inferior. É por isso que permanece com uma aparência humana, para um trabalho de tempo integral.

Eva puxou a mão de Alec e sua boca secou. Ele olhou para ela de modo distraído e, então, ficou estupefato.

— Estou estranha — Eva disse.

— Você está incrível. A marca está quente em você, anjo.

Parecia quente também em um sentido totalmente primitivo.

Ela respirou fundo, sentindo diversos cheiros: fumaça de escapamento, asfalto quente, o café fresco de alguém, uma alma em putrefação...

— Pastor alemão — ela falou sem pensar, surpresa com a segurança que sentiu na identificação do cachorro que cheirou.

— Belo trabalho. O cara do outro lado da rua, com o copo da Starbucks. Qual é o cheiro?

Eva cheirou, filtrando perfumes e amaciantes de roupa. — Nenhum.

— Excelente. Você consegue ler a manchete do jornal na banca?

— Não. O jornal está deitado, sabichão. — Eva semicerrou os olhos. — Mas consigo ver o prédio de tijolos a cerca de um quilômetro e meio com uma gárgula minúscula no canto do quarto andar.

Alec sorriu. A expectativa era tangível, vibrando através do espaço entre eles.

— Você gosta disso — Eva acusou, tentando ignorar quão contagiosa era a excitação dele.

— Sou bom nisso — ele corrigiu. — Você não gosta de ser boa em alguma coisa, independentemente do que seja?

Eva soltou a mão dele, agarrou seu braço e o puxou para atravessar a rua. Duas coisas a surpreenderam quando chegaram ao outro lado: em primeiro lugar, ela fora bastante forte para desviá-lo do curso, e, em segundo lugar, tinham atravessado a rua antes que a contagem regressiva para a travessia de pedestres marcasse mais do que dois segundos.

Ninguém conseguia andar tão rápido. Era humanamente impossível.

Eva se deteve, com a mente tentando alcançar o corpo. — Uau!

— Sua Mudança está aparecendo — Alec disse, com a mão nas costas dela e seu olhar treinado direcionado mais à frente. — Mas você vai ter que aprender a controlar suas habilidades em público. Podemos nos mover muito rápido, sem sermos vistos, mas é arriscado. Se não formos cuidadosos, não vai demorar muito até que o pânico se dissemine. Os Demoníacos se alimentam de negatividade e não precisam de mais combustível.

— Não foi intencional.

— Eu sei. Só estou explicando.

Endireitando-se, Eva bufou e disse: — Certo, estou pronta.

Eles continuaram a caminhada em um ritmo mais vagaroso, mas não havia nada casual em relação aos dois. Quanto mais perto chegavam do prédio, mais aguçada Eva ficava e mais focado Alec parecia estar. Os sons e cheiros circulavam por ela como ondas. Algumas vezes, intensamente; outras, atenuados. O efeito era desorientador e, quando chegaram ao destino, Eva quis descansar.

— Ainda está em construção — ela disse, notando que algumas das janelas superiores ainda tinham o adesivo do fabricante nelas.

— E não sinto cheiro de nada. Não pode ser o prédio.

— Alec, as gárgulas não aparecem aos montes e aquela era idêntica à que eu tinha visto.

— Se houvesse um Tengu aqui, todo o lugar estaria fedendo. Exatamente como se sente o cheiro de peixe em um cais.

— Tá legal — Eva disse, cruzando os braços.

— Ótimo. — Alec estendeu a mão até a porta e tentou abri-la. — Está trancada.

Eva observou através da janela. A instalação básica de mesa de recepção/segurança e lista de ocupantes do prédio estava no lugar, mas inacabada. Havia uma placa de algum tipo virada ao contrário do outro lado da janela. Devia conter as informações da imobiliária.

Ela ergueu a cabeça e disse: — Você escutou?

— O quê?

— Um som como de compressor de ar. — Recuou até a beira da calçada. Apoiando-se contra um parquímetro, ergueu os olhos.

— Vamos precisar subir até o telhado — Alec disse.

— Certo, mas como? — Eva perguntou, olhando para ele. — Com um salto biônico ou algo parecido?

Alec olhou por cima do ombro com um sorriso torto no rosto. — Não.

— Bom. — Eva deixou escapar um suspiro de alívio. — Tenho medo de altura.

— Vamos escalar pelo lado de fora.

— *Quatro andares?* — Eva abraçou o parquímetro. — São dezesseis metros de altura. Você está louco?

— Não, estou brincando. — Alec piscou e estendeu a mão para Eva. — Vamos até os fundos do prédio, para ver se conseguimos entrar.

Reclamando baixinho, Eva passou por ele em busca de um beco que os levasse até a parte de trás do prédio. Ela encontrou um logo depois da loja de artigos esportivos, a alguns metros de distância de onde estavam.

Depois que conseguiram chegar ao outro lado, descobriram uma cerca de arame protegendo o canteiro de obras improvisado na entrada quase pronta de uma garagem subterrânea. Havia uma dúzia de homens com cintos para ferramentas e capacetes de segurança. Uma placa na cerca dizia que eles trabalhavam para a Construções D&L.

— Parece que tem um guarda no portão — Eva apontou, referindo-se ao homem com uma prancheta que estava controlando quem entrava e saía.

— Isso é comum em um canteiro de obras?

— Às vezes. Depende do grau de periculosidade e do custo do acabamento. Você pode querer limitar sua responsabilidade por acidentes e impedir o roubo de certos itens — Eva explicou. Em seguida, avaliou o prédio novamente. — Com esse tipo de design retrô, faz sentido que o interior tenha imitações de detalhes dispendiosos da época.

— Com licença — Alec disse, quando eles se aproximaram do guarda, um segurança particular com um físico imenso. Dava a impressão de que talvez usasse esteroides como balas. — Que tipo de prédio vai ser?

— Comercial. De escritórios. Muito legal.

— Podemos dar uma olhada? Estou querendo transferir meu escritório — Alec disse.

O segurança fez um gesto negativo com a cabeça e afirmou: — Sinto muito. Você tem de marcar uma vista com a corretora. — Então, enfiou a mão no bolso e denotou desapontamento. — Os cartões de visita acabaram. Distribuo mais de uma dúzia por dia, pois o prédio chama muita atenção. Aposto que vai estar todo vendido muito antes de abrir.

— Quando o prédio vai ficar pronto? — Alec perguntou.

— Não tenho mais certeza. O cronograma está atrasado. As instalações hidráulicas e elétricas ainda estão sendo feitas. Espere um minuto. Vou pegar mais cartões.

O segurança estava prestes a se afastar quando um grande grupo de operários dobrou a esquina. Os copos de papelão nas mãos deles sugeriram que estavam voltando de um intervalo.

— Sinto muito — o guarda disse, fazendo uma careta. — Preciso verificar esses sujeitos primeiro. Estamos tendo problemas com o relógio de ponto. Tenho de ficar de olho nos turnos deles. — Com a voz mais baixa, ele prosseguiu: — Ficam furiosos se os horários não são marcados corretamente. E, como o supervisor acabou de sair para almoçar, não há mais ninguém para manter a ordem.

Alec sorriu e disse: — Tenho um encontro marcado para daqui a uma hora e ainda tenho de trocar de roupa. Você se importa se eu for pegar um cartão sozinho? Posso trazer uma pilha deles para você.

Eva procurou não parecer muito surpresa. Qual era a pressa?

Então, por meio de um gesto, o segurança indicou um trailer próximo. — Estão em um porta-cartões na mesa do supervisor.

— Obrigado. — Alec agarrou o braço de Eva e a arrastou pelo portão.

— Como você conseguiu que ele deixasse você entrar com tanta facilidade?

— A marca nos deixa… persuasivos.

Eva pensou como se sentira forçada a ficar com Reed e bufou. — O truque mental Jedi é legal, mas qual é o sentido nesse caso? Precisamos voltar com a corretora.

— Nem tudo é um beco sem saída. Sempre procure um desvio.

— Um cartão de visitas é um desvio? — Ela esperou que Alec subisse a rampa metálica e batesse na porta do trailer. Ninguém respondeu.

— O supervisor acabou de sair para almoçar, você lembra? — Alec sorriu e girou a maçaneta. — Um escritório desocupado, cheio de papelada, é um desvio. Venha.

Com um último e rápido olhar ao redor, Eva agarrou o corrimão e subiu a rampa. Ela era ligeira, mas Alec era mais. Quando ela fechou a porta, ele já estava verificando os papéis espalhados sobre uma grande mesa.

O longo espaço retangular era desprovido de divisória. Do lado direito, havia um pequeno agrupamento de armários e um sofá surrado. Do lado esquerdo, situavam-se a mesa e alguns arquivos metálicos com seis gavetas. As paredes eram decoradas com diversas plantas do edifício e o piso emborrachado estava bastante desgastado.

— O que você está fazendo? — Eva perguntou.

— Essas gárgulas parecem o Tengu? — Alec perguntou, levantando os olhos para ela. Com os óculos escuros pendurados na nuca, ele parecia muito relaxado para estar bisbilhotando. — Muito provavelmente foram fabricados no mesmo lugar. Por quem?

— Suponho que eu seja a sentinela? — Eva disse, olhando nervosamente para a porta.

— De jeito nenhum, anjo. Você precisa vir até aqui e me dizer o que olhar. Está familiarizada com toda essa coisa de construção e arquitetura, mas é grego para mim.

— Achei que você também fosse fluente em grego — Eva zombou.

— E como! Agora venha até aqui e me ajude. — Alec examinou cada centímetro do recinto com muita atenção. — A partir do que o segurança disse, parece que esse projeto teve inúmeros problemas: atrasos, funcionários indisciplinados, equipamentos avariados.

— Não é incomum. Algumas obras são mais difíceis do que outras.

— Verdade. E alguns lugares são atormentados por Tengus.

— Achei que você não acreditasse em mim.

— Quer provar que eu estava errado ou não?

— Você está me mimando.

— Você se importa?

— Quem vai ficar de sentinela? — Eva perguntou, suspirando.

Contornando a mesa, Eva o forçou a se levantar da cadeira empoeirada com um golpe de quadril e se acomodou ali. Ela pegou o mouse para ativar o sistema e começou a verificar os arquivos.

— Não temos tempo a perder — ele disse, com determinação. — Nós dois precisamos prestar muita atenção. Vamos escutar se alguém chegar.

— Hã... — Eva observava a tela, concentrada em achar o que precisavam o mais rápido possível. — Está bem.

Alec se dirigiu ao arquivo metálico. Pouco depois, perguntou, com a voz bem-humorada: — Anjo? Você está escutando?

— Hein?

— Foi o que pensei. Você não é boa em fazer várias coisas ao mesmo tempo.

— O quê? — Eva olhou para ele. — Quieto! Não consigo me concentrar com você falando.

Alec riu.

Eva trabalhava em silêncio, ajudada pelo seu novo e eficiente corpo. Antes de ser marcada, ela suaria, o coração dispararia e os dedos tremeriam. Naquele momento, o único efeito de suas atividades ilegais era a sensação poderosa de excitação.

— Achei o nome do fabricante — Eva disse, olhando para Alec. — Fábrica de Artigos Ornamentais Geena.

Alec fechou a gaveta e disse: — Então, vamos!

Algo na voz dele a perturbou.

— O que aconteceu? — Eva perguntou, fechando o arquivo que tinha aberto no computador e levantando.

— Você já ouviu falar dessa empresa?

— Sim. — Eva procurou pelos cartões de visitas da corretora em um dos três porta-cartões sobre a mesa. Não estavam ali. Abrindo uma gaveta, achou a caixa em que vinham, mas estava vazia, com exceção de um lembrete que dizia que era necessário pedir novos cartões. — Os cartões de visita acabaram.

— Já conseguimos o que precisamos. — Alec abriu a porta. — Não acho que o nome da empresa seja uma coincidência.

— Hein? Eva saiu do trailer e suspirou de alívio quando ninguém pareceu fazer caso deles.

— Na Bíblia, Geena era o lugar perto de Jerusalém onde atividades religiosas proibidas eram praticadas. Foi condenado, e se tornou um lugar de punição dos pecadores.

— Ah. — Detendo-se no final da rampa, Eva ergueu os olhos e percebeu duas gárgulas muito pouco visíveis de seu ponto de observação. Ela se concentrou mais, querendo que sua visão aprimorada entrasse em ação. Como uma lente de aumento ajustável, as criaturas de pedra ficaram ao alcance da visão. Elas se agacharam, imobilizaram-se, com um sorriso largo entalhado no rosto. Eram idênticas à gárgula que tinha feito xixi nela.

Eva cheirou o ar.

Alec agarrou o braço dela e, rindo, puxou-a para o portão. — Você parece boba.

— Estou tentando usar meus superpoderes.

— Já terminamos aqui.

Eles alcançaram o portão e Eva explicou ao segurança que os cartões de visitas tinham acabado. Em seguida, ela e Alec começaram a caminhar de volta para a igreja.

— Cuidado com aquilo que você quer — Eva disse, baixinho.

— O quê? — Alec indagou, olhando para ela.

— Estava pensando a respeito de algum tipo de mudança em minha vida. Talvez um novo patrão, um corte de cabelo mais curto ou uma reforma no meu apartamento.

— Você é uma mulher ousada. — Alec enfiou as mãos nos bolsos. — O jeito como nos reunimos demonstra isso.

— Jamais pensei em mim dessa maneira.

— Você quer uma família?

Havia algo no tom de voz dele, uma espécie de expectativa nervosa.

— Estamos no século XXI, Alec. Uma mulher pode ter uma carreira de sucesso e uma família.

— Não fique na defensiva. Só estou perguntando.

— Preciso ir ao escritório amanhã — Eva disse, mudando de assunto. — E espero que o senhor Weisenberg não tenha me despedido.

Eles pararam perto de um poste de luz e esperaram para atravessar a rua.

— Você quer voltar ao trabalho? — Alec perguntou. — Sabendo tudo o que você sabe? E se o seu chefe for um Nix? Ou seu colega de trabalho for um Súcubo? Vai simplesmente ignorar isso?

— Não tem graça.

— Não era para ter. — Alec apoiou o ombro no poste e a observou. — Eles podem sentir seu cheiro. Vão saber quem é você.

— O que devo fazer? Preciso trabalhar. Tenho contas para pagar. — Eva também enfiou as mãos nos bolsos. — Até ser convocada para as aulas, não posso fazer outra coisa? Não há ninguém com quem eu possa falar a respeito de cair fora dessa coisa de marca até então?

— Você pode me ajudar na investigação da Geena.

— Por quê? Você não precisa de mim.

Alec endireitou-se. — A questão não é essa. É sobre certo e errado, e, nesse caso, algo está errado.

Alec pegou o braço dela e a ajudou a atravessar a rua. Um grupo de turistas passou por eles, indo na direção oposta. As mulheres do grupo olharam para Alec, cabeças virando para segui-lo com olhares de admiração.

— Se tenho razão a respeito de o Tengu estar naquele prédio, quando o identificar, ele vai entrar na fila? — Eva perguntou. — Urinar sobre um Marcado não faz o número dele ser chamado?

— Não.

— Reed disse que existe uma fila. E que vocês não são super-heróis.

— É verdade. Agora, se o Tengu tivesse tentado matar você, tudo poderia acontecer. A autodefesa fala mais alto em relação à posição na fila.

— Então, o que você vai fazer? — Eva pressionou.

— Estou investigando. Isso é tudo.

Eva estava confusa. De certo modo, a ideia de investigação prática, de bater perna, era muito atraente. Gostava da emoção da descoberta e do súbito lampejo de entendimento. Era o aspecto do trabalho de que ela mais apreciava: a busca da solução dos problemas.

— Você está muito quieta — Alec disse quando eles dobraram a esquina e viram a igreja.

— Com base no nome da construtora, quais são suas ideias? — Eva perguntou.

— É possível que quando a Geena entregou as gárgulas, o Tengu estivesse no caminhão. Aquele que apareceu para você. Durante o descarregamento, pode ter saído para dar uma volta. Pode ter ouvido falar de você, achado que podia brincar um pouco sem consequências, e depois voltado.

— Por isso não há mais cheiro por aqui?

— Faz sentido. E, se minha teoria estiver correta, precisamos descobrir seu destino final. Os prédios com Tengu apresentam índices de suicídio mais elevados. E de fracassos comerciais, extorsões, despejos, desfalques, adultérios. Visite qualquer shopping inativo aqui no país e vai descobrir evidências de infestação de Tengus. Esse específico é mais ousado do que a maioria. Portanto, vai ser mais incômodo do que a maioria.

— Bem, sua teoria também levanta a questão de quão expandida essa distribuição está — Eva acrescentou. — Se tiver razão a respeito do envolvimento da Geena, pode não ser algo ocasional.

— Exatamente. — Alec sorriu, em aprovação.

Eva desligou o alarme do carro quando eles estavam a alguns metros de distância, notando que muitas das vagas do estacionamento estavam ocupadas. Da igreja, podiam ser ouvidos sons fracos de vozes que cantavam. Os irrigadores molhavam o gramado, formando arco-íris na névoa.

Um deles estava quebrado, criando um curso de água que serpenteava pelo asfalto. Chamou a atenção de Eva só por causa da uniformidade do asfalto; uma raridade na Califórnia.

Ela tinha viajado muito ao longo da vida; viagens em família quando mais jovem e a trabalho quando mais velha. Nos Estados Unidos, nenhum outro lugar tinha um asfalto tão esburacado e rachado quanto na Califórnia. Os reparos eram feitos com aplicações tópicas de piche, criando uma rede irregular de preto sobre cinza, que era, com frequência, mais proeminente que as faixas de segurança pintadas. Mas não era o caso do asfalto da St. Mary's. Era outro sinal de boa saúde da congregação.

Mais do que isso, porém, o asfalto fez Eva pensar a respeito da vida. Ao longo dos anos, ela também tinha perdido a cor. Quando rachaduras apareciam, punha um curativo nelas e continuava. Seu descontentamento quase parecia uma crise de meia-idade, mas, aos vinte e oito anos, era muito cedo para isso.

— Vou ajudar você — Eva disse. — Mas só na medida em que não interferira no meu trabalho.

— Fechado. — A curva dos lábios de Alec atraiu seu olhar para a boca dele.

Fazendo um gesto negativo com a cabeça em relação à preocupação constante com sexo, Eva puxou a maçaneta do carro e abriu a porta. Olhou para o assento do motorista, para facilitar o embarque, mas o fedor a fez recuar violentamente. Procurando o cocô no qual devia ter pisado, percebeu dois olhos azuis cristalinos e malévolos. Era um rosto, na poça sob seus pés. Ela gritou e chutou instintivamente, fazendo o rosto do Nix explodir em uma chuva de gotículas de água.

Quando sua perna baixou de volta, o borrifo se reagrupou rapidamente, criando uma corda de água que envolveu o tornozelo dela, apertando-o. Eva caiu no chão. A expressão de alegria do Nix causou medo nela.

QUANDO EVA CONSEGUIU DOBRAR OS JOELHOS, ESTEN-
deu a mão cegamente para pegar a porta do carro. Agarrou-a com a ponta dos dedos, o corpo oscilando à medida que a água serpenteava em torno das panturrilhas e a puxava.

Então, Alec apareceu, agarrando-a pela cintura e cantando em uma língua que ela não identificou. O que ela entendeu, porém, era quão furioso ele estava. Seu corpo másculo vibrava e a voz dele zunia com ameaça inequívoca. Eva chutou furiosamente a poça, as canelas batendo na parte inferior da porta em seu frenesi. A água espalhada começou a se concentrar, evaporando com uma velocidade anormal. Pouco depois, não estava mais ali.

— Psiu — Alec murmurou, com a boca junto ao ouvido dela. — Ele se foi. Está tudo bem. Calma.

— *Calma?*

— Não posso acreditar que apareceu enquanto eu estava aqui — Alec afirmou. — Ele sabia que não teria tempo de machucar você comigo por perto. Só quis assustar.

Eva soluçou, o que chamou sua atenção para o fato de que estava chorando. — *Só?* Droga! Chega!

Alec a ergueu e a levou para o lado do passageiro. — Eu vou dirigir. Você está muito nervosa — ele disse.

— Estou de saco cheio. — E ela estava. Estava assustada, sim, mas também estava furiosa. Os braços e as canelas doíam e a agressividade circulava em suas veias.

— Precisamos adicionar o Nix à nossa lista de pendências.

— É claro! Ai! Merda! — Eva sibilou quando sentiu sua marca queimar.

— Cuidado.

Alec abriu a porta para ela, depois contornou o carro e se sentou atrás do volante. Ajustou o assento para acomodar suas longas pernas, deu a partida e engatou marcha a ré. — Você está bem?

— Não, não estou.

Alec acariciou o joelho dela e, em seguida, deu uma olhada pela janela traseira quando o carro saiu da vaga.

O trajeto até o apartamento foi feito em silêncio. Eva secou as lágrimas, examinou os braços já cicatrizados e respirou fundo. Alec estacionou o carro na vaga, perto de sua Harley, ficou sentando por um instante com as duas mãos no volante. Ele encarou a parede de cimento que cercava o estacionamento. Eva desceu.

Quando passou pela arcada que levava ao saguão, ela se deteve nas caixas de correio e esperou Alec alcançá-la. Ele entregou as chaves e Eva abriu sua caixa. Uma parte da correspondência caiu e se espalhou pelo piso de mármore. Ela praguejou e tirou o restante da caixa com esforço. Alguns envelopes estavam rasgados e os panfletos estavam amassados. Encontrou três recibos referentes a pacotes que não tinham cabido na caixa.

Alec assobiou, surpreso com a quantidade de correspondência. Ele entregou o que tinha recolhido do chão para Eva. — Garota popular — disse.

— Fazia mais de uma semana que não abria a minha caixa — Eva lembrou, caminhando até a lixeira mais próxima e começando um exame superficial da pilha. Descartou filipetas, cupons e catálogos de vendas. Havia uma carta da sua irmã, e Eva a colocou no topo, acariciando o envelope com a ponta dos dedos durante algum tempo. Poupou uma filipeta da Del Taco ante a súbita percepção da fome atual. Em seguida, sem piscar, paralisou de assombro.

— O que foi? — Alec perguntou. Ele também tinha ficado paralisado. Estendendo a mão, tirou o cartão-postal das mãos trêmulas dela e o virou. — Está selado, não é mala direta.

— Sim — Eva disse, sentindo um calafrio. — A data do carimbo mostra que o postal foi expedido um dia antes de eu ter sido marcada.

Pegou o cartão-postal de volta e leu o texto no verso. Era um convite para visitar o prédio em estilo gótico infestado pelo Tengu. Chamava-se Olivet Place. Só que a data impressa de antemão no postal era ainda alguns meses à frente, e as colagens de fotos no verso incluíam seções em branco, com observações como: INSERIR FOTO DO SAGUÃO AQUI. Era um layout e não deveria ter sido expedido.

— Alguém quer que eu vá até aquele prédio — Eva disse.

— Parece.

— Por quê?

— Essa é a questão. — Alec envolveu-a com seu corpo e apoiou o queixo em seu ombro. — Isso não é bom.

— Você acha? — ela perguntou, bufando e com o olhar fixo naquele pedaço de papel subitamente ameaçador em suas mãos. — Quais são as chances de ser atraída para um prédio demoníaco e marcada, tudo ao mesmo tempo?

— Quase nenhuma, eu diria. — Sua voz era severa, seu toque era possessivo.

— Há alguma possibilidade de que os caras maus soubessem antes? Os dois acontecimentos devem estar ligados, certo? É muita coincidência.

— Coincidências não existem.

Eva não disse, mas estava contente de ter Alec com ela. Sim, ele a tinha metido naquela confusão, mas, ao menos, estava por perto para ajudá-la a lidar com as consequências. — Então, o que vamos fazer?

— *Senhorita Hollis?*

Eva tomou um susto ao escutar seu nome. Alec virou-se sem se sobressaltar, colocando-a atrás dele e encarando o homem que tinha falado. O visitante estava vestido impecavelmente, com um terno cinza-escuro. Alto e esbelto, permaneceu imóvel, com as mãos entrelaçadas. Atrás dele, uma limusine preta aguardava.

— Sim? — Eva contornou Alec apesar do sussurro de protesto dele.

— O senhor Gadara gostaria de encontrar você agora — o homem disse, com uma voz sem inflexão.

— *Agora?*

— Sim.

— Como entrou aqui? — O estacionamento do prédio tinha um portão que exigia controle remoto ou um código do morador para ser aberto.

Uma sobrancelha cinza se moveu. — A Gadara Enterprises é a administradora deste imóvel.

Eva olhou de relance para Alec, que denotava tensão. — Vou precisar de alguns minutos para me trocar — ela informou.

— Receio que não haja tempo para isso — o homem de cinza respondeu, virando-se para indicar a porta traseira aberta da limusine. — O senhor Gadara tem um voo às quatro horas.

— Meu jeans está molhado — Eva disse, indicando o ponto. Ela estava sem maquiagem e seus cabelos estavam desgrenhados. Além disso, Gadara a tinha deixado na mão na entrevista anterior. Ela não estava disposta a ser complacente. — Também preciso de minha pasta.

— O senhor Gadara está familiarizado com seu trabalho.

— Ele não me espera desta maneira.

O homem de cinza ficou calado, esperando pacientemente.

— Tudo bem — Eva cedeu.

— Vou com você — Alec informou, sem tirar os olhos do visitante.

— Isso não é aconselhável — o homem de cinza interveio.

— Ele vem comigo se eu disser que vem — Eva afirmou, semicerrando os olhos.

— O senhor Gadara não vai gostar disso, senhorita Hollis — o homem de cinza falou arrastadamente.

— Bem, não gostei do convite de última hora para ir encontrar o senhor Gadara — ela replicou.

— Como a senhorita quiser. — O homem de cinza se virou para voltar para a limusine. — Eu o informarei sobre seus sentimentos.

Eva tomou uma decisão rápida. Podia continuar reclamando da encrenca em que se metera ou podia fazer algo a respeito. Olhou para Alec e disse: — Há uma jaqueta no porta-malas. Você pode pegar para mim, por favor?

Alec pareceu surpreso e nada satisfeito com o pedido. — Você não vai sozinha.

— Tudo bem. Eu sabia que você não gostaria de ser deixado para trás.

Ela olhou para o homem de cinza, que tinha parado de andar. Aparentemente, não captara a mensagem, mas os lábios franzidos de Alec revelaram-lhe o que ele não tinha deixado escapar. — Você também pode jogar toda a correspondência no porta-malas - ela sugeriu com um sorriso inocente. Fechou a caixa de correio e entregou as chaves para Alec.

Ele foi até o carro, olhando para ela por cima dos ombros. Enquanto estava ocupado procurando o botão correto para abrir o porta-malas, Eva entrou no assento traseiro da limusine. — Vamos.

Sem hesitar, o homem de cinza embarcou e eles partiram. Alec gritou para eles, e Eva assustou-se. Sabia que estava furioso com ela, mas achou melhor dançar um pouco conforme a música de Gadara e ver o que aconteceria. Fora marcada no prédio dele, depois que levara um bolo. Como Alec insistiu que não existiam coincidências, achou necessário começar do começo. Se a única maneira de fazer aquilo era sozinha, tudo bem. Ela não estava desamparada; não com seus novos superpoderes. Ignorante a respeito da vida de marcada, talvez, mas não indefesa. E Alec estaria somente um passo ou dois atrás dela.

Estendendo a mão para o alto, Eva retirou o elástico que prendia seus cabelos e passou os dedos por eles. Felizmente, herdara as mechas espessas de sua mãe, que raramente se emaranhavam muito.

— Como o senhor sabia que eu não estava no trabalho? — ela perguntou, tentando estabelecer uma conversa.

Um sorriso apareceu no rosto do homem de cinza que mais fazia parecer que tinha prisão de ventre. Ele não disse nada.

— O senhor Gadara está saindo de férias? Ou é uma viagem de negócios?

O homem de cinza continuou calado.

Eva voltou a prender os cabelos e olhou pela janela, observando a paisagem. Apesar do silêncio incômodo, o trajeto até o Gadara Tower transcorreu rapidamente. Sem dúvida, isso se deveu aos semáforos do Beach Boulevard que estavam todos abertos. Ela mal juntara os pensamentos quando a limusine se deteve diante das portas giratórias principais. Havia tanta gente ali como no outro dia.

Enquanto seguia o homem de cinza, Eva lamentava a falta dos saltos altos e de um traje formal. Ela teria se sentido blindada. De jeans e camiseta — e cheirando como um demônio — estava mais do que nua.

Cruzaram o saguão lotado no caminho deles para os elevadores panorâmicos. Ao contrário da última vez que estivera ali, achou o perfume ligeiramente doce das flores do átrio quase nauseante. Concentrou-se para desligar o olfato de Homem-Aranha, mas não funcionou. Então, algo mais chamou sua atenção.

A porta para a escada onde ela fora marcada.

As lembranças a alcançaram em uma sequência muito rápida de imagens ardentes. Ela conseguia sentir o cheiro de Reed e o toque bruto dele em sua pele. As recordações eram tanto perturbadoras quanto excitantes.

— Por aqui, senhorita Hollis — o homem de cinza disse, indicando um elevador separado dos outros.

Deixando para trás o passado e olhando para o futuro, Eva começou a notar o número de olhares em sua direção. Eram muitos. Puxou a bainha da blusa e levantou o queixo. Quando as portas do elevador se fecharam atrás dela, deu um suspiro de alívio.

O homem de cinza inseriu uma chave na fechadura do painel e o elevador subiu diretamente até o último andar, sem escalas. Eva olhou para baixo, para o átrio, observando as pessoas reduzindo-se ao tamanho de formigas. Muito esforçadas. Muito irrelevantes. Era assim que ela parecia a Deus? Era por isso que ele não se importava que sua vida tivesse sido virada de cabeça para baixo?

O elevador parou e as portas se abriram. Eva virou-se e se viu olhando diretamente para um escritório imenso e bem equipado. Uma mesa de mogno intrincadamente entalhada estava posicionada em ângulo, no canto mais distante, diante de uma fileira de janelas, no lado oposto. Duas cadeiras de couro marrom estavam diante da mesa e um quadro da Última Ceia decorava o espaço acima da lareira, que estava acesa.

— Senhorita Hollis. Que bom que pôde vir em tão curto prazo.

Eva virou a cabeça e viu Gadara. Ele estava com a atenção concentrada em uma pasta, que lia diretamente em um arquivo embutido na parede. Recolocou a pasta em seu lugar e fechou a gaveta do arquivo. Em sua frente se acomodava uma fachada de madeira que parecia uma cômoda.

— Senhor Gadara.

— Por favor, me chame de Raguel. — Ele encarou Eva e sorriu.

Ela tinha visto fotos dele, mas que não lhe faziam justiça. Vestido casualmente com uma camisa *guayabera* e calça de linho, Gadara não era menos imponente do que seria se estivesse de terno e gravata. Ele era negro, a pele como café expresso, cabelos curtos mesclando tons claros e escuros, e maçãs do rosto pontilhadas com manchas. Seus olhos eram escuros e pareciam de alguém de outros séculos.

Gadara avaliou Eva da cabeça aos pés e, em seguida, fez um gesto com a cabeça que pareceu uma aprovação. — Peço desculpas por desmarcar nosso último encontro.

A boca dela se curvou de leve. Não poderia ter soado menos como um pedido de desculpas.

Ele semicerrou os olhos quando Eva não respondeu. — Ainda quer o emprego?

— Seria um sonho tornado realidade. Tenho certeza de que o senhor sabe disso.

Por meio de um gesto de mão, ele indicou uma das cadeiras postas diante de sua mesa. Depois que Eva se sentou, Gadara contornou a mesa e se sentou em frente a ela. Sua postura era enganosamente relaxada, como se fosse uma visita social. Mas seu olhar era tão aguçado quanto o de falcão, e, quando ele pegou um controle remoto na mesa Eva se acautelou.

— Invadir meu canteiro de obras hoje não foi uma boa decisão — Gadara falou de modo arrastado, pressionando um botão fez uma tela baixar sobre as janelas, bloqueando a luz e proporcionando uma superfície para uma projeção.

Quando imagens de Eva acessando o computador no trailer surgiram, ela ficou paralisada de espanto.

Gadara sorriu. — Eu poderia mandar prender você.

Ela se recompôs. — Se quisesse fazer isso, já teria feito.

— Verdade.

— Então, o que quer?

— Quero que faça seu trabalho como deve se feito — Gadara disse, com a voz cortante.

As emoções erráticas de Eva assentaram com prazer. Sua boca soltou palavras antes que seu cérebro pudesse acompanhá-la. — Eu *ainda* não trabalho para o senhor.

— Está trabalhando para mim há oito dias. Algo de que estou começando a me arrepender.

— Oito dias? — Eva ficou de pé, incapaz de conter a inquietação. Tão ansiosa quanto contrariada, rapidamente aprendeu que sua nova disposição não simpatizava muito com antagonismo.

— Você é uma pessoa descontrolada, senhorita Hollis. Isso é a última coisa de que preciso em minha empresa.

— Sua empresa?

Eva se lembrou da conversa com Reed na praia. *É como uma empresa de fianças. Um arcanjo se torna responsável pela captura, como um fiador.*

Gadara era o arcanjo? Subitamente, ela se sentiu zonza.

O telefone da mesa dele tocou. Gadara atendeu. — Sim? — A satisfação iluminou seus olhos escuros. — Mande entrar.

Eva ficou olhando para a porta, contando com a entrada de Alec. Quando isso aconteceu, no entanto, ela ainda ficou estranhamente surpresa.

— Raguel — Alec gritou, lançando um olhar misterioso para Eva. — Não quero que mande trazer minha Marcada sem minha companhia.

— Quis ver se ela o desafiaria, Caim, e se você seria capaz de deter Eva se ela fizesse isso. Infelizmente, vocês dois falharam em seguir as ordens.

A tela foi recolhida e a intensidade das luzes aumentou. Mas não antes de Alec ver tudo de relance.

— Melhor você achar uma tática diferente da intimidação — Alec advertiu. — Pode funcionar com outras novatas, mas não com ela.

Eva olhava para um e para o outro, achando que era míope e incapaz de enxergar o que todos os outros estavam vendo. No entanto, uma coisa era bastante evidente: Alec e Gadara se conheciam muito bem. O que não podia ser bom.

— O que está acontecendo? — ela perguntou.

— Você violou um dos princípios mais básicos da iniciação — Gadara disse para Alec. — Levar um Marcado para o campo de batalha antes do treinamento.

— Não estávamos no campo de batalha.

Gadara se pôs de pé, apoiando as duas mãos sobre a mesa. A súbita quebra de sua postura indiferente era assustadora. — Besteira. Ela fede a demônio. Se a missão foi autorizada ou não é irrelevante.

— Não posso deixar Eva sozinha. Os Demoníacos estão atrás dela. Está muito vulnerável.

— Você deveria ter pedido ajuda ao encarregado dela.

— Teria, se eu soubesse quem é.

— Achei que fosse óbvio. Abel vai cuidar dela.

— Você está rindo da minha cara? Depois do jeito como ele a marcou?

— Você quer ver o vídeo? — Gadara perguntou, delicadamente. — A marcação não foi tão unilateral como você talvez acredite.

— Há um vídeo? — Eva resmungou, sabendo que estaria ruborizada até a raiz dos cabelos se tivesse reações físicas como antes.

Alec rosnou, fechando os punhos. — Vou acabar com você, Raguel. Não sou um de seus fantoches.

— Não. — Gadara sorriu. — Mas ela é.

Alec ficou tenso.

— Eu quero esse vídeo — Eva disse, adiantando-se.

— Ele tem sua vida nas mãos e você quer um vídeo de sexo? — Alec disse.

— Sim — Eva afirmou, olhando para Gadara com raiva. — Se você não me quer no seu pé, me solte. Não vou apresentar queixa.

— Ele não vai fazer isso, Eva — Alec disse.

— Como você sabe?

— Porque você e eu somos um pacote só, e ele não abriria mão de ter o fiscal principal de Deus em sua equipe.

— Droga! — ela lamentou. — Você dá muito trabalho, sabia?

— Trago benefícios se você encontrar tempo para usar. Além disso, o máximo que ele pode fazer é transferir você para outra empresa. Só Deus pode libertar você completamente.

Eva fuzilou Gadara com os olhos e afirmou: — Odeio ficar no escuro. Explique a empresa para mim.

Por meio de um gesto, ele indicou uma cadeira. — Sente-se, senhorita Hollis. Vou explicar, se seu mentor ainda não tiver feito isso.

— Não gaste sua saliva — Alec afirmou. — Você não é capaz de nos dividir. — Ele puxou a segunda cadeira mais perto de Eva e se sentou. Pegou a mão dela e a segurou.

Gadara notou a mostra de afeição e se recostou na cadeira como se tivessem todo o tempo do mundo. — Assim como o Inferno tem diversos reis...

— ... o Céu tem chefões — Alec concluiu.

— Não gosto desse termo — Gadara reclamou.

— Se a carapuça serviu...

— Não serviu.

— Sei...

Eva acariciou a mão de Alec em advertência. — Continue.

Gadara não gostou do tom de voz impositivo, mas prosseguiu: — O sistema de marcas é vasto. Precisa ser organizado e autossuficiente. Para isso acontecer, empresas foram criadas para gerar a receita necessária para apoiar um grande número de Marcados e suas diversas atividades na sociedade humana. Algumas empresas são mais bem-sucedidas do que outras. No fim, sete alcançaram proeminência. Estão divididas nos sete continentes, mas são coordenadas com frequência. Aquelas com áreas maiores dividem suas responsabilidades com as das áreas menores. Por exemplo, as empresas africanas e da Antártica funcionam em conjunto. — Gadara sorriu, os dentes bastante brancos contrastando com a pele negra. — Sou o responsável pelos Marcados norte-americanos. Todos os vinte mil.

— Meu Deus... Ai! — Eva retraiu-se quando a marca queimou.

— Cuidado! — os dois homens disseram ao mesmo tempo.

— Então, todas as pessoas no átrio são Marcados? — Eva perguntou, com a mão sobre o braço. — Por isso cheira como se o piso tivesse sido lavado com perfume?

— Algumas das pessoas ali são humanos com quem fazemos negócios.

— E você?

— Sou um arcanjo, senhorita. Hollis.

Eva considerou a resposta por um instante. Em seguida, achou que era melhor questionar Alec a respeito de Gadara e não o próprio. — Então fui designada para sua empresa porque sou norte-americana?

— Não. — A voz de Gadara tinha uma qualidade hipnótica. Quanto mais ele falava, mais sonhadora ela se sentia. — Em geral, os Marcados são transferidos de um lugar para outro para facilitar a transição. É menos traumático começar uma nova vida quando não se é importunado pela antiga.

— Por que isso não aconteceu comigo?

— Por causa dele — o arcanjo disse, indicando Alec com um elegante gesto de mão. — Tentou conseguir sua liberação. Quando o pedido foi negado, quis que você fosse mantida perto de sua família. Suspeito que extorquiu alguém, em algum lugar, para conseguir isso.

Eva dirigiu o olhar para Alec, que olhava para a frente, com os dentes visivelmente cerrados.

— Um sacrífico — Gadara murmurou. — Banido todos esses anos e forçado a vagar. Ele poderia ter levado você para a terra natal dele. Tenho certeza de que não conseguiu.

— Cale a boca! — Alec disse, em tom furioso. — Você não sabe do que está falando.

Eva apertou a mão de Alec em gratidão. — O que vai acontecer agora?

— Você trabalha para mim. Sua demissão no Grupo Weisenberg foi efetivada ontem, após uma semana de aviso prévio. Ocasionalmente, seus talentos mundanos serão usados, mas, em geral, seu trabalho é treinar e escutar seu mentor, seu encarregado e a mim.

— Eu escuto minha intuição — Eva afirmou. Ela não era uma crente e achava que deveria expor aquilo imediatamente.

— Não vou tolerar insubordinações — Gadara replicou.

— Certo. Ficamos entendidos.

Gadara curvou a boca em um desafio grosseiro. A expressão predatória não combinava com ele. Era muito refinado, sua voz era muito cultivada e suas palavras eram muito precisas. — O que estavam procurando hoje à tarde?

— Um Tengu.

Gadara arregalou os olhos. Alec explicou. Quando ele terminou, o arcanjo estava visivelmente perturbado.

— Achei que você se preocupasse mais com sua novata. — Gadara afirmou. — Não era sua atribuição colocar a garota em risco de modo tão idiota.

— Que risco? — Alec indagou, bufando. — Ela já tinha sido ameaçada duas vezes. Havia mais risco em não fazer nada. E, como disse, não posso deixá-la sozinha. O Nix sabe onde ela mora.

— Você é o mentor dela. Se quiser permitir que sua rixa com seu irmão a coloque em risco, longe de mim interceder. — Os olhos de Gadara assumiram um brilho glacial. — Continue com sua investigação. Chegue a uma conclusão e erradique a ameaça.

Eva franziu a sobrancelha.

Alec bufou e disse: — Você quer designar uma missão antes de ela ser treinada? De jeito nenhum.

— É sua escolha, Caim. Deixe que seu irmão faça o trabalho dele ou você vai ter que fazer.

— Isso não é sua atribuição. Abel é o único que pode designar uma missão.

Gadara riu. Era estranhamente agradável, considerando que não pretendia ser. — Ele é um homem dedicado à empresa. Algo que você deveria imitar.

— Vocês dois estão violando o protocolo. — O tom de Alec foi quase um rosnado. — Espero isso de você, mas de Abel? Ele jamais infringiu uma regra na vida. Você me acusa de colocar Eva em perigo, mas tudo bem Abel a meter em apuros?

— É perfeitamente aceitável manter um desvio depois que ele foi posto em funcionamento se o procedimento é o único caminho razoável.

— Eva e eu não saímos do caminho.

— Isso é discutível. Duvido que um de nós queira levar a uma instância superior, onde podemos receber penalidades. Melhor lidarmos com isso por nossa conta, não?

Alec ficou em pé e se debuçou sobre a mesa. Embora Gadara parecesse impassível, Eva notou rugas se aprofundando em torno de sua boca e olhos.

Gadara temia Alec. Eva guardou aquela informação para uso futuro.

— Como enviar uma Marcada sem treino em uma caça é o "único caminho razoável"? — Alec perguntou com frustração destemperada.

131

— Se os Demoníacos acharem que ela está se escondendo ou que a estamos protegendo, eles vão perseguir a garota de corpo e alma. Com você como mentor, ela precisa ser mais valente que o Marcado-padrão. Não podemos permitir que ela pareça fraca ou assustada. Precisamos começar como se tencionássemos continuar.

— Não.

— Consigo lidar com isso — Eva afirmou, ficando de pé.

— Anjo… — Alec murmurou, virando-se em sua direção.

— Pode deixar comigo. — Ela olhou para Gadara. Não eram apenas os Demoníacos que precisavam saber que ela era durona.

— Boa garota — Gadara disse, em tom de aprovação.

— Não me trate de modo superior — Eva advertiu. — Há algo mais que eu deva saber? Ou posso ir? Foi uma longa semana.

Gadara abriu uma gaveta e tirou um molho de chaves. Ele o jogou para Eva. — Essas chaves vão dar acesso ao prédio e ao escritório. Todos os seus pertences do seu antigo trabalho foram trazidos para cá. Você vai ser paga com depósito em conta e uma conta de despesas foi criada.

— Qual é meu horário de trabalho?

— Vinte e quatro horas por dias, sete dias por semana. O escritório é uma fachada; você vai precisar dele para o disfarce, mas o campo de batalha é o lugar onde vai realizar a maior parte de seu trabalho. Suas despesas domésticas — hipoteca, automóvel, contas etc. — serão administradas pela empresa. Você também foi incumbida da reforma de um dos meus cassinos em Las Vegas. Mas temos muitos meses antes de chegar a isso.

Eva ficou tão aturdida que precisou de um instante para responder.

— E eu que achava que só o diabo trocava sonhos por almas.

— Quem você acha que ensinou tudo o que ele sabe? — O arcanjo ergueu a tampa de uma caixa de madeira sobre sua mesa e tirou um charuto dela. — Tudo de que você vai precisar foi colocado em seu apartamento.

— Você tem acesso à minha casa? — Eva perguntou, batendo de leve a ponta do pé no carpete. — Não acho que sua empresa administrar meu prédio seja uma coincidência.

— Coincidências não existem, senhorita Hollis.

Alec pegou o braço de Eva e perguntou: — Terminamos, não?

132

— Ainda não — ela murmurou. — Quero aquele vídeo.

— E eu quero a paz mundial — Gadara respondeu. — Também gostaria de fumar este charuto, mas meu corpo é um templo. Nem sempre conseguimos o que queremos.

— Veremos. — Eva sorriu com raiva e se encaminhou para o elevador.

— Caim.

Ela foi percorrida por um tremor ao ouvir o nome de Alec dito por aquela voz cultivada. O infame Caim. Todos sabiam sua história. Mas, tendo conhecido os dois irmãos, ela sabia que era muito maior do que os poucos parágrafos mencionados na Bíblia.

Alec se deteve. — Sim?

— Fui autorizado a creditar cada Demoníaco derrotado em sua conta, em consideração à sua responsabilidade adicional como mentor da senhorita Hollis. Dobrar as indulgências deve cortar seu serviço pela metade se você jogar suas cartas direito.

A terrível quietude que tomou conta de Alec alarmou Eva. Ela apoiou a mão de leve em seu quadril. Ele a pegou e segurou firme.

— Isto não é um jogo — Alec disse, imóvel.

— É um jeito de dizer — Gadara afirmou. — Nada mais.

— Alec? — Eva murmurou.

Ele fez um gesto negativo com a cabeça, em sinal de desgosto, e, em seguida, prosseguiu até o elevador, puxando Eva consigo.

Quando as portas se fecharam, Eva entrelaçou sua mão na dele. Abriu a boca para falar, então, ergueu os olhos e viu a câmera no canto superior. Ficou calada até a saída do prédio.

No momento em que respiraram fumaça, em vez das emanações dos Marcados, ela deixou escapar: — Dobrar as indulgências — Ela combateu um desejo inconveniente de rir histericamente. — Ele está subornando você.

— Não vai funcionar.

— Tem de ser tentador.

— Anjo. — Seu tom era forte quando ele virou para ela. — Não vai funcionar. Ponto.

— Você o chamou de chefão. Como na máfia?

— Você o escutou e viu como ele trabalha. Eles são todos iguais. Sempre temos uma escolha, mas não significa que as opções sejam favoráveis.

133

— Então o quadro que ele apresentou a respeito de sete mandachuvas trabalhando em harmonia era papo furado?

— Eu diria que eles trabalham juntos tanto quanto democratas e republicanos. — Alec soltou o capacete do passageiro na garupa da moto e, em seguida, soltou os cabelos dela. — E eles também são orientados politicamente.

— Que beleza.

Após colocar o capacete na cabeça de Eva, ajustou a correia debaixo do queixo dela. Beijou a ponta de seu nariz. — Aqueles que não são da oposição obtêm maiores vantagens.

— Independentemente do que ele tenha contra você, é pessoal. Por minha causa, você dançou bonito nas mãos dele.

Alec subiu na moto. Eva se colocou atrás dele e o abraçou pela cintura. — A única pessoa nas mãos das quais eu danço bonito é você — ele disse, sobre o ronco do motor.

— Você vai ter que inventar uma explicação melhor do que essa — Eva gritou.

— Eu sei. — Alec moveu a moto, suas coxas viris apoiando-se nas delas. — Mas não aqui.

Em seguida, saíram do estacionamento a toda velocidade.

12

QUANDO REED CHEGOU À COBERTURA DA GADARA Tower, colocou os óculos escuros e observou a vista majestosa. Um helicóptero aguardava no heliporto, as pás da hélice imóveis e brilhando ao sol do fim da tarde. Um pedaço do mar era visível daquela posição privilegiada e o reflexo da luz do sol nas janelas dos prédios próximos tornava o dia ainda mais radiante. Uma brisa despenteava seus cabelos, acariciava sua nuca e enchia suas narinas com ar não corrompido pelo fedor dos Demoníacos.

— Abel.

Reed se virou e viu Raguel saindo da escada que levava à cobertura. Ele estava vestido ao estilo dos trópicos, com chapéu panamá e sandálias de couro. Um charuto apagado pendia de sua boca e seu andar era elegantemente lento.

— Raguel. — Reed estendeu a mão, que foi apertada com firmeza e calidez.

O arcanjo tirou o charuto da boca e disse: — Você tinha razão. Caim ainda precisava dar explicações para a senhorita Hollis.

Colocando as mãos nos bolsos da calça, Reed sorriu. Eva recebera as últimas informações, o que significava que a vida dela estava prestes a ficar muito mais interessante. — Excelente. Quando começa o treinamento?

— Depende de seu irmão. Ele começou uma investigação a respeito de um Tengu em um de meus prédios em construção. É algo de meu interesse. Pedi a ele para seguir em frente.

— O que isso tem a ver com Eva?

— Como ele se recusa a confiar em você para cuidar da senhorita Hollis enquanto realiza a investigação, vamos ter de esperar que eles cheguem ao fim dela.

— Eles? Você espera que Eva o ajude no campo de batalha?

— Caim foi irredutível.

— Não é uma decisão que cabe a ele.

— Não. Cabe a mim.

Reed se deteve. Raguel deu alguns passos e percebeu que Reed não o acompanhou. Deu meia-volta.

— Você designou uma missão? — Reed ficou mais surpreso com as emoções turbulentas que sentiu do que com o desvio flagrante de assunto. — Sem me consultar?

Eva era funcionária da empresa de Raguel, mas a designação era uma prerrogativa que recaía única e exclusivamente dentro da esfera de ação de Reed. Ele gostava de regras. Talvez até lhe dessem prazer. Ficava mais fácil superar as expectativas quando se sabe quais são. E sua posição como encarregado era seu único apoio na dinâmica com Eva. Raguel estava se colocando em seu caminho, e ele não entregaria seu campo de ação de mão beijada.

Raguel deu de ombros, em sinal de indiferença. — Um pouco presunçoso, talvez, mas sabia que você concordaria.

— Não.

— Hein? — ele exclamou, em surpresa. — Não há melhor maneira de ensinar seu irmão a trabalhar dentro do sistema.

— E quanto a Eva?

— O que tem?

— Não se faça de idiota — Reed disse. — Com o cheiro de Caim impregnado nela, precisa estar no melhor de sua forma, e não no baixo nível em que se encontra.

Raguel abriu um sorriso largo. — Você diz isso com tanto veneno, como se a consideração do seu irmão pela senhorita Hollis ofendesse você.

— Ridículo — Reed zombou. — Isso não tem nada a ver com Caim, mas sim com minha responsabilidade como encarregado de Eva. Não gosto de perder Marcados.

— Isso tem tudo a ver com Caim, e nada com a senhorita Hollis — Raguel replicou, gesticulando para o piloto do helicóptero com um aceno impaciente de mão. — Ela é um meio para alcançar um objetivo. A senhorita Hollis é uma arma para pôr seu irmão na linha.

— Essa instrução veio de cima? Ou de você? — Reed perguntou, cerrando os punhos dentro dos bolsos da calça.

— Veio do bom senso. — O motor do helicóptero foi acionado e as pás da hélice começaram a girar cada vez mais rápido. — Caim pode ser um perigo se não aprender a obedecer às ordens.

— Ele é incorrigível. Você acha que pode ter sucesso onde Jeová não teve? Está ficando muito presunçoso.

— De jeito nenhum. — Raguel sorriu. — Você está simplesmente subestimando a senhorita Hollis e seu efeito sobre seu irmão.

— Você está pensando nela como uma mulher, não como uma Marcada.

— Você também.

Reed ignorou a zombaria. — Estou tirando Eva da missão. Ela precisa ser treinada de modo adequado.

— Se fizer isso, vou transferir a senhorita Hollis para outra empresa e para outro encarregado.

— Papo furado. Você não passaria por cima de Caim por algo tão insignificante.

— Quer apostar? — Raguel gritou, a voz sendo levada pelo vento criado pelas pás giratórias. — Caim talvez causasse menos problemas fazendo besteiras em outra empresa.

— Fazendo besteiras? Ele tem um índice de sucesso de cem por cento.

— Não por muito mais tempo se desprezar você como encarregado e gerenciar a senhorita Hollis sozinho. Um dos dois vai morrer. Com o nível dele, a perda de Caim ou de sua Marcada arruinaria séculos de prestígio. Não vou permitir isso.

— Você não pode esperar que eu siga as regras se você não segue — Reed disse, cerrando os dentes.

— Vocês três vão ser minha morte. Ou a de vocês mesmos.
— Raguel se aproximou de Reed, ficando a poucos centímetros dele.
— Independentemente do interesse que tenha pela senhorita Hollis, eu
sugiro que mantenha tudo no campo profissional. Você ganhou uma
posição de poder incontestável sobre seu irmão por meio dela.
Mantê-los juntos deveria ser sua prioridade. Agora, preciso ir ao aero-
porto pegar meu voo. Se você ainda tiver objeções quando eu voltar,
podemos discutir mais.

— Ela talvez esteja morta até lá.

— Se essa for a vontade de Deus. — Apertando bem o chapéu na
cabeça, Raguel percorreu a distância até o helicóptero correndo e
embarcou.

Vontade de Deus. Reed cuspiu. A mão de Deus estava longe disso,
separada da mecânica por camadas de serafins, *hashmalins* e anjos. Já
havia algum tempo que Reed começara a se perguntar se havia uma lição
a ser aprendida sobre a distância entre Jeová e o mundo. Talvez aquilo
lembrasse que ele não podia ceifá-lo sozinho. Tentava dizer para si mesmo
que o propósito era edificante: quanto mais duro o mundo trabalhasse,
mais apreciaria o fruto de seu trabalho, Mas, na realidade, maquinações
como essa sempre testavam sua fé.

— Maldito Caim.

Mais uma vez, seu irmão estava desorganizando as coisas e Reed
precisava se adaptar e se ajustar para fazer tudo funcionar.

Depois da decolagem do helicóptero, a mente de Reed filtrou os
movimentos disponíveis para ele com a mesma fúria com que o vento
despenteava seus cabelos. Ele queria ficar com Eva de novo, mas aquilo
poderia tirar Caim completamente de cena, e, sem ele, Reed perderia a
chance de realizar suas ambições.

Não podia deixar aquilo acontecer. Era a melhor oportunidade para
avançar na carreira, pois se sentia pronto para ser promovido a arcanjo.

Reed sabia, sem sombra de dúvida, que podia gerenciar uma
empresa, e bem. A população mundial crescera exponencialmente. As sete
empresas existentes estavam sobrecarregadas de impostos, tinham carência de pessoal e os arcanjos que as comandavam eram valorizados em
excesso por causa disso. Eles desejavam ardentemente a aprovação de

Deus e as rivalidades eram violentas. A expansão era necessária e Reed estava determinado a interferir no processo quando isso acontecesse.

Transar com Eva era maravilhoso, mas o prazer era efêmero. Se ele mantivesse seu pau afastado daquilo, poderia aproveitar a satisfação prolongada de governar algo que Caim achava que só pertencia a ele.

Reed não deveria estar confuso. Não havia dúvida: Eva ou a realização de todos os seus objetivos.

— Eva — Reed murmurou, passando as mãos pelos cabelos.

Ela era tão indefesa e vulnerável quanto um ratinho, e os Demoníacos a rondavam como abutres vorazes. Droga, ele a rondava.

Cuidado com as maçãs.

Deveria ter previsto como aquilo evoluiria quando ela lhe deu um olhar ardente no saguão naquele primeiro dia.

Merda.

Reed deu meia-volta e saiu do telhado.

Alec parou a moto diante da luz vermelha do semáforo. Por causa da ânsia de Raguel pela aprovação de Deus, sabia que seria arriscado manter Eva perto de casa, mas jamais pensara que ele a exporia ao perigo deliberadamente. Se tivesse suspeitado disso, teria solicitado uma empresa diferente. Antártica, talvez. Ou Austrália.

Bastante tenso, Alec estava sendo atrelado à única coisa com que se importava, o que o deixava encurralado, aprisionado entre um Deus desaprovador, um irmão hostil e um arcanjo excessivamente ambicioso, que faria qualquer coisa para alcançar seus objetivos. E Eva — a ousada e sexy Eva — era o fator unificador.

Raguel supunha que Alec queria se livrar da marca e retornar a uma vida normal. Aquele era seu maior erro de cálculo. Ele achava que o chamariz das indulgências dobradas e a liberdade que implicavam seriam irresistíveis. Não entendia que Alec tinha uma habilidade, um talento: matar. Não poderia voltar atrás em relação a isso e levar uma vida normal. No entanto, também não conseguia deixar de amar Evangeline Hollis. Mas sua ambição de dirigir sua própria empresa era um segredo que ninguém sabia e que ele só revelaria quando fosse mais do que um castelo no ar.

Eva.

Apesar da volatilidade de seus pensamentos, nada conseguia distraí-lo totalmente da sensação do corpo macio e cálido abraçando suas costas. Eva era muito delicada e frágil. Por enquanto, Alec teria de treiná-la sozinho; uma solução que não era a ideal. Ele trabalhara sozinho por muito tempo. Não tinha ideia de por onde começar, o que enfocar, ou… qualquer coisa. Sua ignorância era total.

Eva deu um tapinha na coxa dele e gritou por causa do ronco do motor. — Vá para casa. Quero ver minha mãe.

Casa. Com Eva. Sua boca se moveu com um humor mórbido. A parte dele que não era homicida estava profundamente enamorada daquele sonho.

Alec fez que sim com a cabeça. Quando a luz do semáforo mudou para verde, tomou outra direção e seguiu para o prédio de Eva. Dessa vez, não precisou esperar por um morador para entrar no estacionamento. Eva digitou a senha e Alec levou a moto até o lugar adjacente à vaga ocupada pelo carro dela. Sua vaga e a dela. O ato de ocupar o lugar reservado para o parceiro dela o afetou de um modo inesperado: sentiu uma ereção. Descer da moto virou uma tarefa difícil, mas Alec conseguiu.

O conhecimento de que o tempo deles passaria… As ameaças contra ela… O medo de que não fosse capaz de salvá-la… Os feromônios que a marca dela exsudava… Seu corpo reagia com um desejo primitivo, reivindicando o que era seu. Quando Eva tirou o capacete e balançou os cabelos, foi como agitar uma capa diante de um touro enfurecido. Alec lutou contra a necessidade súbita e violenta de imobilizá-la na parede e possuí-la. Recuou, pondo uma distância entre eles.

Eva olhou para Alec e se deteve. Ele percebeu que o ardor que sentia estava sendo transmitido a ela, inflamando seus olhos negros com um desejo sexual que se igualava ao dele. Não era a garota tímida e inexperiente que ele tinha amado dez anos antes. Aquela garota tremia quando ele a tocava e gemia quando a beijava. A mulher que o observava naquele momento o fazia tremer.

Eva prendeu a correia do capacete no encosto da moto e sussurrou:
— Me pega.

Foi a única advertência que Alec recebeu antes de Eva se lançar sobre ele. Eva era leve, e a marca deu-lhe força e velocidade. Ele cambaleou para trás com o impacto, as chaves e o capacete caindo no piso de cimento. As pernas dela abraçaram os quadris dele, os braços envolveram seu pescoço. A boca encontrou a dele sem sutileza, agarrando-se com um desespero que o asfixiou.

Eva entesou as coxas, para se mover para cima e forçar o pescoço dele para trás, de modo que pairasse sobre ele. A posição de domínio dela endureceu o membro dele ainda mais, inviabilizando a possibilidade de chegar ao apartamento antes da penetração. O cheiro do desejo de Eva era estonteante e arrebatava os sentidos dele. Não havia nenhuma outra fragrância no mundo como aquela; a fragrância sensual de cerejas doces e maduras. A marca intensificava o cheiro, deixando-o mais luxurioso, como chantili.

Alec agarrou a bunda dela com uma mão e enfiou a outra entre seus cabelos sedosos e espessos. À medida que Eva se contorcia sobre ele, afastou sua boca da dela, para poder respirar. Em reação, os dedos de Eva se entrelaçaram nos cabelos dele e chamaram sua atenção. O olhar de Alec foi capturado pelo dela. Eva estava tão quente quanto ele, mas o brilho determinado em seus olhos revelou a Alec que ela ainda não estava completamente perdida na luxúria.

Ele se concentrou para que isso acontecesse. Soltou os cabelos de Eva e segurou o peito dela, massageando-o, gemendo de prazer quando o bico do seio endureceu com o toque de seus dedos.

Eva se inclinou para mais perto, ofegando, as madeixas cobrindo seu rosto em uma cortina escura. — Alguém está vendo a gente — ela sussurrou. — E escutando.

— O quê? — Alec a fez se abaixar, colocando as coxas dela contra seu pau ansioso. Ele moveu Eva ritmicamente ao longo de seu comprimento. Ela assumiu o comando, jogando-se graciosamente contra ele, fazendo-o estremecer.

— Meu prédio — Eva insistiu, com os olhos febrilmente brilhantes. — As áreas comuns. Câmeras. Microfones. Não há privacidade em lugar algum. Gadara está vendo e escutando.

A realidade penetrou através da névoa do desejo de Alec. — Provavelmente — ele disse. Lembrou que a empresa de Raguel era a administradora do imóvel e murmurou: — Muito provavelmente.

— Não podemos conversar livremente.

— Quem quer conversar?

Um pigarro chamou a atenção para quão público era o ardor deles. Alec e Eva viraram a cabeça ao mesmo tempo e viram a sra. Basso parada junto às caixas de correio. Estava brigando com a fechadura da sua caixa e não olhava para eles, mas era óbvio que tinha visto mais do que eles queriam.

— Coloque-me no chão — Eva pediu.

Alec a obedeceu. — O beijo pode não ter chocado a sra. Basso, mas minha ereção sim.

— Comporte-se — Eva disse, sorrindo.

— Você me atacou, anjo.

— Fiz você sorrir — Eva afirmou, dando uma piscadela.

Alec a observou por um instante, perdido nas diversas lembranças de uma década atrás. Sorriu suavemente.

— Estou perdendo meu dom — ele falou de modo arrastado, ajustando-se em uma busca malsucedida por conforto. — Você estava pensando em Gadara enquanto a gente se pegava.

— Escutei a câmera se mover.

Alec ficou calado. Não ficou tão surpreso que não tivesse ouvido nada. Irritado, sim, mas não surpreso. Pela primeira vez na vida, recebera algo que queria e estava se deleitando ao máximo com Eva. Era a audição precisa dela que tornava a afirmação surpreendente.

Ela deu um sorriso perverso. — Acho que ainda não alcançamos o ponto de fritura das células cerebrais.

— Da próxima vez — Alec prometeu, curvando-se para pegar o capacete e as chaves. — Você é uma garota sabida, anjo. Isso me excita.

— E se eu não tivesse um fraco por James Bond e Jason Bourne? Estaria fazendo Pamela Anderson suar na seção de vídeos eróticos.

Alec acusou o golpe. Doeu, mas era verdade. — Nunca atuei como mentor antes. Estou aprendendo na prática.

— Ótimo.

— Aprendo rápido. — Alec olhou para o saguão do prédio. A sra. Basso tinha ido embora.

— Melhor assim. — Suspirando, Eva se dirigiu ao carro, abriu o porta-malas e apanhou a correspondência que fora deixada ali. — Se não formaremos uma dupla patética.

Alec deu um sorriso largo. Não havia histeria ou drama para Eva. Graças a Deus.

— Vamos. Temos muito trabalho a fazer. — Ela se encaminhou para o elevador com um passo determinado. — E tenho de pensar em algo para dizer para minha vizinha. Que vergonha!

— Talvez ela aja como se nada tivesse acontecido. — Alec seguia Eva, estudando a maneira como ela se movia e catalogando as técnicas de autodefesa em que podia se destacar. Tinha pernas longas e ágeis, e um indício de bíceps bem definido. Alec achou que *kickboxing* poderia ser um bom começo.

— Argh! Odeio quando as pessoas fazem isso — Eva afirmou.

Ambiciosa e determinada, Alec pensou com afeto. Esse era seu anjo.

Um zumbido mecânico os seguiu; o som das câmeras de vigilância mantendo-os obstinadamente à vista.

— Mãe? — Eva gritou, abrindo a porta do apartamento.

— Saiu — Miyoko respondeu, brincando.

Eva sentiu um grande alívio. Sorriu para Alec que simplesmente balançou a cabeça. Quando colocou o capacete e as chaves sobre o aparador, havia uma centelha de divertimento em seus olhos, mas não conseguia esconder a tensão dos ombros. Pareciam carregar o peso do mundo.

Miyoko apareceu no corredor. Usava chinelos da Hello Kitty, os cabelos estavam presos em um rabo de cavalo e as mãos carregavam roupas recém-lavadas. Ela parecia uma adolescente. — Estão com fome?

O estômago de Eva roncou em consentimento. — Ultimamente, sempre sinto fome.

— Talvez você esteja grávida — Miyoko afirmou.

— Mãe! — Eva protestou, debilmente. Ela dirigiu o olhar para Alec. Deixara de tomar as pílulas anticoncepcionais por aquela uma semana em que estava mal e eles tinham transado durante horas…

Alec cerrou os dentes. Fez um breve gesto negativo com a cabeça. Mas como ele poderia ter certeza?

Não era algo que poderia perguntar.

— A menos que você seja uma freira ou estéril, é possível — Miyoko afirmou.

Eva foi para a cozinha. Depois de décadas trabalhando como enfermeira, a mãe era bastante direta quando se tratava de discutir questões de saúde. Colocando a correspondência sobre a bancada, Eva pegou um refrigerante da geladeira e considerou se servir de uma dose de rum. Então, pensou em bebês e no efeito do álcool sobre eles. Recolocou o refrigerante na geladeira e encheu um copo com suco de laranja.

— Não deixe essas cartas aí — Miyoko disse, juntando-se a Eva na cozinha depois de deixar a roupa lavada sobre o sofá da sala.

— É minha casa, mãe — Eva afirmou.

— Quem limpa ela?

— Quem pediu a você? Eu mantenho minha casa limpa, sou adulta. Não aja como se não conseguisse sobreviver sem você.

Uma máscara cobriu o rosto de Miyoko. — Sei que você não precisa de mim. Nunca precisou.

Alec entrou na cozinha e perguntou: — E se eu preparar alguns sanduíches?

— Eu fiz *oniguiri* — Miyoko informou.

— Que maravilha! — Alec pôs a mão na cintura de Eva. — Adoro *oniguiri*.

Eva também adorava, motivo pelo qual sua mãe provavelmente tinha preparado. O arroz cozido no vapor, condimentado com *furikake*, era modelado em triângulos. Eva crescera saboreando *oniguiri* e sempre gostara muito.

Fechou os olhos e suspirou. Não gostava de ficar na defensiva em relação à mãe. Após todos aqueles anos, ela deveria ser capaz de ignorar as ocasionais exposições de falhas, mas Miyoko sempre fora capaz de desencadear reações fortes nela. Em um instante, condescendente e crítica; no seguinte, divertida e só elogios. Eva sabia que o atrito era devido, em parte, ao choque cultural. Sua mãe tinha vindo para os Estados Unidos com vinte e cinco anos, mais ou menos, e voltava para o Japão para visitas anuais. Embora fosse uma cidadã norte-americana naturalizada, ainda era uma mulher japonesa em sua essência.

— Desculpe, mãe — Eva disse, colocando o copo com suco sobre a bancada e, em seguida, inclinando-se sobre ela. Não pela primeira vez, ela fazia um pedido em silêncio por um relacionamento mais fácil com seus próprios filhos, quando os tivesse. — Estou tendo um dia realmente difícil. Gosto de tudo o que você faz.

Por algum tempo, Miyoko permaneceu calada, tensa de indignação e dor. — Será que seu mau humor tem algo a ver com seu novo trabalho?

— Como você soube disso? — Eva era supersticiosa; não gostava de compartilhar nada de bom que não fosse certeza.

— Sou sua mãe. Sei das coisas.

Eva permaneceu calada.

— Alguém passou por aqui enquanto estávamos fora? — Alec perguntou, pegando o recipiente sobre a bancada e tirando um *oniguiri* condimentado generosamente com *furikake*. Ele o entregou para Eva e, em seguida, pegou outro, envolto em *nori* — alga — temperada para si próprio.

— Sim. Dois jovens. Deixaram uma pasta e uma caixa para você.

Endireitando-se, Eva perguntou: — Onde estão?

— Coloquei no escritório.

— Eles disseram alguma coisa?

— Foram muito gentis — Miyoko revelou, conseguindo dar um sorriso. — Fiz café, e eles falaram um pouco a respeito das atividades do senhor Gadara. Parece uma oportunidade maravilhosa para você.

Eva sentiu um arrepio ao pensar a respeito daqueles homens perto de sua mãe, seduzindo-a e impressionando-a. Conquistando a simpatia dela. Homens traiçoeiros.

— Então é por isso que você está de mau humor? — Miyoko perguntou de novo. — Mudança de emprego é um dos acontecimentos mais estressantes pelos quais uma pessoa pode passar. Você precisa tomar mais vitamina B.

— Em parte é por isso. — Na realidade, era só por isso. Eva olhou para Alec, que observava o suco de laranja dela com estranha intensidade.

— Você não me disse que estava pensando em trocar de emprego — Miyoko afirmou, em tom irritado.

— Não era certo. Trabalhar para Gadara é um salto enorme, e eu não sabia se conseguiria. Além disso, fiz só uma entrevista.

— E já recebeu uma proposta? — Miyoko limpou a bancada imaculada com um pano. — Você não deveria ficar tão surpresa. É bonita e inteligente. Qualquer um ficaria feliz em ter você.

— Obrigada — Eva afirmou, sentindo-se totalmente livre da irritação.

Miyoko deu de ombros. — É verdade. Seu patrão é judeu? Ou do Oriente Médio?

— Gadara? Ele é negro. Por quê?

— O nome. Vem da Bíblia.

— Sério? — Eva olhou para Alec, que estava pegando outro *oniguiri.*

— Gadara é o lugar onde Cristo transformou demônios em porcos — ele explicou antes de dar uma mordida.

— Será que foi ele que escolheu?

— Quem escolhe o próprio nome? — Miyoko fez um gesto negativo com a cabeça. — Com exceção das celebridades. Bom, vou terminar de arrumar a roupa e voltar para casa.

— Papai chega hoje?

— Amanhã. Mas tenho coisas para fazer.

Eva suspirou, sentindo-se mal por ter ferido os sentimentos dela. — Queria que você ficasse.

— Você tem um hóspede. Não precisa de mim.

— Não tenho que precisar para querer você por perto, mãe.

— Não hoje. — Miyoko contornou a bancada e voltou para a sala de estar. Ela se sentou no sofá e dobrou a roupa lavada.

— Tudo bem com você? — Alec perguntou.

— Não. Minha vida é um saco.

— Posso ajudar você a se esquecer disso por um tempo — ele murmurou.

Eva se virou e o encarou. Abriu a boca, mas logo a fechou. A cozinha não era o lugar para falar de sexo e todo o resto. Ela o pegou pela mão e o levou ao escritório.

— Sou estéril — Alec revelou, bruscamente, antes de Eva conseguir falar.

Ela ficou boquiaberta. Alec era o homem mais viril que conhecera. — O quê?

— Vi você trocar o refrigerante pelo suco de laranja. Não pode estar grávida.

A dor endireitou a coluna dela. Ele disse aquelas palavras com um olhar frio e distante, os lábios apertados.

— É até bom — A boca de Eva se curvou em um sorriso zombeteiro. — Você não iria querer a complicação, tenho certeza.

— Não me diga o que eu quero — Alec falou de modo brusco. — Não há nada que possa ser tão doloroso quanto a perda de um filho. No entanto, eu talvez fizesse isso de novo por você. Mas não há nenhuma chance, Eva.

— Por quê?

— Quase enlouqueci quando o último de meus filhos morreu. Disse coisas para Deus de que me arrependo. Não conseguia entender o motivo pelo qual eu tinha de ser castigado daquela maneira. Por que eu tinha de viver interminavelmente enquanto meus filhos levavam uma vida mortal?

— Alec... — Eva disse, sentindo um nó na garganta, em compaixão.

— Deus resolveu isso, anjo — Alec cruzou os braços. — A marca esteriliza. As Marcadas não menstruam, e os Marcados ficam estéreis.

O tempo congelou. Em seguida, precipitou-se em Eva em um dilúvio. Anos de sonhos e esperanças passaram sobre ela em uma torrente de lágrimas que rolaram por seu rosto. — Vou recuperar minha fertilidade?

— Não sei, Eva... — Alec foi tomado por uma vibração. Se ela respirasse bastante fundo, poderia sentir a turbulência nele. Alec era um homem que achava que cada movimento que fazia era errado. Outro erro em uma vida de erros. Ele era apaixonado, impulsivo e obstinado.

Mas Eva poderia culpá-lo por aquilo que estava acontecendo com ela? Ele não poderia ter previsto como as decisões tomadas teriam impacto na vida dos outros? Coisas ruins aconteciam. Estupros, surras, assaltos, abusos... e inúmeras outras coisas horripilantes. Abortos, acidentes, fome. Mas ser vítima era uma escolha feita por alguém e Eva se recusava a isso.

— Anjo? — Alec disse, aproximando-se dela.

— Preciso de um minuto. — Eva virou as costas para secar as lágrimas e foi capturada pela figura alta e muito bem vestida parada na porta do escritório.

— Dia difícil? — Reed murmurou, examinando-a com atenção.

— Cada vez melhor — Eva disse, com uma ironia amarga.

— Como posso ajudar? — Reed perguntou.

— Caía fora — Alec falou de modo ríspido. — Você já causou muitos danos.

— Você só quer se livrar de mim — Reed replicou.

As circunstâncias eram o que eram. Tudo acontecia por um motivo. Eva não precisava ser religiosa para acreditar nisso. E exigiria mais energia se lamentar do que fazer algo a respeito. Em vez de se sentir arrasada, sua determinação ganhou força.

Entender o Tengu.

Lidar com o Nix.

Perder a marca.

Era tudo factível.

— Vou tomar um banho — ela disse, querendo se livrar do jeans que estava entesado por causa da água do Nix. — Em seguida, vou fazer uma pesquisa na internet a respeito da Geena. Vocês podem matar um ao outro, ou ajudar minha mãe a dobrar a roupa lavada.

Os irmãos se entreolharam, surpresos.

— Ou preparar o jantar, se souberem como. Estou faminta. — Eva se despediu com um aceno e saiu do escritório.

13

EVA OBSERVAVA O MONITOR DO COMPUTADOR COM muita atenção. Ela tinha se permitido um choro copioso no chuveiro, cuja torneira havia agora uma cruz de alumínio pendurada. Ela, agnóstica convicta, tinha uma cruz pendurada no banheiro e a marca de Caim no braço.

A risada com sua situação chegara primeiro, mas, em seguida, as lágrimas começaram a rolar. Eva deixou cair todas, com frustração e raiva, tristeza e preocupação. Tinha certeza de que derramara mais lágrimas do que jamais derramara em toda a vida.

O resultado não foi bom. Eva ficou esgotada. Tanto Reed como Alec a observaram com culpa e cautela. Finalmente, ela se retirou para o escritório, para poupá-los do desconforto.

Enquanto Reed tinha dobrado roupas com a mãe de Eva, Alec preparara um ensopado substancioso para o jantar. Miyoko insistira em cortar as verduras e dar sugestões de temperos. Em seguida, partira para sua casa com evidente relutância. Teimosa até o fim. No dia seguinte, Eva esperava uma ligação da mãe, perguntando-lhe por que Reed — seu supervisor — tinha aparecido para o jantar e dobrado as roupas dela. Queria ter uma boa desculpa até lá.

Naquele momento, Eva fez uma pesquisa a respeito da Geena. Por um tempo, ela se distraíra com uma busca breve a respeito das Indústrias

Megido. A empresa existia. E Alec estava registrado como seu CEO e fundador. O nome Megido também aparecia como o local mais conhecido como Armagedom. Alec se designava um caçador de talentos, especializado em evitar desastres. Ela tinha de rir com o tortuoso senso de humor dele.

— O que é tão divertido? — Reed perguntou.

Eva ergueu os olhos e o viu parado na entrada do escritório, como estivera da primeira vez. Era uma pose insolente, com as mãos nos bolsos e o colarinho da camisa social azul-clara aberto. O recinto estava escuro, de forma que a iluminação que vinha do corredor converteu a silhueta dele em uma forma perigosamente instigante.

Eva deu de ombros, sinal de dissimulada indiferença. Independentemente do que fizesse ou dissesse, ela não conseguia se esquecer do encontro deles. — Nada. O que há?

— O que há com você?

— Estou pesquisando a construtora que criou o Tengu — Eva informou, voltando a dirigir sua atenção para o monitor.

— E aí?

— Tudo bem. É difícil saber se você descobriu o que estava procurando quando não sabe o que está procurando. — Eva o observou entrar no escritório. Os irmãos se moviam de forma muito diferente, mas a afetavam de maneira idêntica. — Onde está Alec?

— Verificando a varanda em busca de vazamentos.

— Por causa do Nix?

— Sim.

— Ele pode entrar dessa maneira?

— Pode entrar em qualquer lugar onde existe uma fonte de água. — Reed ficou parado ao lado dela, olhando para baixo. Ele a observava com uma expressão indecifrável, com a qual Eva estava ficando familiarizada, mas que não entendia. Ela captava a parte do "Quero transar com você", mas o resto — a confusão, o remorso e a compaixão — não.

Virou a cadeira e se reclinou para erguer os olhos para ele. Manteve uma expressão fria e impassível, ainda que Reed apresentasse uma visão intimidadora. Com o rosto iluminado somente pelo brilho do monitor, parecia mais demônio do que anjo. — A Geena é uma empresa relativamente local — ela disse. — Fica em Upland, na Califórnia.

— A quarenta e cinco minutos daqui?

— Depende do trânsito.

Reed concordou com um gesto de cabeça.

— O domínio deles na internet tem poucos anos — Eva continuou. — Sem dúvida é uma empresa nova, mas se deram bem rápido, parece.

A luz do escritório se acendeu e Alec entrou.

— Precisamos ir até lá — ele disse para o irmão. — Dar uma olhada. Ver o que estão fazendo.

— Vá sozinho — Reed afirmou. — Vou ficar com Eva. Ela não deve ficar em perigo desnecessário.

— Besteira. — Alec aproximou-se da mesa. — Você devia ter considerado isso antes de designar a missão.

— Eu a designei? — A incredulidade na voz de Reed era inegável.

Eva dirigiu o olhar para ele, tentando verificar visualmente a surpresa presente na voz. Ela o pegou adotando uma expressão fria, que não revelava nada. No entanto, o breve vislumbre de surpresa foi suficiente para desencadear a suspeita de que Reed não estava no controle das coisas como deveria.

— Você não fez isso? — Eva perguntou.

— Ele não vai contar a verdade — Alec zombou.

— Não fale por mim — Reed disse, cruzando os braços.

— Você já teve seu momento de glória, irmão. Melhor enfiar isso em sua cabeça. Nunca mais vai ficar com ela sozinho.

— Chega — Eva disse, levantando-se. — Isso me ofende.

— Desculpe, anjo — murmurou Alec.

— Faço minhas próprias escolhas. E, nesse momento, gostaria realmente de voltar àquele prédio com as gárgulas e dar uma olhada mais atenta nelas.

— Por quê?

— Por que não podemos ir para Upland hoje à noite. Já é muito tarde. E eu me sinto inquieta, como se devesse fazer alguma coisa. Não gosto dessa sensação. — Ela olhou para os dois. — Mal não vai fazer.

— O prédio não estará aberto — Alec disse.

— Isso é um impedimento para você? — Eva perguntou.

— Vai estar protegido — Reed interveio. — Mas você deve ter um crachá da Gadara Enterprises. Como funcionária, qualquer segurança vai deixar você entrar sem problema. — Ele olhou para Alec com uma expressão de triunfo. — Você tem muito a aprender, irmão.

Voltando-se para a caixa de cor preta que fora deixada mais cedo, Eva ergueu a tampa com sua cruz incrustada de marfim e inspecionou seu interior.

— Também deixaram uma caixa para você, Alec — ela afirmou, apontando para uma caixa de papelão sobre o sofá. — Está ali.

— Foda-se — Alec vociferou. — Raguel só quer me inserir em suas fileiras.

A caixa de Eva era do tamanho de uma caixa de sapatos e continha uma coleção aleatória de itens, variando de um spray de pimenta até manteiga de cacau para os lábios. Ela tirou uma coisa que parecia uma carteira de couro e a abriu. Dentro dela, havia um crachá com sua foto, tirada quando fora na primeira entrevista. Ela se arrepiou ao pensar como todos sabiam que estava a poucos minutos de ser marcada, mas ninguém dissera nada ou intercedera de alguma maneira. Se fosse o contrário, ela teria dito ao recruta para fugir correndo e não parar.

Os dedos de Eva percorreram o logotipo estampado da Gadara. Marcas d'água reflexivas capturavam a luz e impediam uma falsificação. Os símbolos eram uma combinação de imagens familiares — como uma cruz — e outras que pareciam hieróglifos. — Achava que todos os funcionários de Gadara fossem Marcados. Eles não podem sentir o cheiro do que eu sou? Qual é o sentido desse crachá?

— Os que trabalham no Gadara Tower são Marcados — Reed explicou. — Atuam com um sistema de alerta precoce para manter a segurança de Raguel. Para um Demoníaco, seria impossível se infiltrar no prédio sem ser detectado. No entanto, algumas empresas subsidiárias e prédios satélite possuem funcionários humanos.

— Manter Raguel seguro? Achei que ele fosse um arcanjo. Quem mexeria com ele?

— Um Demoníaco querendo ser promovido.

— Um arcanjo não consegue derrotar um Demoníaco?

— Se perceber o ataque chegando. Os sete líderes das empresas têm vidas temporais, à parte de sete semanas por ano, quando têm liberdade para usar seus poderes durante o treinamento dos Marcados.

— Os líderes perdem seus poderes?

— Eles têm uma escolha — Alec corrigiu. — Podem usar seus dons, mas, toda vez que fazem isso, há uma consequência. Cabe a eles decidir se a transgressão vale a pena.

— Outro exemplo de Deus tentando enlouquecer uma pessoa — Eva disse, bufando.

— Caso contrário, como se compadeceriam dos humanos, anjo? Os arcanjos precisam de empatia e compreensão para manter suas motivações. Eles se recusaram a se curvar aos homens como ordenado por Deus. Como podem perceber o erro a não ser caminhando um quilômetro com sapatos humanos?

— Empatia e compreensão? — Eva sorriu, sem humor. — Sinceramente, eu ficaria frustrada e ressentida. Por que deveria ter de perder o privilégio de usar meus poderes para proteger pessoas que não dão a mínima para mim? A menos que os arcanjos sejam verdadeiramente angelicais — o que Gadara certamente não pareceu ser — todo o negócio de poder e punição simplesmente complica as coisas.

— "Angelical" e "demoníaco" são construções humanas — Reed observou.

— Compreendi isso hoje mais cedo. Gadara disse que os demônios tiram seus truques da mesma cartola que os anjos. Eles são irmãos, certo? Frutos da mesma árvore, nascidos do mesmo pai? É lógico que estão propensos aos mesmos vícios, incluindo ficar de saco cheio quando não podem ter algo por causa de uma falha que não foi deles.

— Por que estamos falando disso? — Reed perguntou, bravo.

Eva pôs o crachá sobre sua mesa e ficou de pé. — Porque precisamos. Quando os arcanjos recuperam o pleno uso de seus poderes?

— Depois do Armagedom — Alec respondeu, cruzando os braços e aprumando-se. Era uma pose de batalha, de prontidão.

— Então, será que eles não querem apressar um pouco? — Eva sugeriu.

— Você está pensando como uma humana — Reed disse.

— Notícia de última hora: sou humana. Essa marca no meu braço não vai mudar isso. Você não pensou a respeito dos líderes das empresas que jogam fora das regras?

— Não — Reed respondeu.

— Sei que pensou. Você não gosta de usar cabresto — Eva prosseguiu.

— O que está sugerindo? — Reed vociferou.

— Gadara disse que você é um homem dedicado à empresa, Reed. Você obedece ordens. Quer que as coisas sejam de certa maneira e só as aceita assim — Eva afirmou.

Ele se aproximou. — Não tente me analisar! — disse, aproximando-se de Eva. — Se quer cuidar de alguém, por que você não cuida do maníaco homicida com quem está transando?

— Cutuquei a ferida — Eva disse.

— Você está me insultando. Quer que eu mude de atitude para ver se gosta?

— Deixe Eva em paz — Alec advertiu. — Continue pressionando e eu é que vou pressionar você.

— Cale a boca. — Reed cerrou os punhos. — Se ela quer criar teorias conspiratórias extravagantes, terá de lidar com as consequências sozinha.

Eva analisou a violência da resposta de Reed com um olhar cuidadoso. Alec estava considerando suas perguntas com ligeiro nervosismo, mas Reed estava bastante tenso. Ela olhou para Alec e perguntou: — Então, fora do Gadara Tower, alguns dos funcionários são humanos.

Ele fez que sim com a cabeça.

— E se eu mostrar este crachá, eles me deixam entrar, mas também registram que eu passei, certo? E o cartão de crédito da empresa, os aparelhos de escuta, as câmeras de vídeo... é tudo uma ciberperseguição, em vez da perseguição divina, certo?

— Sim. O que você está pensando?

— Nada. — Eva caminhou ao redor da mesa. Já dissera o suficiente considerando que alguém poderia estar escutando por meio dos microfones implantados em sua casa. O resto guardaria para si até achar que poderia falar livremente. — Vou me aprontar e já vamos.

Reed se mexeu para segui-la. Alec se interpôs no caminho dele. — Deixe Eva sozinha — ele advertiu.

— Estou fazendo meu trabalho — Reed disse.

— Relaxe, Alec — Eva advertiu.

Um ruído baixo, predatório, encheu o ar. Eva saiu do escritório fazendo um gesto negativo com a cabeça. Aqueles dois precisariam descobrir como trabalhar juntos.

Estava fechando a porta do quarto quando foi interrompida. Reed entrou, percorrendo com os olhos o recinto.

— *Feng shui* — ele murmurou. — Ao menos há um mínimo de crença em você.

— O que o *feng shui* tem a ver com isso? — Eva o observou fechar a porta, secretamente impressionada com suas habilidades de observação.

— Você está tentando utilizar energias que não consegue ver ou provar. Se você acha que elas vêm de Deus ou não, não é tão importante quanto o fato de você reconhecer as forças fora de si mesma.

— Você está me dando dor de cabeça.

Ele riu, e o som de veludo-áspero tocou a pele dela. — Você não pode ter mais dores de cabeça — Reed afirmou, rindo.

— É o que você pensa. — Eva foi ao closet e empurrou a porta de madeira suspensa ao longo do trilho. Tinha levado um bom tempo para achar dois painéis de madeira que combinassem, do tamanho adequado, mas o esforço tinha valido a pena. Deitava na cama, enquanto tentava dormir, ela estudava a gramatura da madeira.

— Escute. — O tom de voz de Reed foi tão grave que atraiu o olhar de Eva de novo. — Quando os Marcados realizam uma caça, eles mudam.

— Mudam?

— Os sentidos deles se aprimoram. Você vai experimentar um tipo de visão em túnel. Dá para perceber isso nos felinos, quando eles se contraem e se preparam para atacar. Ficam tão absorvidos com o que estão fazendo que não registram outra coisa.

— Acho que tive um pouco disso antes.

— Sem dúvida. Todos os mentores são especialmente treinados para ampliar seu foco e proteger os Marcados sob sua responsabilidade.

Eva pegou seu jeans mais gasto. — E Alec não teve esse treinamento.

— Não. Ele é realmente bom no que faz, mas pode deixar você desprotegida. De algum modo, você vai precisar ficar atenta a tudo.

— Você está me falando isso para me indispor com seu irmão ou é sério?

— Você vai ter que confiar em mim. É meu trabalho manter você viva e reduzir sua penitência.

— Não diria que me designar para matar coisas antes de ser treinada seja uma boa maneira de me manter viva — Eva disse, ironicamente.

Reed apertou a mandíbula de maneira quase imperceptível, mas Eva reparou. Gadara estava atormentando a todos eles. Ela sabia a influência que isso tinha sobre Alec... e sobre ela mesma. No entanto, o que Reed estava obtendo com aquilo? Talvez Gadara também estivesse escondendo algo dele? Eva precisava descobrir.

Reed moveu o olhar para a cama impecavelmente arrumada dela e um abriu um sorriso quando disse: — Você não está dormindo com Caim.

— Como você saberia?

— O cheiro dele está mais fraco ali do que no resto do apartamento — ele disse, indicando a cama.

— Minha mãe acabou de fazer a cama.

— Sei... — Reed olhou para ela com um olhar de dúvida. Ele era como fogos de artifício, quente e explosivo. A parte de Eva que desejava noites tranquilas em casa foi abalada por quão atraente achava tudo aquilo.

Ela se virou, determinada a se aprontar para a missão e parar de pensar em sexo. — Não seja arrogante. Isso não tem nada a ver com você.

— Tem a ver com alguma coisa. Você pensou nele por dez anos, mas, agora, que ele está aqui, o mantém à distância.

Eva se lembrou da pegação no estacionamento e sorriu. — Minha vida pessoal não é da sua conta.

— Continue dizendo isso para você mesma. No fim, talvez você acredite. Mas não será verdade.

— Não importa. Tem mais alguma coisa para mim?

— Ah, sim, eu tenho algo para você. Venha pegar.

— Argh! Você acabou de passar de arrogante a grosseiro.

Ele baixou o olhar. — Desculpe.

Eva suspirou. Reed era impecavelmente elegante no exterior, mas no interior... tinha algumas pontas soltas. Por incrível que pareça, ela não queria juntá-las. Só entendê-las. — De onde vem essa falta de tato?

Endireitando-se, Reed pegou a maçaneta da porta. — Não sei — ele murmurou, saindo para o corredor.

A porta se fechou com um clique.

— **ESTÁ FRIO** — Eva sussurrou, vestindo o casaco.

Alec passou o braço em torno dos ombros dela. A temperatura ambiente era de vinte graus, considerada agradável por muitas pessoas. O ritmo rápido em que se aproximavam do destino teria mantido a maioria das pessoas aquecida. A sensação de frio de Eva vinha de algum lugar de dentro dela, criada por seu corpo em mudança ou por seu humor sombrio — o mesmo tipo de humor que Abel apresentava quando deixara o apartamento.

Preparado para algum tipo de incitação, Alec ficara surpreso quando Abel simplesmente saíra do quarto de Eva e deixara o apartamento sem dizer uma palavra. Estava ali em um momento, e longe no outro. A mudança era uma bênção para todos os anjos, exceto para Alec. Ele era o único *mal"akh* a ter a dádiva tirada dele; outro exemplo de como era renegado, até mesmo nas coisas elementares. Recebera poucas oportunidades na vida, e, naquele momento, a única coisa que importava para ele estava em perigo.

Intimidade. Alec não havia sido preparado para o que acontecera entre Eva e Abel. Sexo era sexo. Não era nada em comparação com a proximidade não física que Alec sentia se desenvolvendo entre eles. Mas o ciúme o corroía. No passado, ele e Abel tinham usado mulheres para irritar um ao outro, mas jamais os dois tinham se importado a respeito de uma mesma mulher. Era uma ameaça com que Alec não sabia lidar. Após uma vida bastante rotineira, ele era confrontado com inúmeras coisas desconhecidas naquele momento.

— Parece diferente à noite — Eva disse baixinho.

Alec olhou para o destino deles. Estrategicamente iluminado do exterior, o prédio parecia grandioso e estabelecido, como se existisse há décadas, não poucos meses.

Quando se aproximaram da entrada principal, Alec respirou fundo. Nenhum fedor, nenhuma infestação. Passou a andar mais devagar e ergueu os olhos para as gárgulas. Da ruela, duas eram visíveis e estavam em suas posições.

— Qual é o problema? — Eva perguntou, tirando do bolso o crachá.

— Não sinto nenhum cheiro, anjo.

Sua sobrancelha se curvou. — De novo?

— Quero acreditar em você.

— Que bom — Eva disse, sorrindo.

Depois de mostrar o crachá para o segurança, Eva seguiu na frente balançando os quadris do jeito que outrora tinha feito Alec pecar. A quem ele estava enganando? Aquilo ainda o fazia pecar.

— Anjo? — Ele assoviou para ela. — Está se sentindo fogosa?

Eva parou junto aos elevadores. Um segundo segurança se aproximou deles e informou que ainda não estavam funcionando. Eles teriam que usar as escadas.

— Vamos ver quem chega primeiro — ela o desafiou, antes de pegar o corrimão e correr a toda a velocidade para cima.

Alec era capaz de alcançá-la. Suas pernas eram mais longas. Mas era muito mais divertido ficar atrás. Eles irromperam na cobertura em uma torrente de risadas... mas a visão que os acolheu, rapidamente, converteu a alegria ruidosa em um silêncio surpreso.

— Puta merda — Alec disse, deslizando brevemente ao longo da cobertura metálica antes de recuperar o equilíbrio.

Ainda não familiarizada com sua força, Eva quase deslizou diretamente para a fogueira que era a fonte do assombro de Alec. Em vez disso, caiu de bunda. — Ai!

Sentindo como se estivesse sofrendo os efeitos de uma droga alucinógena, Alec embasbacou-se com a visão do Tengu que dançava em torno do fogo infernal, gargalhando. Nenhum dos sentidos de Marcado dele registrava a besta. Com exceção da frágil visão humana com a qual nascera, não houve outro jeito de detectar o demônio. No entanto, não era como se seus sentidos o tivessem deixado na mão. Ele enxergava o fosso do fogo infernal. Como uma feitiçaria demoníaca, que não lançava luz, nem sombra, era impossível ver isso com a visão de um não Marcado.

Mas se seus sentidos estivessem funcionando corretamente, ele também seria capaz de sentir o cheiro do Tengu e ver seus detalhes. Com aquelas informações, saberia a que rei do Inferno ele pertencia e qual era a melhor maneira de exterminá-lo. Daquele jeito, Alec estava em uma situação muito difícil. Assim como Eva.

Virando-se, procurou por outras gárgulas, mas sua visão estava bloqueada por diversas unidades de ar-condicionado. Havia outros Tengus para enfrentar?

— Marcada bonita, Marcada bonita — o Tengu cantou, com os olhos pequenos e brilhantes em Eva, que ainda estava sentada no chão. Ele não parecia reparar em Alec. — Marcada bonita, venha ver Joey.

— Se você fizer xixi em mim de novo, vou chutar seu traseiro — Eva advertiu, ficando de pé.

— O traseiro de Joey é de pedra, Marcada bonita. A Marcada bonita quebra o pé chutando o traseiro de Joey — o Tengu disse, rindo, ainda pulando em frenesi ao ritmo de uma música que só ele podia ouvir.

— O meu pé é maior — Alec falou com a voz grave e retumbante.

O Tengu olhou para ele e disse: — Caim, Caim, que bom rever você.

— Você o conhece? — Eva perguntou.

— Sem detalhes, não posso dizer.

— O que vamos fazer?

— Capturar o Tengu.

Eva bufou. — Como?

— Marcada bonita quer dançar? — Joey gritou e, em seguida, investiu contra Eva.

Em um salto, Alec se colocou entre eles, resmungando por causa do impacto da pedra dura e pesada em sua barriga. Ele caiu no chão e rolou com o Tengu. Uma mureta de segurança cercava o perímetro da cobertura, e eles se chocaram contra ela com um baque surdo.

A criatura era quente ao toque, carregada pelo mal do fogo infernal. Quando Alec a agarrou, suas mãos desnudas fritaram. O cheiro da carne queimada encheu o ar, e ele considerou arremessar o Tengu sobre a mureta, para estilhaçá-lo no chão abaixo. No entanto, Alec o queria intacto, para que pudessem examiná-lo.

O que era aquilo?

Ajudado pelo pouco peso e tamanho, o Tengu trepou no tronco de Alec. Então, Eva se lançou contra ele e deu um pontapé rápido.

A bota dela acertou o Tengu no rosto e o fez voar. Gritando, ele caiu sobre a fogueira.

— Temos de apagar o fogo — Alec disse. — Caso contrário, vai continuar recarregando o Tengu.

Ele saltou das chamas como um míssil em brasa, e Eva se esquivou. Errou o alvo e se espatifou em uma unidade de ar-condicionado do tamanho de uma van. Um cano da unidade se quebrou, jorrando água.

— Isso vai funcionar? — Eva perguntou.

— Só se for água benta.

— Como vamos conseguir água benta aqui em cima? — Eva perguntou, chutando gotas de água no fogo. O Tengu conseguiu se soltar e foi correndo na direção de Eva, gritando palavras incompreensíveis.

— Preciso de um segundo para pensar. — Alec agarrou o demônio enlouquecido antes de ele alcançá-la.

Eva observou aquilo com medo e fascínio. Os dois combatentes eram muito díspares em tamanho, mas pareciam rivais de mesmo nível. Ela olhou ao redor em busca de algo que pudesse ser usado como uma arma improvisada.

— *Adjutorium nostrum in nomine Domini* — Alec gritou.

— O quê? — Eva correu para perto da unidade de ar-condicionado e recebeu um tremendo golpe por trás. Boquiaberta, percebeu uma criatura sentada sobre ela. Era outro Tengu.

— Vou matar você — ele disse, em uma voz feminina, em desacordo com seu semblante assustador.

Alec continuou a gritar contra seu adversário em uma língua que Eva achava que era latim. Com o outro Tengu pendurado nela, Eva puxou a cabeça para o lado. O som da cobertura metálica se rasgando perto da cabeça dela foi ensurdecedor e doloroso, mas a dor se dissipou tão rapidamente quanto veio. Tirando proveito do impulso do Tengu, Eva lançou a pesada criatura por cima de sua cabeça, atirando-a no chão. Cambaleou, mal conseguindo recuperar o equilíbrio antes que o Tengu estivesse diante dela novamente.

— Alec! — ela gritou, chutando o demônio e deslizando através do lago de água cada vez maior. Estava cansada de se molhar. Muito cansada.

O Tengu escorregou até a fogueira e se manifestou um instante depois, rindo. Alec lançou o dele de encontro ao outro, provocando uma colisão que quebrou a perna de um e o braço do outro. Os dois pegaram seus membros ausentes e saltaram para o fogo.

Parado sobre a água que jorrava, Alec fez o sinal da cruz e disse:
— *Commixtio salis et aquæ pariter fiat in nomine Patris, et Filii et Spiritus Sancti.*

Sua voz cresceu em volume, as palavras ditas em uma feitiçaria ricamente matizada. Eva se virou para a unidade de ar-condicionado quebrada, esperando que sua superforça estivesse plenamente operacional. Agarrou a extremidade do cano de água quebrado e puxou, arrancando um pedaço. Empunhando-o como um bastão, Eva se virou. "Joey" se aproximou dela em alta velocidade e Eva o golpeou, mandando-o para o alto. O pedaço de cano ficou imprestável com o impacto. Praguejando, ela o soltou e buscou uma reposição.

— Eva! — Alec gritou, no momento em que um barulho tremendo foi ouvido vindo da rua abaixo. — Precisamos de um deles.

Ela estremeceu. — Sinto muito. Não faço ideia da minha própria força.

Em retaliação, o Tengu perneta emitiu um som agudo e ficou pulando em um pé só diante dela, usando a perna amputada como porrete. Então, Alec bateu nele com o punho fechado, mas a afobação prejudicou seu objetivo. Ele golpeou o flanco inferior do Tengu, fazendo-o decolar. Sua velocidade aumentou e o Tengu atingiu as costas de Eva.

Ele pousou sobre suas coxas. Os braços de pedra se ergueram para quebrar a cabeça de Eva com a perna amputada. Ela gritou e recuou, protegendo-se com os braços.

Então, um cheiro repugnante a alcançou, virando seu estômago e a sufocando.

Um rugido encheu o ar, como o som de uma cachoeira imensa. O chão tremeu sob suas costas, arrastando-a por alguns metros. Eva observou a cena como se estivesse em câmera lenta.

A água se moveu como uma grande onda. Um rosto bastante reconhecível emergiu no centro da parede líquida. O Tengu gritou e soltou a perna.

— Ela é minha! — o Nix rugiu.

Como uma massa espumante, turbulenta, ele varreu o Tengu na direção da mureta da cobertura.

E levou Eva consigo.

14

— ALEC!

Eva foi arrastada pela onda como uma surfista extenuada. Bateu com as costas na mureta de segurança, ultrapassando-a. Tentou segurar nela, deslocando um de seus dedos no processo. Então, ela estava caindo, carregando consigo o Tengu, agarrado em uma perna, e o Nix, que envolvia todo o seu corpo em um turbilhão vertiginoso de água.

Quando a mureta da cobertura sumiu de sua visão, um braço a alcançou e agarrou seu pulso. Ela ergueu os olhos, observando como o impulso e a gravidade arrastavam Alec, até que ele ficou dependurado pela cintura na mureta. Ela gritou. Não pelo medo da queda, embora tivesse muito medo de altura, mas por Alec, que parecia prestes a cair com ela.

— Você vai morrer — Eva gritou para ele, esperneando loucamente em uma tentativa de se livrar do Tengu. — Solte-me.

— Nem pensar. — Alec a segurou com as duas mãos. — *Deus, invictæ virtutis auctor, et insuperabilis imperii rex, ac semper magnificus triumphator...*

Enquanto Alec continuava a falar, Eva balançava o corpo de um lado para o outro. Seus ombros rangiam por causa do peso das criaturas penduradas nela. Seus braços pareciam prestes a ser arrancados. Ela tinha certeza de que aquilo já teria acontecido se não fosse sobre-humana.

Eva olhou para baixo, visando os olhos do Tengu e o chutando com todas as suas forças. Alec se deslocou mais um pouco sobre a mureta, com seus quadris como o único apoio que o impedia de sofrer uma queda livre.

— *Per Dominum nostrum!* — Alec rugiu.

A água explodiu com violência, livrando Eva do Tengu e a atirando contra a fachada de tijolos. Alec a puxou para cima com tanta força que os dois pousaram em uma confusão de membros entrelaçados. Da rua, a reverberação do impacto do Tengu contra o chão fez disparar o alarme de um carro.

— O que aconteceu? — Eva arfou, tirando os cabelos ensopados do rosto.

Alec estava deitado debaixo dela, rindo. — Pedi para Deus abençoar a água. Isso fez o Nix desaparecer.

— Como você consegue rir? — Eva perguntou. — Esse trabalho é horrível. E estamos de mãos vazias.

— Estamos vivos. E você tinha razão. — Alec pegou a nuca de Eva e lhe deu um beijo rápido e quente. Ela gritou com o chiado involuntário de seu dedo deslocado. Alec a colocou ao lado dele e, em seguida, sentou-se. Depois de pegar a mão dela, ele a examinou. — Anjo...

Eva não podia ver. Independentemente se era capaz ou não de vomitar, a ideia do dedo torto a deixava enjoada.

— Venha aqui — Alec murmurou. Inclinando-se para a frente, ele a beijou, primeiro com suavidade e doçura, depois com mais força. Eva ficou tão surpresa com a ação e com os primeiros lampejos de desejo que não registrou o momento em que ele puxou seu dedo com força e o recolocou no lugar.

Eva berrou exatamente quando a porta da escada abriu e dois seguranças entraram correndo na cobertura. Eles escorregaram na água, derraparam alguns metros e, então, caíram de bunda no chão.

— Minha vida está cada vez melhor — Eva resmungou.

Quando ela atravessou a distância entre o elevador de seu prédio e a porta do apartamento, deixou uma trilha de gotas de água pelo caminho.

ATRÁS DELA, o barulho de água nas botas de Alec era claramente audível. Tinham precisado ligar para Gadara para sair do prédio. Aquilo levou mais tempo do que ela gostaria. Eva não engolira o fato de que Gadara demorara a atender porque estava em Las Vegas enquanto ela esperava encharcada e machucada: aquilo a deixara enfurecida.

Sentia muito frio, apesar de não estar tremendo. Seu traje não melhorava a situação. Fora obrigada a tirar o casaco, porque pesava uma tonelada molhado. E precisou tirar a blusa. Infelizmente, a única roupa que tinha no carro era uma capa de couro preta. Com o sutiã de renda preto e o jeans de cintura baixa, ela parecia uma prostituta, o que não estava melhorando seu humor. Alec tentara animá-la, mas finalmente entendera que o silêncio era mais sensato.

Eva olhou para o dedo que tinha deslocado. Estava totalmente recuperado. Se ao menos sua psique pudesse ser colocada em ordem com tanta facilidade. Existiam algumas coisas que uma pessoa não deveria experimentar. Dentre elas, estavam maremotos em coberturas de prédio, ataques de criaturas repulsivas e ficar pendurada a mais de quinze metros de altura.

— Está com as chaves? — Alec perguntou.

— Sim.

Quando passaram pela porta da sra. Basso, ela se abriu. A vizinha se surpreendeu com a aparência deles e disse: — Vocês parecem ratos afogados.

— Eu me sinto como um — Eva murmurou, dando um sorriso tenso.

— O que estavam fazendo, se não se importam com a minha pergunta?

— Ah… Surfando?

— De roupa?

— Foi espontâneo.

A sra. Basso olhou para Alec, que deu de ombros. Fez um gesto negativo com a cabeça. — A juventude. Fico cansada só de pensar a respeito dos rituais de namoro de vocês. O que aconteceu com milk-shakes de chocolate e cinemas ao ar livre?

Eva riu baixinho. A sra. Basso a lembrava de que a vida era normal para certas pessoas. Queria voltar a se sentir daquela maneira, ao menos por algum tempo. — Também estou cansada disso. Portanto, não está sozinha. Vejo a senhora amanhã.

— Podemos conversar um pouquinho? — a sra. Basso perguntou a Alec.

Apesar de surpreso, ele concordou com um gesto de cabeça. — Sem dúvida. Só preciso trocar de roupa.

— Claro.

— Quer aparecer daqui a cinco minutos?

A sra. Basso olhou para Eva, que teve a impressão de que não deveria ficar por perto durante a conversa.

— Vou tomar um longo banho quente — Eva afirmou, começando a se dirigir ao apartamento. Era uma ironia que quisesse tomar banho mesmo após dias de encharcamento, mas não conseguia imaginar uma maneira mais rápida de se aquecer.

Após entrar na santidade e no conforto de sua casa, Eva começou a se despir. Ela abriu as portas cobertas com persianas que ocultavam o nicho da lavanderia e jogou as roupas molhadas na máquina de lavar. Um assobio baixo chamou a atenção dela. Alec estava parado na extremidade do corredor que dava para a sala de estar. Se o ardor do olhar fosse menos tangível, Eva poderia ter ficado constrangida com sua exibição flagrante de nudez. Ela tinha certeza de que a comparação da sra. Basso da sua aparência com um rato afogado era apropriada.

— Este lugar tem uma vista excelente — Alec disse em uma voz baixa e rouca.

— Você sente atração por roedores molhados?

— Sinto atração por você: quente, úmida e nua.

— Encantador — Eva afirmou com a voz provocante. — Mas você não pode começar e terminar alguma coisa em cinco minutos.

— Posso tornar segura a água do seu banho — Alec afirmou, com um sorriso indolente.

— Isso não é tão sexy quanto aquilo em que eu estava pensando — Eva afirmou, suspirando.

— Continue pensando nisso. — Ele se aproximou com o passo provocante que sempre a deixava extasiada. Conduzindo Eva pelo braço, atravessou o quarto dela e chegou ao banheiro, que era separado da cama pelo closet. Ali, a banheira de hidromassagem esperava para cobrir de espuma as preocupações de Eva.

Como se fosse fácil.

Alec tampou o ralo, girou as torneiras e abençoou a água. Eva se viu balançando na cadência tranquilizadora das palavras dele.

— Melhor você entrar — ele disse, no momento em que a banheira ficou cheia. — Antes que durma em pé.

— A marca não deveria curar a exaustão?

— O sono lembra que não somos invencíveis.

— Não importa.

Alec beijou a ponta do nariz de Eva e segurou o seio desnudo dela. — Você precisa se mudar para um lugar remoto e isolado — ele murmurou, com o polegar acariciando o bico ereto. — Sem vizinhos intrometidos.

— Vou fazer isso amanhã mesmo — Eva ironizou. — Mas a senhora Basso não é uma intrometida. Ela simplesmente se preocupa comigo.

Sorrindo, Alec a deixou e ela mergulhou na água vaporosa com um suspiro de alívio. A visão da cruz pendurada na torneira a deixou irritada e, assim, ela fechou os olhos. Poucos instantes depois, escutou uma batida na porta principal; um som que teria sido impossível escutar antes de sua superaudição.

Um murmúrio de vozes alcançou seus ouvidos. Eva se concentrou, tentando escutá-las. A Mudança era como um estetoscópio, nesse sentido.

— Certa noite, há um ano, mais ou menos, o senhor Basso viu isso na TV — a sra. Basso estava dizendo. — E fez uma assinatura mensal. Agora que ele se foi, não tenho uso para isso.

— Não entendo — Alec murmurou.

— Pegue a caixa. — Eva escutou algo chocalhar quando trocou de mãos. — Você é um jovem saudável, mas nadar vestido à noite... e aquela coisa no estacionamento...

A sra. Basso pigarreou. — Ah, isso é terrível. Eu deveria aprender a viver sozinha.

Novamente, o som de chocalho se manifestou, como feijões em um pote, e Eva franziu a sobrancelha, em sinal de curiosidade.

— Melhora do desempenho? — Alec disse, baixinho.

Eva se endireitou na banheira de modo tão rápido que água espirrou para fora.

— As paredes são finas — a sra. Basso sussurrou. — Duas noites atrás... Nenhum homem consegue manter aquele ritmo indefinidamente.

O silêncio de Alec foi ensurdecedor. Eva mordeu o lábio.

— Você não pode estar mais constrangido do que eu — a sra. Basso afirmou. — Escute e prometo nunca mais interferir. As mulheres com grande desejo sexual são as melhores esposas, meu falecido marido costumava dizer. Sei que pode ser exaustivo, difícil e ameaçador. Não desista dela sem lutar. Não desista, ponto. Você nunca vai achar outra garota como Evangeline.

— Eu sei. — Apesar da voz baixa de Alec, Eva escutou bem, e sentiu um nó na garganta.

Ela pegou o apoio para cabeça inflável e se recostou nele, com os olhos fechados. De fato, a vida não era ruim se a pessoa tinha boas amizades. Então, ela lembrou de Janice, sua melhor amiga.

Eva tinha a expectativa de que a viagem para a Europa cumprisse seu objetivo. Elas tinham passado um ano se queixando de se sentirem estagnadas. Primeiro, culparam a falta de homens interessantes. Em seguida, perceberam que era apenas uma desculpa para o problema real: elas mesmas. Janice decidira que uma mudança completa de cenário daria uma nova perspectiva e, como garçonete de bar, poderia facilmente levar seu meio de vida com ela. Eva dissera que seu trabalho a impedia de ir, mas aquilo não era totalmente verdade. Ela simplesmente não soubera como dar a notícia para os pais, e a ideia de um mochilão pareceu muito inadequada em relação ao seu desejo de se enraizar.

— Ei. — A voz de Alec penetrou nos pensamentos dela, no mesmo instante em que ele desligou os jatos de água da hidromassagem.

— Hum? — Com sonolência, Eva piscou para ele.

— Você precisa sair, anjo. — Alec estendeu a mão para ela. — Está aí há muito tempo. Sua pele está enrugando. Considerando que você é uma Marcada, isso diz algo.

— O quê?

— Você adormeceu. — Alec a tirou da banheira como se ela fosse uma criança, sem se importar com o fato de que o corpo molhado dela ensopasse sua cueca. Era a única peça de roupa que ele estava usando. Era de dar água na boca. Eva sabia que devia estar exausta, pois sua superlibido só conseguiu proporcionar uma leve contração de interesse.

— Parece que sim — Eva murmurou.

Alec a sentou sobre o tapete e a secou com uma toalha.

— Você é bom nessa coisa de tomar conta de criança — Eva afirmou. — Faz isso com frequência?

A pergunta foi uma zombaria só até certo ponto. Eva queria saber se ele cuidara de outra mulher com tanta ternura antes.

— Só com bebês asiáticos gostosos. — Alec jogou a toalha no cesto de roupa suja.

De pé, Eva recuou e olhou para ele: pernas longas e musculosas, abdômen definido, bíceps perfeitamente delineados e uma saliência considerável sob a cueca. — Onde está aquela coisa de melhora do desempenho?

Ele cruzou os braços. — Desculpe?

— Você acha que vai funcionar em mim?

— Você não tem as partes necessárias — Alec afirmou, rindo.

— Ah, é? Por que não pergunta para suas partes se acham as minhas necessárias ou não? Elas talvez discordem.

— Você mal está parando em pé.

— Posso deitar.

Alec a jogou sobre o ombro. Eva quase protestou, mas puxou a cueca dele para baixo e admirou sua bunda firme. Ele deu um tapa na bunda dela. — Comporte-se.

— Você gosta de mim quando sou malcriada — Eva disse.

— Também gosto de você alerta.

— É um detalhe — ela suspirou.

Alec jogou Eva na cama. Ele a cobriu e beijou a ponta do nariz dela. — Boa noite, anjo.

— Onde você vai? — Eva perguntou, bocejando.

— Para a cama.

— Fique nesta.

Alec ergueu a cueca e disse: — Você não dormiria se eu ficasse com você e precisa descansar. Temos uma teleconferência com Raguel amanhã.

Eva bufou e apoiou a cabeça no travesseiro. — Vou faltar amanhã.

— Nada disso.

— Quer ver?

Quando Alec fechou a porta, Eva escutou a risada dele.

— O CHEIRO ESTÁ INCRÍVEL.

Alec sorriu ao ouvir a voz de Eva enquanto fritava o bacon. Ele se virou e a viu usando o robe vermelho e uma toalha enrolada na cabeça. — Tem café no bule.

— Vai me acordar?

— Não.

— Ainda bem que eu gosto do sabor então.

Eva encheu uma caneca e se dirigiu a um dos bancos do lado oposto da bancada. Alec tinha deixado o jornal ali, e ela imediatamente o abriu e começou a lê-lo.

— Depois do café, precisamos falar com Raguel.

— Eu disse: hoje não vou trabalhar.

— Não seja teimosa — Alec disse, virando o bacon com o garfo. — Isso é maior do que você e eu agora, anjo.

— Por que não conseguimos sentir o cheiro deles?

— Ou enxergar os detalhes. Se há uma nova facção, em algum lugar, operando completamente fora do sistema, a empresa precisa saber.

Seus lábios se contorceram. — Você pode ter a conversa com Gadara sem mim — Eva afirmou.

— Fale comigo.

Eva tirou os olhos do jornal. Ela parecia perfeita, revigorada e alerta, mas a falta de olheiras não ocultava o fato de que estava cansada. — Preciso de uma folga, Alec. Ao menos durante algumas horas. — Deixou o jornal descansar sobre a bancada. — Preciso de algum tempo para ser normal. Para minha própria sanidade. Pense a respeito das últimas duas semanas da minha vida.

— Eu entendo.

— Entende? Então converse sozinho com Gadara. Não há nada que eu possa acrescentar ao que você vai dizer a ele.

— Certo — Alec disse. Sem maiores delongas, voltou a dirigir a atenção para o bacon. Durante toda a manhã, Alec ficaria assobiando de alegria. A preocupação a respeito dos Tengus e o possível efeito propagador que a existência deles teria sobre cada faceta do sistema de marcas davam-lhe uma sensação de expectativa. Sem dúvida, uma nova empresa seria necessária, e só ele tinha experiência contra essa nova ameaça.

No entanto, Eva se sentia infeliz e assustada. E tinha direito a isso. Ele era um idiota de pensar só em si mesmo.

— Você está zangado — ela disse.

— Não é com você.

Os dois permaneceram em silêncio. Alec continuou a dourar o bacon e começou a fritar os ovos. Em outra frigideira, preparava panquecas. Atrás dele, escutava o farfalhar das páginas viradas do jornal. Era uma cena doméstica bem tranquila, mas a intimidade que ele almejava estava ausente.

— Há um artigo no jornal a respeito de uma sequência de mutilações de animais — Eva murmurou. — Acham que são rituais.

— Então, provavelmente, são.

— E o fato de que o último animal — um cão dinamarquês — foi encontrado na caçamba de uma caminhonete da Geena não pode ser uma coincidência, pois coincidências não existem, certo?

Alec desligou o fogão e se dirigiu para a bancada. Leu o artigo inclinado sobre o ombro de Eva. O *Orange County Register* noticiava a última luta na Upland Sports Arena. Na parte inferior da página, havia menção a inúmeras e recentes mutilações e assassinatos de cães na região. Duas carcaças foram encontradas no estacionamento da arena fazia uma semana: uma delas na caçamba da caminhonete da Geena, deixada no estacionamento durante a noite por conta de alguma obra da empresa.

— Isso cheira a problema — Alec disse.

— Só sinto o cheiro do café da manhã — Eva replicou. — Estou com fome.

Ele pressionou os lábios contra sua cabeça. — Sim, majestade.

Voltando ao fogão, Alec finalizou o preparo, encheu dois pratos e os levou para a bancada.

— Você vai me engordar — Eva afirmou, observando o prato transbordante.

— Coma o que você quiser — Alec disse, sorrindo.

— Quero tudo.

— Ajudo a queimar depois.

— Que generoso.

— Estou aqui para atender seus desejos.

E aquele era o verdadeiro X da questão, Alec entendeu quando perfurava a gema do ovo com o garfo. Ele não podia atender os desejos de Deus, dele e de Eva ao mesmo tempo. Alguém perderia.

Viu-se desejando que Eva aprendesse a gostar da marca. Assim, ele poderia ter tudo. Então, pensando na noite anterior, lembrou-se do pavor que sentira quando a vira sendo arrastada pela cobertura do prédio. Se fosse capaz de ter um ataque cardíaco, teria sofrido um.

— Acho que vou levar a senhora Basso ao cinema hoje — Eva afirmou, antes de morder um pedaço de bacon crocante. — Enquanto você estiver conversando com Gadara. Ele fica longe da água e do prédio do Tengu. Preciso de um descanso, certo? Vai ser legal e tranquilo.

Alec engoliu em seco. A ideia de Eva saindo sozinha o assustou muito. — Gostaria que você não fosse.

— Eu sei. — Ela pôs os cotovelos sobre a bancada e repousou o queixo sobre as mãos. — Se você achar que é realmente inseguro, não vou. Não sou idiota. Mas se você só está preocupado, então, deixe que eu vá. Gostaria realmente de passar algumas horas vendo outras pessoas levando uma vida normal. Preciso dessa fantasia, nem que seja por pouco tempo.

Alec olhou através da janela. O dia estava totalmente claro. Sem chuva e sem névoa. Se Eva fosse direto para o cinema e voltasse sem demora, tudo daria certo. — Não use o banheiro.

— Certo. Agora vamos conversar sobre o motivo pelo qual não posso ir ao banheiro. Aquele Nix está me perseguindo. Não consigo descobrir qual é o problema dele. Juro que não fiz nada. Ele me mostrou a língua de cobra e eu surtei. Disse algo de improviso, o que o chateou. Ele tinha de perceber que eu era uma novata, não uma ameaça. Por que está agindo como se eu tivesse atropelado o cachorro dele?

— Não sei. — Alec bateu o garfo no prato. — É algo completamente fora da regra. Vou falar com Raguel a respeito disso e ver o que ele diz. Não podemos ficar sentados aqui esperando que o Nix ataque de novo. Temos de achar e derrotar essa criatura.

— Parece bom para mim. — Eva se levantou, tirou a toalha da cabeça e a pendurou no encosto do banco. — Vou até o apartamento da senhora Basso para ver se ela quer ir ao cinema. Ela queria ver o novo filme do Hugh Jackman e tem uma sessão dentro de uma hora.

Alec concordou com um gesto de cabeça e continuou comendo, agora, sem sentir o gosto. Só pensava no Nix. Escutou as diversas fechaduras destravando e a porta se abrindo. Talvez, conversar sozinho com Raguel fosse o melhor caminho a seguir. Separar-se um pouco de Eva podia ajudar a mudar a imagem deles como uma equipe indivisível. Com o tempo, o caminho deles bifurcaria; eles teriam de se separar, pelo bem de Eva. Então, ele precisaria continuar sozinho. Seria difícil se achassem que ele só era útil associado a ela.

Claro que uma parte dele se perguntava quão útil ele poderia ser sem ela.

Antes de sair, Eva dirigiu o olhar para Alec contra sua vontade. A visão dele em sua cozinha — completamente à vontade e usando somente camiseta e cueca — era tão bizarra quanto ser atacada por um Tengu. A incongruência de sua presença na vida dela após dez anos de ausência deixava clara uma possibilidade que ela não tinha considerado: talvez o retorno dele e a marca não fossem uma mudança de direção na vida dela. Quem sabe os últimos dez anos tivessem sido.

Era um pensamento maluco, mas como ela poderia explicar o motivo pelo qual ela não estava arruinada e traumatizada naquele momento? Ou por que aquela pele nova que usava parecia muito mais confortável do que a com que tinha nascido?

E seus progressos sexuais com Alec... Eva podia dizer que era um efeito colateral esperado de uma experiência de quase morte ou podia culpar sua superlibido. Mas estaria mentindo para si mesma, e, tão atrapalhada como estava o resto de sua vida, precisava da cabeça em ordem mais do nunca.

Eva parou diante da porta da sra. Basso e bateu. Enquanto esperava, apertou o cinto do robe. Levantou os olhos e observou o corredor, admirando a luz do sol entrando através da janela do outro lado de sua porta. Alongou os braços, perguntando-se se deveria ter se vestido antes de sair do apartamento. Felizmente, era um dia útil e a maioria dos moradores não estava em casa.

Tocou a campainha, sabendo que uma batida era, às vezes, difícil de escutar dos quartos. Sua marca começou a latejar e, em seguida, queimar, como quando pronunciava o nome de Deus em vão. Eva a esfregou. Por que aquela coisa começaria a incomodá-la naquele momento?

— Senhora Basso? — gritou, achando que a vizinha não estava respondendo porque pensava que era um vendedor. Eles não tinham permissão para entrar no prédio. Qualquer um pego era rapidamente posto para fora, mas, muitas vezes, a maneira mais fácil de se livrar deles era simplesmente ignorá-los.

Eva sentiu a marca latejar com mais força. Suas narinas se alargaram e os cheiros se intensificaram com surpreendente rapidez. Sua visão ficou mais aguda, ampliando detalhes minúsculos, como cavacos deixados pela chave em torno da fechadura.

Antes de compreender plenamente o que estava fazendo, foi de encontro à porta da sra. Basso. Ela se abriu com estrondo, lançando lascas de madeira do batente no ar.

— Senhora Basso! — Eva gritou, examinando a sala de estar.

A marca continuou a latejar, fazendo uma torrente constante de adrenalina circular através do corpo dela. Seus supersentidos estavam funcionando em marcha acelerada. As portas e janelas estavam fechadas, mas Eva escutou a quebra das ondas na praia e os grasnados das gaivotas como se estivessem diretamente na frente dela.

— Eva.

Alec. Ela se virou. Eles se entreolharam. Estava parado na porta, descalço, usando um jeans apressadamente vestido.

— A marca — Eva explicou. — Está me deixando louca.

Ele entrou no apartamento. — Senhora Basso? — gritou, com a voz forte e firme.

— Talvez ela esteja no restaurante.

A falta total de emoção na expressão de Alec disse mais do que palavras conseguiriam.

O apartamento da sra. Basso era a imagem invertida do apartamento de Eva, mas a decoração tornava os dois totalmente diferentes. Enquanto o apartamento de Eva tinha um estilo moderno e minimalista, o da sra. Basso tinha uma elegância tradicionalmente italiana. Paredes pintadas em estilo *trompe l'oeil* e móveis de couro pesados proporcionavam calor e conforto. Eva sentia frio por causa do silêncio, quebrado somente pelo toque do belo relógio na parede da sala de estar.

Ela não tirava os olhos dos números avantajados e dos ornatos de ferro forjado, maravilhando-se com a constância da respiração e o batimento rítmico do coração. Mentalmente, estava em pânico, mas, fisicamente, era como se tivesse ido tomar café e comer *tiramisù*. Havia um primitivismo brutal na combinação de serenidade física, adrenalina e supersensibildiade. Era totalmente deselegante... e sedutor.

— *Eva.*

Ela sentiu um calafrio ao escutar seu nome, pronunciado mais leve que um sussurro, mas ouvido mais alto que um tiro.

— Senhora Basso? — Pegou o corredor, movendo-se primeiro de modo hesitante, depois mais rápido.

— *Eva.*

— Senhora Basso!

Irrompendo no quarto principal, Eva suspirou de alívio ao encontrar a vizinha parada ao lado da cama. Usava calça larga branca, uma blusa rosa e parecia pronta para as atividades diárias. Com um sorriso, observou Eva da cabeça aos pés. — Pijama simpático.

Eva deu um leve sorriso, sentindo-se tola pela reação exagerada. — A senhora me assustou.

— Foi uma manhã... *estranha.*

Tremendo, Eva se lembrou da entrada abrupta. — Sobre a porta...

— Por isso o barulho? — A sra. Basso sorriu. — Você tem muita energia.

Eva franziu a testa. — Vim perguntar se gostaria de ver aquele filme de que falou.

— Gostaria muito, mas receio que não seja possível.

Alec tocou as costas de Eva. Ela olhou para ele. A sra. Basso também.

— Cuide dela, Caim.

— Vou cuidar.

— Podemos deixar o filme para outro dia — Eva afirmou. — Não quero ir sem a senhora.

— Você tem de manter esse homem, Eva — a sra. Basso disse, apontando para Alec com um movimento do queixo. — Principalmente caso se torne mestre no preparo da receita que dei a ele.

A sra. Basso voltou para a cama, oferecendo a Eva uma visão do criado-mudo. Uma tigela de vidro estava ali, com um pouco de água, exibindo uma bela flor de lótus.

Eva dirigiu os olhos arregalados de volta para a vizinha, que estava sobre a cama. Era uma figura frágil, deitada pacificamente — uma figura facilmente vista através da translucidez cada vez maior da sra. Basso.

Duas delas: uma fantasmagórica, a outra… morta.

Eva deixou escapar um gemido, quebrando o silêncio. Cobriu a boca.

Os cabelos cor de prata que se espalhavam sobre o travesseiro estavam úmidos, assim como a pele, mas ela dava a impressão de estar dormindo.

Ela parecia tão tranquila, tão serena.

Tão sem vida.

15

EVA ACEITOU O SUÉTER QUE ALEC LHE ENTREGOU E O vestiu. Tomada de pesar, fúria e medo, sentia muito frio. Eles estavam no corredor, diante da porta do apartamento dela, observando os paramédicos e os investigadores da polícia que entravam e saíam do apartamento da sra. Basso.

— Vamos examinar isso de novo — o detetive Jones afirmou, em um tom de voz que revelava a Eva que ele não tinha acreditado em nada do que ela dissera. Ele era um homem indefinível, usando um terno tom de castanho barato que Eva tinha certeza de que estivera na moda na década de 1970. Seu parceiro era o detetive Ingram. Ele tinha um gosto melhor para roupa; era mais alto, mais gordo e tinha um bigode espesso com pontas recurvadas.

Por algum motivo, os dois homens irritavam Eva. Eram muito insípidos e extenuados, com voz monótona e olhar vazio. Completamente alheios ao que estava acontecendo.

— Qual era a condição da porta da senhora Basso? — Jones perguntou.

— Estava trancada — Eva disse, perguntando-se por que tinha de repetir isso tantas vezes. Já contara a história para dois outros investigadores.

— Quem a quebrou?

— Eu.

— Mesmo com duas fechaduras? — Ingram perguntou, incrédulo.

— Sim.

— Você pode mostrar como? — Jones perguntou. — Usando sua porta?

Eva bufou e se virou. Ela fechou a porta do apartamento dela e, em seguida, agarrou a maçaneta com uma mão e bateu contra a porta usando o ombro. — Utilizei um pouco mais de força, é claro.

— É claro. — Jones escreveu algo no bloco de anotações.

— Você não tem de acreditar em mim — Eva afirmou. — Basta observar as imagens gravadas das câmeras de segurança.

— Nós vamos fazer isso. — Seu sorriso era firme. — Você moveu o corpo?

— Não mexi em nada.

— O médico-legista disse que o corpo estava úmido — Ingram informou. — Mas a cama não estava. Alguém levou a morta para a cama. E depois a arrumou ali.

— Não saberia dizer quem foi.

— A senhora Basso tem algum familiar? Ou amizades próximas?

— Não que eu saiba.

— Algum filho?

Eva fez um gesto negativo com a cabeça.

— O ato de movê-la e arrumá-la de modo tão amável sugere que a pessoa se sentia próxima dela. Você conhece alguém que preencha essa característica?

— Não — Eva respondeu, sentindo as lágrimas rolarem.

Pensar nos últimos minutos de vida da sra. Basso fez com que ela se sentisse mal. Eva limpou as lágrimas que caíam por sua bochecha.

Alec mudou de postura, colocando-se na frente dela. Era uma atitude de proteção, e Eva ficou grata por isso. Ele estendeu a mão para ela, que a pegou. — A senhorita Hollis já teve o suficiente por hoje — disse. — É melhor que fique sozinha neste momento.

Os dois investigadores semicerraram os olhos e, em seguida, concordaram com um gesto de cabeça. Ingram enfiou a mão no bolso e tirou um cartão de visita, que passou para Eva. — Se lembrar de algo que possa

177

ajudar, entre em contato conosco ou com os outros investigadores com quem conversou mais cedo.

Quando Eva leu a informação impressa no cartão, franziu a sobrancelha em sinal de surpresa. — Departamento de Polícia de Anaheim? Um pouco fora de sua jurisdição, não?

Então, algo mais perturbador chamou a atenção de Eva. — *Homicídios?*

Alec entrelaçou os dedos com mais força nos dela e perguntou ao policial: — Acha que foi assassinato?

— É tudo de que precisamos por enquanto — Jones afirmou. — Obrigado pela cooperação.

— Por que acha que é um assassinato, detetive? — Alec repetiu, dessa vez com um tom estranhamente ressonante.

Persuasão. Eva observou os dois investigadores em fascínio silencioso e se perguntou se o truque mental Jedi funcionaria neles.

Ingram e Jones permaneceram em silêncio por algum tempo, mas, então, Jones afirmou: — A flor de lótus.

A marca de Eva latejou e ela soltou a mão de Alec para coçá-la. Ele olhou para Eva e, depois, perguntou: — Qual é a importância da flor de lótus?

— É incomum manter uma dentro de casa — o investigador revelou.

— Explique, por favor.

— É um cartão de visita.

— Quantas flores de lótus vocês encontraram? — Alec alfinetou.

— Nos últimos seis meses, uma dúzia.

Eva apoiou-se na porta. — Todas em Anaheim?

— Até hoje.

O Nix era um *serial killer*. Em Anaheim. Onde os pais dela moravam.

— Detetives! — Uma jovem, usando uma jaqueta azul, saiu do apartamento da sra. Basso. — O médico-legista está chamando vocês.

— Com licença — disse Ingram.

— Que Deus esteja com vocês — Alec murmurou.

Jones deu um sorriso sombrio. — Obrigado.

Eva entrou rapidamente em seu apartamento, seguindo para a cômoda onde mantinha a bolsa e as chaves. Escutou a porta se fechar.

— O que você está fazendo? — Alec perguntou.

— Meus pais moram em Anaheim.

— E daí? — Diante da porta, Alec ficou com as mãos na cintura, bloqueando a saída. — Se for para lá agora, vai levar o Nix direto para sua família.

— Não é difícil achar meus pais, Alec. Temos o mesmo sobrenome. Droga, ele pode ter seguido minha mãe quando ela saiu daqui.

— Deixe o sistema de marcas fazer o que deve.

— Que é exatamente o quê? Foder com a vida de todo o mundo?

Alec se aproximou de Eva e a puxou para mais perto dele. Não familiarizada a recorrer a um homem em busca de apoio emocional, ela resistiu inicialmente. Mas, pouco depois, cedeu. Alec era muito quente e sólido. Como uma rocha. Mas ele não era de verdade. Nada era sólido se era temporário.

— Vamos para o Gadara Tower — ele sugeriu. — Ali vamos ter os recursos necessários para manter sua família segura.

— Preciso ficar com eles. Não são capazes de enfrentar o Nix.

— Ele está atrás de você, anjo. Seus pais vão ficar mais seguros sem você por perto. Pegue o que você precisa e vamos. Se isso não tranquilizar você e ainda quiser ficar com eles, vou junto.

Eva pegou a bolsa e tirou o celular. Digitou rapidamente o número dos pais. Tocou quatro vezes, e, a cada toque, ela ficava mais agitada.

— *Olá, você ligou para Darrel e Miyoko Hollis...*

A secretária eletrônica. Um medo terrível tomou conta dela.

Então, alguém atendeu. — Alô?

— Pai? — Eva disse, quase desfalecendo. — Está tudo bem?

— Eu estava no jardim com sua mãe. O que há?

Ela demorou um minuto para responder. — Nada. Só queria ouvir sua voz.

— Você não parece bem. Qual é o problema? — Seu pai estava usando o tom suavemente preocupado que sempre a fazia querer confessar tudo. Ela aprendera a segurar a língua ao longo dos anos. Ele era um grande ouvinte, mas não era tão bom agindo. Era Miyoko quem conversava com professores e diretores pelo bem das filhas. E era ela quem as liberava do castigo quando julgava que era a hora certa.

— Minha vizinha morreu esta manhã. — A voz de Eva tremia, mas ela não podia evitar. Sua garganta estava fechada. Alec subia e descia a mão por suas costas, o que só piorava as coisas.

— Ah, sinto muito, querida — o pai afirmou. — Sei que você gostava muito dela.

— Sim. Muito.

— Espere. Sua mãe quer falar com você. — Seu pai não foi capaz de esconder o alívio. Lidar com emoções não era o forte dele.

Então, Eva suspirou.

— O que aconteceu? — Miyoko perguntou em um tom exigente de enfermeira experiente. Quando uma crise se manifestava, ela sempre se tornava prática, eficiente e precisa.

— A senhora Basso morreu essa manhã.

— Ataque cardíaco?

— Acho que não — Eva afirmou.

— O que disseram?

— Nada para mim.

— Vá perguntar.

— Não consigo.

— Por que não?

Eva fez uma careta. — Porque não consigo, mãe. E realmente importa como ela morreu? A senhora Basso se foi e eu estou arrasada.

A campainha tocou. Alec deu um beijo na testa de Eva e dirigiu-se até a porta.

— Preciso ir — Eva disse. — Ligo depois.

— Certo.

Eva desligou o celular e o jogou dentro da bolsa Coach. Ela não era fanática por grifes, mas precisava de bolsas que não caíssem aos pedaços. Ponto.

— Desculpe incomodar de novo — o detetive Ingram disse.

Alec o manteve fora do apartamento, no corredor.

Eva esfregou o espaço entre as sobrancelhas. Ela não tinha uma dor de cabeça real, mas, sem dúvida, sentia-se estressada. Certificar-se de que seus pais estavam seguros era fundamental e ela precisou cuidar disso naquele momento.

180

— Sinto muito, mas estou com pressa, detetive — Eva afirmou com impaciência.

— Só preciso saber se você tocou em alguma coisa no apartamento da senhora Basso. — Ele mantinha uma mão na cintura, enquanto a outra alisava a extremidade do bigode. — A equipe da perícia vai fazer seu trabalho, é claro, mas é sempre bom saber o que se vai encontrar.

— O telefone — Eva revelou. — Para avisar da morte.

Ingram concordou com um gesto de cabeça e dirigiu o olhar para a sala de estar de Eva. — Belo lugar. Meu colega disse que você é designer de interiores.

— Sim. — Eva ajustou a alça da bolsa no ombro. — Posso ir?

O olhar de Ingram se deteve, concentrando-se em algo além do ombro de Eva. Ela se virou para ver o que tinha chamado a atenção do investigador.

A tigela que tinha abrigado a flor de lótus estava vazia sobre a mesa de centro. Alec a tinha colocado ali depois que Eva jogara a flor fora. Ela sentiu um arrepio de medo percorrer sua espinha.

— Posso ajudar em alguma coisa? — Alec perguntou, colocando-se na linha de visão do investigador.

Ingram tentou espreitar por cima do corpo alto dele. — Onde conseguiu aquela tigela sobre a mesinha? — ele perguntou para Eva.

— Comprei — ela respondeu com firmeza.

— Você tem os copos?

— O quê?

Ele olhou para ela. Seus olhos não pareciam mais entediados. — Os copos que vêm com aquela tigela para ponche.

— Não sei do que você está falando.

— É uma tigela para ponche da Crate&Barrel. Vem com um conjunto de dez copos e uma concha. Se comprou a tigela, também deve ter os copos.

— Não comprei na Crate&Barrel.

— Onde conseguiu?

— Não sei. No Exército da Salvação, talvez. Faz muito tempo. Escute, realmente preciso sair.

— Ah, isso explica os copos que faltam. — Ingram passou a mão no bigode. — Quer saber por quer eu sei tanto a respeito de tigelas para ponche, senhorita Hollis?

— Na verdade, não. Eu...

— Vi algumas delas ultimamente — ele prosseguiu. — Muitas. Na realidade, vi uma essa manhã. No apartamento ao lado. Sua tigela veio com uma flor dentro?

— Não. — A marca dela queimou com força e Eva cerrou os dentes. Era como se quisesse modificar seu comportamento. — Estou liberada?

A atenção de Ingram se voltou para Alec. — E você? Você também tem de sair correndo? Tenho algumas perguntas a lhe fazer.

— Não tenho mais nada a acrescentar além do que a senhorita Hollis já lhe disse — Alec afirmou. — E, sim, vou com ela.

Eva admirou a postura de Alec. Ele parecia calmo e relaxado, enquanto ela se sentia debilitada e tensa.

— Se importa se eu levar a tigela? — o investigador perguntou.

— Na realidade, precisamos dela — Alec respondeu antes de Eva.

Ela olhou para ele com a sobrancelha erguida, em sinal de surpresa. Não queria aquilo na casa dela. Também esperava que o Nix tivesse deixado algo identificável para trás, como impressões digitais.

— Você prometeu levar uma tigela para a festa dos funcionários — Alec disse para Eva.

Ela sentiu a tensão crescer. Jamais lhe ocorrera que o sistema de marcas pudesse precisar daquele item. Naquele momento, o investigador ficou ainda mais desconfiado. Podia sentir pelo cheiro.

Pediu desculpas. — Ele tem razão, detetive. Sinto muito. Mas pode levar depois da festa.

— Se a tigela não quebrar ou sumir. — Ingram pôs as mãos na cintura, o que Eva suspeitou ser sua pose habitual. — Estou tentando capturar um *serial killer*, senhorita Hollis, e você sabe mais do que está me contando. Se esse sujeito entrou em contato, preciso saber. Se ele a ameaçou, posso ajudar.

Eva manteve a postura rígida por pouco tempo. Aquele homem não era o inimigo. Era um bom sujeito, bem-intencionado. — Se eu tivesse algo que ajudasse, compartilharia. Eu juro.

A marca não queimou, pois ela estava falando a verdade. Nada que dissesse ajudaria a polícia. Mas isso não tornava a situação mais confortável.

Frustrado, o detetive Ingram apontou o dedo para ela e disse: — Não viaje sem me informar o destino.

Eva suspeitou que poderia contestar a legalidade daquela ordem, mas não tinha motivo. Não iria a lugar algum enquanto aquele Nix estivesse atrás dela. — Tudo bem.

Ingram partiu. Alec pegou a tigela para ponche, e Eva e ele saíram do apartamento. Com uma careta, ela trancou as diversas fechaduras. Antes achava que aquelas barreiras seriam um impedimento que a manteria segura.

Ninguém estava seguro.

No corredor, notaram uma maca saindo do apartamento da sra. Basso. Eva se imobilizou, arrasada pela visão. Havia dois paramédicos de cada lado. Imediatamente, reconheceu um deles, mesmo sem ver o nome *Woodbridge* bordado na camisa. Ele se deteve.

— Olá — Woodbridge disse. — Lembrei de ter visto este endereço recentemente. Como está?

Eva levantou o queixo. — Ela era minha amiga.

— Sinto muito — ele disse, seus olhos azuis cheios de preocupação.

— Obrigada. Significa muito.

Alec se pôs ao lado de Eva, com a mão na parte inferior das costas dela. Era um gesto que indicava propriedade, o que aumentou o estresse dela. A vida já estava bastante complicada.

Eva observou quando o corpo da sra. Basso foi levado e o impacto pleno da perda da amiga a atingiu. Pensou a respeito de todos os filmes e refeições que jamais compartilhariam. As visitas inesperadas, que alegravam seu dia e não mais aconteceriam. Não teria mais para quem fazer compras quando fosse ao supermercado.

De repente, Eva se sentiu muito sozinha.

— Temos de ir — Alec murmurou, apertando seu quadril gentilmente.

Concordando com um gesto de cabeça, Eva evitou as pessoas que se moviam sem destino no corredor e entrou no elevador. Quando as portas se fecharam, tampando a visão do caos no andar, Eva absorveu o fato de que seu mundo tinha mudado de maneira irrevogável.

Quer se livrasse da marca ou não, a vida, como ela a conhecia, tinha acabado.

PÔR OS PÉS NA EMPRESA sempre era inebriante para Alec, independentemente de quem visitasse ou onde ficasse localizada. Todo o seu corpo se energizava, como se os outros Marcados trocassem energia com ele. Alec respirava fundo, sentindo o cheiro das centenas de Marcados confinados naquele espaço.

Ao lado dele, Eva fez um ruído de sufocação. O nariz dela enrugou, fazendo Alec se perguntar a respeito do estímulo sensorial que tinha recebido. Eva dava a impressão de achá-lo mais perturbador do que agradável. Então, ele deixou o pensamento de lado. Naturalmente, tudo a perturbava. Tudo era novo e importuno, e Eva tivera um terrível choque naquele dia. Uma coisa de cada vez. Garantir que os pais dela ficassem seguros era o primeiro item da lista. Alec sabia que Eva não seria capaz de atuar adequadamente até que isso fosse assegurado.

— Por aqui — ele disse, direcionando-a para um conjunto de elevadores situados longe dos de uso geral. Ao contrário dos elevadores privativos, que levavam diretamente ao escritório de Raguel, aqueles só desciam. Ali, no subterrâneo, havia um pequeno complexo com necrotério e diversos departamentos especializados.

Eva não pareceu perceber para onde estavam indo. Enquanto o elevador descia, seu olhar permanecia sobre o piso, desconcentrado. Com a tigela em uma mão, Alec estendeu a outra e acariciou o braço desnudo dela. Eva estava tão distante mentalmente que não registrou aquilo. Então, ele recuou e encostou no corrimão metálico. Não tinha ideia de como penetrá-la sem ser fisicamente, o que o levava a se sentir... impotente, o que, por sua vez, o deixava maluco.

Um silêncio pesado, impenetrável, ocupou o elevador, apesar da música instrumental de fundo. Alec escutou a respiração de Eva e, em seguida, aguçou a audição para escutar o coração dela batendo. A batida era muito constante, como uma máquina.

No passado, ele só se sentia verdadeiramente vivo quando estava na empresa. Tinha chegado a almejar a sensação de renovação. Até conhecer Eva, não sabia de nenhuma outra maneira de se sentir tão vivo. O fato de que, na última vez que entrara naquele prédio — em sua busca por Eva —, não sentira nada até achá-la o assustara.

A velocidade do elevador diminuiu e, então, parou. As portas se abriram e a música "Mandy", de Barry Manilow, em versão instrumental, foi abafada pelo pandemônio.

O gemido estridente de um *Banshee* ecoou no ar e nos tímpanos mais próximos. Dois corpos debatendo-se, em combate, passaram rolando diante do elevador. Um estava coberto com pelos animais, enquanto o outro ostentava cachos pretos soltos. Um Lobisomem e uma Lilin. Em torno deles, uma multidão constituída principalmente de Demoníacos se reunira para se alimentar da energia negativa.

No canto esquerdo, a mesa da recepção estava ocupada por uma Lobisomem em forma humana. Ela estava de pé, usando blusa branca e saia preta, observando o entrevero com um sorriso amplo. Na direita, cadeiras se enfileiravam junto às paredes, ocupadas tanto por Marcados como por Demoníacos esperando pelo processo. Um leigo poderia ver a multidão e achar que era Halloween. A mistura de Demoníacos nus e vestidos de forma estranha não faria sentido em nenhum outro dia do ano. Bem em frente, havia um corredor que levava a diversos escritórios. Era para onde Alec seria encaminhado se todos saíssem do caminho.

Ele saiu do elevador e segurou a porta para Eva que, com olhos arregalados, observou a balbúrdia. Os dedos mantinham as narinas tapadas e ela gritou: — O que é esse lugar?

— O inferno na terra.

Alec não elevou a voz, mas o barulho em volta deles se aquietou como se tivesse gritado.

— Caim — a recepcionista sussurrou, piscando um pouco antes de se sentar. A multidão de pé também se sentou. No chão, o casal olhou embasbacado para ele; o Lobisomem com sua mandíbula terrível e a Lilin com seus perfeitos lábios carnudos. Unidos em um falso abraço, davam a impressão de terem se esquecido de que estavam se matando alguns segundos antes.

— Vocês terminaram? — Alec perguntou.

— Está fedendo aqui — Eva resmungou, com as narinas tapadas.

— Ele me insultou — a Lilin disse, livrando-se do Lobisomem e levantando.

185

— Ela tem seios incríveis - o Lobisomem rugiu, endireitando-se.

— Você pode aceitar isso como um elogio? — Alec olhou para a Lilin.

— Posso morrer hoje — ela murmurou. — Quero partir com algum respeito.

— Todos nós podemos morrer hoje — Eva disse, deixando cair a mão. O Lobo se transformou em sua forma humana nua e ela assoviou. Alec apertou os dentes. — Não é educado encarar.

— Tenho uma chance maior de morrer do que a maioria — a Lilin replicou, olhando para Eva. Então, dirigiu seu olhar demoníaco para Alec. — Você é um idiota. Achei que os irmãos mais velhos deviam proteger os mais novos.

— Se sou mais velho do que você, não sou seu irmão — ele reagiu.

O queixo de Eva caiu.

— Você podia agir como se fosse — a Lilin sustentou.

— Ela é uma Lilin — Alec explicou para Eva, agarrando o braço dela com sua mão livre e a afastando do Lobisomem flagrantemente interessado. — Cem delas morrem por dia. Nunca sabem quando a hora delas vai chegar.

— *Irmão?*

— Ela acha — ele zombou. — Meu pai não fala com Lilith há um tempão. E essa Lilin é muito impetuosa para ser mais velha do que eu.

— Estou confusa. Quem é Lilith?

Alec olhou para a recepcionista no momento exato em que ela estava atendendo ao telefone. — Caim está aqui — ela disse. Sorriu para Alec e, depois, piscou. Em torno do olhar paquerador estava o detalhe que a classificava como uma Lobisomem, de acordo com a regra de Mamon, o demônio da avareza.

— Lilith foi a primeira mulher de meu pai. — Com a tigela para ponche na mão, Alec pegou o corredor. O som das botas dos dois sobre o concreto polido ecoou no espaço. Atrás deles, murmúrios furiosos eram ouvidos.

Os olhos de Eva se apertaram. — Primeira mulher? — Eva perguntou. — Achei que Adão tivesse tido Eva, e só.

Ele balançou a cabeça. — Não se preocupe com isso — Alec respondeu.

— Por que eu não sabia disso? Ninguém jamais me falou.

— Anjo, uma coisa de cada vez — Alec afirmou, abrindo uma porta com um letreiro que dizia Wiccalogia Forense. — Uma coisa de cada vez.

As luzes do teto da sala estavam apagadas. Luminárias de diversas estações de trabalho iluminavam áreas específicas.

— Caim! — A aspereza recordava a voz de Larry King, o apresentador de TV, e vinha de um canto direito distante. — Faz muito tempo que você não aparece para me ver.

Alec virou a cabeça e viu uma velha encarquilhada, vestida com um robe, aproximando-se em um passo claudicante. À medida que se movia das sombras para a luz, as costas arqueadas davam lugar a uma senhora aprumada, ruiva e adorável. Seu robe se transformou de um manto folgado em um vestido de belo caimento.

— Olá, Hank — Alec saudou. Ele entregou a tigela para ela. — Preciso que descubra o Nix que tocou nisso.

— Farei meu melhor — ela respondeu, com um sorriso simpático. Olhou para Eva, inclinando a cabeça. Ela voltou a mudar de forma, assumindo a aparência de um homem musculoso e ruivo. O vestido se transformou em camisa social e calça pretas. — Muito prazer.

— Olá — Eva disse, piscando rapidamente.

Alec tocou o braço dela e disse: — Evangeline, este é Hank. Hank, esta é Eva.

— Olá, Eva — Hank disse, lambendo os lábios.

Eva acenou discretamente para ele/ela.

— Voltamos mais tarde — Alec afirmou, puxando Eva para a porta.

— Não esqueça de trazer Eva quando você voltar. — Enquanto se distanciava, a forma de Hank se reconvertia na de uma velha encarquilhada e recurvada.

De volta ao corredor, Eva respirou fundo e se perguntou se o fedor dos Demoníacos estava afetando seu cérebro. Ela olhou para Alec e disse: — Sinto como se uma de minhas viagens das drogas que usei na adolescência tivesse voltado para me assombrar.

— Não é possível.

— O que é Hank?

— Um Ocultista. Um demônio especializado em magia, que se conecta com o poder que se estende por toda a natureza.

187

— Não é isso que eu perguntei. Quero saber se Hank é homem ou mulher.

— Não tenho certeza — Alec respondeu, dando de ombro.

— Ótimo. O que é esse lugar? - Eva tentou respirar pela boca, para evitar cheirar algo, mas era inútil. O cheiro estava impregnado nas paredes. — A menos que meu nariz esteja completamente errado, diria que a maioria desses seres são Demoníacos.

— Seu nariz não está errado. — Alec apontou para o corredor. — É um amálgama. Diversos entes demoníacos são mantidos aqui, pois são úteis de alguma maneira.

— Mantidos aqui? — Eva perguntou, observando os arredores com um olhar perscrutador. Os subterrâneos do Gadara Tower lhe recordavam os filmes *noir* dos anos 1950, com iluminação atenuada, portas com vidros incrustrados e ar esfumaçado.

— Alguns são mantidos contra a vontade — Alec esclareceu. — Outros vêm por escolha própria, pois querem proteção. Não há essa coisa de honra entre os malditos. Se enfurecer o cara errado, eles vão perseguir você.

— Isso eu sei — ela murmurou, notando os ocasionais nichos com janelas que ofereciam uma visão noturna da metrópole. Era surpreendentemente verossímil, embora fosse dia na superfície. — Isso é real?

— Não. Mas os Demoníacos enlouqueceriam caso se sentissem confinados. Eles preferem o dia à noite. Raguel cuidou disso. — Alec se deteve diante de uma nova porta, com o letreiro GERENCIAMENTO DE ÁGUA E ENERGIA DE ORANGE COUNTY. Eva franziu a sobrancelha, em sinal de confusão, sabendo que não existia essa entidade. Alec bateu na porta e esperou. — A ilusão de serem de alto nível os mantêm funcionando de modo adequado.

A porta se abriu, revelando um homem jovem e magricela, sentado a uma mesa situada bem diante da porta. Usava óculos pavorosos e um macacão cinza, com seu sobrenome — Wilson — bordado no peito. Pouco atrás dele, uma divisória bloqueava a visão do resto do interior. À sua esquerda, viam-se arquivos metálicos, e, à direita, uma grande palmeira em um vaso. O recinto cheirava a algodão-doce, o que revelou a Eva que o homem era um Marcado, não um Demoníaco.

— Caim — Wilson disse, sorrindo. — O que posso fazer por você?

Eva bufou de leve. Alec entrou em uma sala e todos se ajoelharam. Com a passagem dos dias, a imagem que ela tinha de um Caim diabólico desaparecia pouco a pouco.

Eva ficou para trás e viu quando um grupo de Marcados surgiu: duas garotas e um rapaz. Usavam roupas estranhas, incluindo coturnos, calças de náilon pretas e regatas de cores vibrantes, com rasgos em lugares estratégicos. O homem usava jeans e camisa polo azul.

— Ela não é tudo isso — uma garota disse para a outra.

— Caim consegue todas que quer — o homem afirmou. — Ouvi dizer que as asiáticas são boas de cama.

— Perdão — Eva disse.

— Não há perdão para quem transa para chegar ao topo — a segunda garota afirmou enquanto passava.

Eva virou e viu os três se afastando, sentindo uma mistura estranha de raiva e náusea. — Também não há perdão para as roupas que vocês estão usando — ela disse. — Não sei se ficaram sabendo, os anos 80 acabaram há algumas décadas.

— Anjo? — A voz de Alec atraiu o olhar de Eva. Ele segurava uma prancheta. — O que está fazendo?

— Enrolando. — Eva deixou o corredor e a porta fechou atrás dela.

— Venha. — Alec entregou a prancheta com um formulário para ela. — Preencha com as informações de seus pais. E as suas.

Eva olhou para o formulário, notando que perguntava nome, endereço e número de telefone de até três pessoas. — Tudo bem.

Alec sorriu. A expressão dele era de satisfação, indicando o quanto apreciava a obediência dela. Isso a surpreendeu, considerando quão facilmente Alec aceitava o mesmo de todo o mundo. Ele parecia mais à vontade no comando do que Gadara, que manipulava para conseguir o que queria; Alec simplesmente esperava que suas ordens fossem seguidas.

Ele olhou para Wilson e disse: — Temos problemas com um Nix.

— Vamos cuidar disso.

— Como? — Eva perguntou.

— Assim como qualquer possível infestação — Wilson afirmou. — Em primeiro lugar, impedimos o acesso da peste. No caso dos Nixs, inserimos um impedimento no cano de água principal para a residência.

— Depois disso posso tirar as cruzes que pendurei no chuveiro?

— Pode — Wilson respondeu, sorrindo. — Mas seria uma vantagem para você manter.

Eva olhou para Alec. — Como estou morando em um prédio administrado por Gadara, por que não tinha algo assim desde o início? Teria salvado a vida da senhora Basso.

— Não trabalhamos dessa maneira — Alec respondeu, enfiando as mãos nos bolsos do jeans. — Imagine se os Demoníacos montassem uma barreira na cidade de Baker, na Califórnia. Isso impediria os Marcados de viajar entre os estados de Nevada e Califórnia. Temos de trabalhar caso a caso, Demoníaco por Demoníaco. Caso contrário, acabaríamos lutando por território, o que colocaria os humanos no fogo cruzado. Nós — os Marcados e os Demoníacos — precisamos dos humanos para sobreviver. Como temos uma necessidade mútua, fazemos certas concessões.

Eva bateu de leve com a caneta na prancheta.

Antes de virar, Alec disse para ela: — Quando, nos últimos dois dias, tivemos a chance de vir aqui? Além disso, você estava segura comigo. Nunca imaginei que ele atacaria sua vizinha.

O telefone tocou na mesa de Wilson e ele atendeu. Eva dirigiu sua atenção para o preenchimento do formulário.

— Eles estão aqui — Wilson disse pelo telefone. — Sim, é claro. Vou dizer. — Ele desligou. — Raguel vai ligar em dez minutos. Quer que você atenda a ligação no escritório dele.

Alec fez que sim com a cabeça. Eva passou a prancheta para Wilson.

A expressão dele por trás dos óculos foi de compaixão. — Vou enviar alguém, imediatamente.

— Envie duas pessoas — Eva sugeriu. — Assim, não vai ter que ir da minha casa para a de meus pais, ou o contrário. — Ela colocou a caneta sobre a mesa de Wilson. — Isso vai manter meus pais seguros?

— O Nix não sabe onde eles moram — Alec recordou. — Se soubesse, teria ido atrás deles, em vez de atacar a senhora Basso. Ele pode achar os dois? Sim. Se isso acontecer, e ele tiver o tempo, poderá elaborar um plano. Mas isso vai gerar um atraso. Talvez Hank o consiga encontrar antes.

Eva concordou com um gesto de cabeça. Não se sentia muito melhor, mas o que mais poderia fazer?

— Uma coisa de cada vez — Alec repetiu, murmurando. — Estamos lidando com o Nix. Agora, vamos subir e lidar com Raguel. Vamos conseguir. Confie em mim.

— Você é bom nisso, sabe? É uma vergonha estar preso a alguém tão incompetente como eu. Devia estar orientando peixes maiores.

A expressão no rosto de Alec se fechou, embora quase imperceptivelmente. Era mais uma sensação que ela tinha de uma retirada repentina, como se tivesse atingido algo profundo.

A sensação a deixou tonta. Quando voltaram para o elevador, Eva pensou algo que não tinha pensado antes: se nada era uma coincidência, por que ela morava em um prédio administrado por Gadara?

Será que ele preparara uma emboscada para ela? E, nesse caso, por que sua marca tinha sido ativada?

E o que seria preciso para se livrar dela?

16

— OLÁ, CAIM. SENHORITA HOLLIS.

Quando o elevador deixou Eva e Alec na recepção do escritório de Gadara, o secretário do arcanjo os cumprimentou com um sorriso amplo. Ele era um homem idoso que parecia um pouco além da idade da aposentadoria. Cheirava como um Marcado, o que fazia Eva se perguntar o que tinha feito para se meter em apuros tão tarde na vida. — Vocês querem beber alguma coisa? — ele ofereceu. — Café? Refrigerante?

Eva e Alec recusaram.

O secretário os levou para o escritório de Gadara e, por meio de um gesto de mão, indicou as duas cadeiras diante da mesa. Ele utilizou um controle remoto para abaixar a tela de projeção e escurecer o recinto. De novo, Eva ficou surpresa com o tamanho do escritório. Era cavernoso e ricamente mobiliado. Como designer de interiores, tinha plena consciência de que a preferência de uma pessoa pelo tamanho e formato da sala dizia muito a respeito dela. Sem dúvida, Gadara sentia a necessidade de surpreender e impressionar. O quanto daquilo era direcionado para os humanos que faziam negócios com ele? E o quanto era para os Marcados sob seu comando?

— No que você está pensando? — Alec perguntou, quando o secretário saiu da sala.

— Nada demais — Eva disse, secamente. Depois de tudo pelo que ela tinha passado nos últimos dias, estava uma pilha de nervos.

— Você está bem?

Olhou para Alec, notando que mesmo sob a iluminação fraca, ele era lindo de morrer. Ela poderia se acostumar a vê-lo todos os dias. Caso se permitisse. — Acho que nem tudo entrou em minha cabeça. Volte a me perguntar depois que tivermos uma chance de nos acalmar.

Depois de um ruído suave de bipe, a tela se iluminou. O rosto de Gadara apareceu. Sua pele e seus olhos escuros possuíam uma riqueza majestosa e um toque de refinamento divino que eram encantadores. Novamente, Eva fora capturada pela força absoluta do carisma dele, evidente mesmo através do sinal digital que o difundia. Atrás, havia uma janela, e, além dela, uma vista que ela reconheceu imediatamente: a Las Vegas Strip. Gadara estava usando terno e gravata e a aparência mais formal combinava com ele. Complementava seu ar de poder e afluência.

— Temos um problema — Alec começou a falar.

— Sim, eu sei — Gadara respondeu. — Onde está Abel?

— Ele não sabe de nada.

— Certo. — O arcanjo reclinou-se na cadeira e passou uma mão pelos cabelos grisalhos. — Ele é o encarregado, Caim. Precisa estar atualizado.

— Se esse fosse o trabalho dele, não deveria precisar de ajuda — Alec replicou.

— Você dois vão acabar matando a senhorita Hollis.

— Se você não conseguir fazer isso primeiro.

— Não vou morrer — Eva interveio, serenamente.

Então, ela virou a cabeça ao escutar o som de palmas. Reed saiu do elevador em um terno grafite feito sob medida. A perfeição absoluta de sua aparência — o corte impecável do traje, o penteado perfeito, a curva sensual do sorriso — tirou o fôlego de Eva. — Essa é minha garota. Não deixe que a intimidem.

Alec ficou de pé e disse: — Eva tinha razão. O Tengu não tinha detalhes nem cheiro.

O silêncio tomou conta do recinto de tal forma que Eva seria capaz de ouvir uma agulha cair.

— O que você quer dizer com: "Eva tinha razão"? — Gadara perguntou.

— Há alguns dias, quando o Tengu me atacou pela primeira vez, percebi que ele não tinha nenhum detalhe — Eva explicou. — Alec e Reed disseram que meus supersentidos não tinham se desenvolvido plenamente e era por isso que eu não conseguia ver.

— "Supersentidos"? — Gadara riu.

— Mas, obviamente, eles estavam errados — Eva prosseguiu. — Alec não viu nada ontem à noite. Não dá para dizer que seus dons ainda não se desenvolveram totalmente.

Reed se moveu até a mesa e se apoiou nela. — Isso nunca aconteceu antes. Todos esses séculos, milhões de Demoníacos... Jamais um ocultou seus detalhes. Deve haver uma explicação.

— Por exemplo? — Eva perguntou.

— Talvez os detalhes sejam da mesma cor da pedra com que é feito.

— Tudo bem. Mas por que eles não cheiram? — Eva reagiu.

Gadara fez um ruído estranho, atraindo todos os olhares para ele. — Conte tudo o que aconteceu, Caim.

Alec recordou todos os acontecimentos da noite anterior, terminando com a morte da senhora Basso.

Reed se afastou da mesa e pôs sua mão no ombro de Eva. — Você era próxima a ela? — ele perguntou, baixinho.

— Sim. Eu gostava muito dela.

— Sinto muito.

— A polícia veio — Alec informou. — Os investigadores afirmaram que o Nix tem matado pessoas há algum tempo. Nesse caso, por que não foi derrotado?

— A ordem não desceu até hoje — Gadara respondeu.

— Isso é ridículo — Eva afirmou.

— É o jeito como trabalhamos, senhorita Hollis. Não somos super-heróis — Gadara informou, com uma expressão dura.

— O Nix matou uma dúzia de pessoas, no mínimo! Não é uma questão de heroísmo. É de justiça e proteção de inocentes.

— Não me repreenda — Gadara disse, friamente. — Você só quer se livrar da marca e voltar para sua vida normal. Não está nem aí com a proteção de inocentes.

Eva não se sentiria mais atingida se tivesse recebido um tapa na cara.
— Não faça eu me sentir culpada por querer minha vida de volta.

— Uma coisa é ser ignorante; outra, bem diferente, é tapar o sol com a peneira.

— Não a ataque por causa de suas próprias falhas — Reed disse, colocando-se na frente de Eva.

— Precisamos decidir o que fazer a esse respeito — Alec interveio, alargando a postura e cruzando os braços. Assim ele se impunha, robusto e impassível.

— O que você sugere? — o arcanjo perguntou.

— Os dois Tengus da cobertura não possuíam detalhes e não tinham cheiro. Minha primeira dúvida é se a Geena tem algo a ver com isso. Ela criou os dois? Em caso positivo, conhecemos a fonte.

— Espero que isso esteja restrito a esses Tengus — Reed afirmou.

Eva olhou ao redor e percebeu as expressões soturnas dos três homens. — Expliquem as possíveis ramificações disso para mim.

— Não temos um número suficiente de Marcados — Gadara disse, com a voz cansada. — Suplementamos com mão de obra humana, como os seguranças que vocês encontraram no prédio ontem à noite. Também fazemos negócios com humanos. Se os Demoníacos se ocultaram, não há limites de lugares aonde podem ir e das informações que podem obter.

— Os Demoníacos teriam uma imensa vantagem — Alec afirmou. — Sentiriam nosso cheiro a um quilômetro de distância e teriam total liberdade de ação. Se criaram um disfarce de algum tipo, precisamos erradicá-lo.

Eva ficou de pé e disse: — Então, precisamos descobrir como fizeram isso. Temos de ir para Upland, onde fica a Geena.

Os três homens olharam para ela.

— Não com o Nix atrás de você — Alec sustentou.

— E o Tengu — Reed acrescentou.

— Você deve ir — Gadara disse, sorrindo como um pai orgulhoso. — O Tengu parece gostar de você, senhorita Hollis, e o Nix foi designado a um Marcado. Certo, Abel?

— Certo — Reed confirmou.

— Bobagem — Alec resmungou. — É uma missão muito importante para uma novata em treinamento. Eva está sobrecarregada. Você precisa mandar alguém com mais experiência.

— Não há ninguém mais experiente do que você — o arcanjo assinalou.

— Então, vou sozinho — Alec disse.

— Tenho de concordar — Reed afirmou.

— Com o quê? — Alec disse, rispidamente.

— Com você.

Eva teria rido ante a surpresa flagrante de Alec se as circunstâncias fossem menos sombrias.

— Está vendo, senhorita Hollis? Milagres acontecem — Gadara falou, lentamente.

Eva olhou para Alec e disse: — Se você for para Upland, o que eu vou fazer?

— Você pode esperar pelos resultados de Hank.

Uma risada seca escapou. — Não vou voltar lá para baixo. Os Demoníacos me dão arrepios e algumas das Marcadas são hostis. Depois de receber meu treinamento e conseguir me virar sozinha, sem problemas. Até lá, nem pensar.

— Hostis? — Alec perguntou, curioso. — Do que você está falando?

— Há certo ciúmes na tropa — Reed revelou.

— Ela deve ir — Gadara afirmou. — Quando um mentor está ligado a um Marcado, eles permanecem juntos até que seja autossuficiente.

— Não comece a obedecer as regras do jogo agora — Alec disse, rispidamente.

— E não ouse dar ordens para mim, Caim. Se você se separar da senhorita Hollis, tornarei a separação permanente e a ligarei a um mentor que a mantenha próxima.

— Ninguém está acreditando nessa história de seguir as regras — Eva afirmou, pondo as mãos na cintura. — Por que não conta a verdade?

— Quero que você ganhe experiência — Gadara disse.

— Fiquei bem molhada na última semana — Eva zombou.

Alec pigarreou. Reed sorriu, maliciosamente.

— Você sabe do que estou falando — ela murmurou.

— Acredite ou não, quero que você ponha as mãos na massa — Gadara prosseguiu. — Quero que veja por experiência própria o que fazemos e por quê, e tenho confiança de que Caim manterá você segura.

Quero que você ponha as mãos na massa. Eva considerou aquela afirmação atentamente. Como Gadara não parecia ser altruísta quando suas próprias necessidades estavam em jogo, a afirmação a fez considerar se sua aceitação ou não da marca era importante de alguma maneira. Nesse caso, o que sua rejeição podia significar?

— Então, está resolvido — Eva afirmou, determinada a trabalhar com o que tinha até o final. Se Gadara insistia em sua ida, ela tinha de saber o motivo real. E, na realidade, queria ir. Havia uma expectativa pulsante em seu sangue que estava ficando muito familiar; uma escuridão como veludo preto, macio, quente e sensual. De manhã, ela só queria algumas horas de normalidade. Agora, queria bater violentamente em alguém não humano. Alguém que rendesse uma boa briga, mas que não a deixasse culpada.

— Comigo não — Alec replicou.

— Só tome cuidado, Eva — Reed afirmou, soltando o ar audivelmente.

— O quê? — Com os punhos cerrados, Alec olhou furiosamente para seu irmão. — Você vai concordar com isso? Seu filho da puta!

— Vá se ferrar! — Reed replicou. — É o que ela quer.

— Não dou a mínima. Ela não sabe de nada. Não foi treinada e está puta da vida.

— Ei, com licença — Eva disse, acenando. — Estou bem aqui. Não fale de mim como se eu não estivesse.

— Perdão. — Alec se aproximou dela e lhe deu um abraço bem apertado.

Então, Eva curvou a cabeça para trás para olhar para ele. — Não nos saímos tão mal ontem à noite. Ainda estamos vivos.

— Você quase caiu daquele prédio e se estatelou na rua. — Seu tom era de exasperação... e resignação. — Quão pior poderia ter sido?

— Isso não está aberto a debate — Gadara afirmou. — O encarregado dela e eu estamos de acordo.

Alec virou a cabeça. Ele lançou um olhar matador para a tela. — É melhor você rezar para que nada de ruim aconteça a ela.

— Eu rezo todos os dias, Caim. Você pode dizer o mesmo?

Eva puxou Alec para a porta antes que a situação ficasse ainda mais explosiva.

— Isso não é um jogo, Eva — Alec advertiu, sombriamente, quando as portas do elevador se fecharam e eles ficaram fora do alcance da visão de Reed. Com as mãos apoiadas no corrimão, Alec se inclinou para trás e lançou um olhar furioso.

— Mas para Gadara é — ele disse. — Não vou desempenhar o papel de fantoche sem tomar minhas providências.

REED OBSERVOU EVA SUMIR atrás das portas do elevador e, então, encarou Raguel. — Isso é muito sério para que apenas uma equipe tome conta.

— Acho que é a sinergia deles que está causando problemas. — Raguel arrumou a gravata. — Tenho um encontro com Steve Wynn em meia hora. Gostaria de parecer tão bem no meu terno como você parece no seu.

— Está brincando comigo? Você vai desconsiderar completamente o que Caim e Eva disseram a você?

Raguel relaxou em sua cadeira com um suspiro. — Você escutou a história dele. Estava tão concentrado na senhorita Hollis como na caça.

— E aí? Ele estava fazendo o trabalho dele.

— Estava? Ou seu coração está governando sua mente? Há uma enorme diferença entre acaso e cálculo. Caim não foi treinado.

Reed sentiu um calafrio. Ele conhecia a obtusidade proposital quando a via. — Você está jogando com algo tão potencialmente prejudicial que fico sem palavras. Não entendo por que não privilegia a segurança, em vez do risco.

— Você quer meu emprego? — A voz de Raguel era perigosamente suave. — Fique à vontade. Conduza a situação como julgar conveniente.

— Com quais recursos?

Dentes brancos pristinos apareceram, circundados pela pele escura. — Com aqueles que você tem à disposição. Devo agir dentro da minha posição. Assim como você.

— Sua posição é maior do que a minha.

— Exatamente. Não se esqueça disso — o arcanjo disse, silvando.

A tela ficou negra, deixando Reed confuso. No total, ele tinha vinte e um Marcados sob sua responsabilidade, incluindo Eva. Em qualquer momento, ao menos um deles estava preso a um combate que levaria à morte: ou do Marcado ou da presa. Dos céus, as ordens fluíam para a consciência de Reed como água, forçando-o a se mover através de diversos fluxos. Ele designava os Marcados para inúmeras caças com base na experiência, no local e em inúmeros outros fatores, sendo um dos mais importantes a necessidade da empresa para a qual fora designado.

Até onde sabia, nenhum encarregado nunca tinha diminuído sua penitência assumindo uma tarefa por conta própria enquanto contava com os outros para segurar as pontas. Isso enfraqueceria o grupo. Alguns Marcados eram mais capazes de lidar com certos Demoníacos do que outros. A designação de um Marcado menos qualificado para a caça porque um membro mais experiente da equipe estava ocupado com uma missão não autorizada era tão perigosa que Reed não podia acreditar que estava pensando naquilo.

Mas que opções ele tinha?

Podia utilizar um Demoníaco; um que trabalhava naquele momento dentro da empresa ou um que estivesse na lista. Podia oferecer um acordo: cooperação ou morte. Os Demoníacos eram sobreviventes; eles fariam o que fosse necessário. Mas não era sua atribuição decidir quais mereciam ser salvos e quais deviam ser destinados a queimar no Inferno. Assim como sua opção prévia — o uso de Marcados —, Reed não tinha ideia de quais seriam as ramificações se fosse muito além das suas atribuições, mas sabia que seriam terríveis. Precisava de alguém em um nível mais avançado da cadeia alimentar do que aquele em que se encontrava. Alguém para arcar com as consequências, se necessário.

Ele precisava de um arcanjo.

Não era completamente improvável. Desde que oferecesse um benefício palpável, poderia pedir ajuda. Caim fazia acordos diabólicos o tempo todo.

Reed evitou o elevador e se dirigiu para a recepção. Ele se deteve diante da mesa do Marcado idoso. — Temos alguém de outra empresa visitando a região ou programado para chegar em breve?

As empresas sempre se mantinham informadas das visitas. Colocar dois arcanjos em proximidade imediata exigia maior segurança; além disso, eles achavam que era sua obrigação mostrar deferência em relação a quem estivesse visitando.

— A empresa da Europa enviou sete Marcados ontem — o secretário respondeu. — Saraquiel tem uma visita programada para a próxima semana.

— Obrigado — Reed balançou a cabeça.

Claro que era Sara. Deus não permitiria que a missão fosse fácil para ele.

Enquanto se preparava para ir ao escritório dela, Reed pensava na missão que tinha à frente. Ela iria querer seu sangue, literalmente. Não havia fúria maior no inferno do que a de uma mulher rejeitada.

ERA UM PERCURSO DE TRINTA MINUTOS entre Anaheim e Upland, em um dia bom. Dizer que o trânsito no sul da Califórnia era horrível era pouco. Os congestionamentos adicionavam horas a mais na maioria das viagens, e os acidentes transformavam as rodovias em estacionamentos.

Ainda não estava tão ruim porque era o começo da tarde, um horário em que a maioria das pessoas não tinha saído do trabalho. Alec olhava através da janela do passageiro, com a mão esquerda sobre o joelho. Ele estava quieto e contemplativo.

Alec e Eva tinham saído do Gadara Tower pelo estacionamento subterrâneo usando um Jeep Liberty que pertencia à empresa. Alec esperava que aquela medida despistasse qualquer um decidido a seguir o carro de Eva, que permanecia no estacionamento ao ar livre. Com policiais desconfiados e um Nix atento, precisavam tomar muito cuidado.

Eva pegou o acesso para um pequeno centro comercial à beira da estrada e estacionou. Entraram em uma locadora de veículos Hertz e alugaram um carro. Alec pagou em dinheiro, não com um cartão de crédito, pois esse era rastreável. Logo em seguida, embarcaram em um Ford Focus, cujo navegador não era monitorado por Raguel — ao menos ainda não. No devido tempo, o arcanjo descobriria, e, então, ele se conectaria ao sistema de rastreamento da Hertz. Naquele instante, porém, estavam fora do alcance.

Não trocaram nenhuma palavra. Não havia nada a dizer. Eva não confiava que Raguel e Alec pudessem defendê-la. Era uma complicação em todos os sentidos.

— O mercenário, que não é o pastor a quem as ovelhas pertencem — Alec murmurou, e prosseguiu: — vê a aproximação do lobo, abandona as ovelhas e foge. Então, o lobo as apanha e dispersa o rebanho.

— O que é isso? — Eva perguntou.

— João 10,12.

— Você está chamando Gadara de mercenário? Também acha que ele nos jogou aos lobos?

— Não sei o que pensar, anjo. — Alec inclinou a cabeça contra o apoio. — Estou tentando entender como ele pode ser tão indiferente a respeito de algo tão importante.

— Ele não acredita em nós — Eva disse, sem rodeios. — Ou então acredita e quer jogar merda no ventilador. Alguma ideia do porquê para permitir que isso aconteça?

— Não.

Alec nunca tinha gostado dos arcanjos. Como crianças, eles bajulavam o pai. Os irmãos competiam entre si, na esperança de um brilhar mais do que outro. Os Marcados, seus mentores e seus encarregados eram simplesmente um meio para aquele fim. Era por isso que valorizava sua autonomia, pois o mantinha bem longe das maquinações deles.

— E toda aquela coisa de "por as mãos na massa" é conversa fiada — Eva disse mal-humorada. — Não engoli.

— Nem eu.

— Então qual é o sentido? — Eva olhou para Alec. — O que ele pode ganhar além de encher seu saco?

— Você está me perguntando ou está pensando em voz alta?

— É claro que estou perguntando. — Eva voltou a dirigir sua atenção para a estrada. Eles andavam em uma respeitável velocidade de cento e vinte quilômetros por hora, na Rota 60. As janelas estavam fechadas, de modo que eles não precisassem gritar, mas o ar-condicionado estava ligado e despenteava os cabelos de Eva, jogando madeixas soltas do rabo de cavalo sobre o rosto. Ela as afastava com impaciência. — Você sabe o que está acontecendo melhor do que eu.

— Na verdade, não — Alec afirmou, secamente. — Esse é o problema. Jamais tive um encarregado ou trabalhei dentro de uma empresa. Minhas ordens vêm diretamente de Jeová. Não faço a menor ideia de como agir dentro de uma estrutura. Você e eu estamos completamente no escuro.

— Certo. Como você lidaria com isso se estivesse sozinho?

Alec não hesitou para responder pois pensara nas opções desde a noite anterior. — Montaria acampamento em Upland. Então, vigiaria a Geena, evitando os Demoníacos capazes de sentir meu cheiro. Em seguida, arrombaria o escritório fora do horário do expediente e tentaria achar alguma coisa lá dentro.

— Vamos voltar para a coisa do cheiro — Eva disse, segurando o volante com mais firmeza. — Se eu fosse onipotente e criasse uma legião de guerreiros para lutar em meu nome, não os anunciaria com um único cheiro. Gostaria de manter todos ocultos.

— Os veados sentem o cheiro dos lobos se aproximando. Essa caça não é diferente da que você vê no reino animal.

— É como se Ele estivesse dando uma chance de escapar, independentemente do que estão fazendo.

— O Senhor possui uma forte noção de jogo limpo.

— Ou um senso de humor mórbido.

— Anjo...

— Então, vamos seguir o seu plano — Eva disse, rapidamente. — Vamos pegar um quarto de hotel, depois vigiar a Geena.

— Não temos alternativa. Sinto muito — Alec disse, fechando os olhos e colocando a mão sobre a perna de Eva.

Ela pôs sua mão sobre a dele, muito maior. Eva era esbelta e delicada, muito valiosa para se arriscar tão despropositadamente. — Um passo de cada vez — disse.

— Você parece bem — Alec murmurou. — Focada.

— Acredito no que vimos, ou melhor, no que não vimos. Nunca tive aspirações de salvar o mundo, mas, sem dúvida, não vou dar as costas e fingir que nada está acontecendo.

Alec abriu um olho, virou a cabeça e disse: — Não deixe que aquilo que Raguel disse a incomode.

— É mais fácil falar do que fazer — Eva disse. — Raguel tem razão. Uma coisa é ser ignorante por acaso; outra, completamente diferente, é ser ignorante por escolha. Eu queria ir ao cinema, mesmo sabendo que tudo estava ferrado. Qual é o meu problema?

— Entendo por que você quis ficar algum tempo sozinha hoje. Não queira saber quantas vezes quis levar uma vida normal por ao menos uma hora. Isso não transforma ninguém em uma pessoa covarde, nem em uma pessoa incorreta.

— Também não me transforma em uma pessoa correta.

Eva olhou para Alec. Ele parecia assombrado com o conhecimento de que mais do que uma mulher tinha morrido aquele dia. A garota que ele conhecera e amara tinha sumido, para nunca mais voltar. Fora arrancada de sua vida segura e ordeira e jogada em um mundo onde demônios a caçavam e amizades queridas pagavam o preço.

Acariciando o rosto dela, Alec tentou ocultar sua inquietação. Enquanto lamentava a perda de seu primeiro amor, a fúria e a frustração o acossavam. Em uma questão de dias, tornara-se muito tarde para salvá-la.

No entanto, naquele momento, não era muito tarde para salvar a mulher sentada ao lado dele, a mulher segurando sua mão e sugerindo que ficasse com ele enquanto encarasse uma missão, como nenhuma outra que conhecera antes.

— Não é culpa sua, Alec.

— Você está tentando me confortar? — ele perguntou, dando uma risada seca. — Depois de tudo pelo que passou?

— Também não foi fácil para você. Teve de desistir de muita coisa por mim.

Alec fez isso para ganhar muito mais. Mas ela não sabia.

A BELEZA ESTÁ NOS OLHOS DE QUEM VÊ. Uma deusa para um homem podia ser um pesadelo para outro. Sara, porém, era bela para todos que a viam. Alta, esbelta, mas cheia de curvas; era fisicamente perfeita, de uma maneira que os cirurgiões plásticos venderiam a alma para reproduzir. Existira um tempo em que a mera visão dela conseguia enlouquecer Reed de desejo. Naquele momento, ele a observava com um olhar indiferente, admirando-a somente com um interesse vago.

— Acho quase impossível acreditar que Raguel não tenha agido com base nessa informação — Sara disse, andando graciosamente. Para Reed, ela trazia à memória uma tigresa: dourada, ágil e predatória. — Talvez saiba de algo que você não sabe.

— Ou talvez queira manter a informação tão reservada quanto possível — Reed replicou.

Dando um gole de água gelada, ele reclinou-se na poltrona de veludo dourado, no escritório parisiense de Sara. Frequentemente, os teólogos supunham que a chefe da empresa europeia dos Marcados era um homem. Não podiam estar mais equivocados. Saraquiel era uma mulher em todos os sentidos da palavra.

Naquele dia, ela usava um terninho listrado, o que poderia ter feito outra mulher parecer masculina. Em Sara, porém, só enfatizava sua feminilidade divinamente aprimorada. Seus cabelos loiros platinados estavam puxados em um coque clássico e seu rosto estava desprovido da maquiagem que financiava sua empresa. A Sara Kiel Cosmetics era um fenômeno mundial, com vendas inspiradas no rosto inigualável de sua proprietária.

Houve um tempo em que Reed achava que eles tinham sido feitos um para o outro, mas tinha passado. Ele descobrira que uma noção exterior de estilo e uma predileção por sexo bruto não eram suficientes como base para qualquer tipo de relacionamento duradouro.

— Raguel sabe que Caim é muito "lobo solitário" para se aproximar de alguém em busca de ajuda, e Evangeline é muito crua para fazer alguma coisa sozinha.

— Ah, a famosa Evangeline — Sara arrulhou. — Planejo visitar Raguel em breve. Estou morrendo de curiosidade a respeito da mulher de Caim. Na realidade, enviei uma equipe para a Califórnia ontem, para preparar minha chegada.

Famosa. Reed cerrou os dentes e disse: — Ela é como qualquer outra mulher.

— É mesmo? É a única coisa, além de sangue, que você compartilhou com seu irmão. — O sorriso de Sara se tornou irritadiço. — Diga, *mon chéri*, como é transar com uma mulher que tem o nome de sua mãe?

— Quem disse que eu transei com ela?

— Você não conseguiria resistir. E, com certeza, ela não seria capaz de recusar.

Reed deu de ombros.

Sara voltou ao tópico em questão. — Tenho certeza de que Raguel esperava que você mantivesse silêncio, para colocar seu irmão em perigo.

— Quem sabe o que ele pensa? — Reed disse.

— Estou mais interessada no que você está pensando. Admito que fiquei surpresa com sua presença aqui. Mais do que com a ausência dele.

— Isso vai muito além da empresa norte-americana. O desenvolvimento de um disfarce pelos Demoníacos coloca a todos em perigo.

— Então, o que você quer que eu faça? — Seus dedos passaram sensualmente ao longo da perna.

Atrás de Sara, Reed podia ver a Torre Eiffel iluminada na escuridão. Era estranho que o cenário fosse tão parecido com aquele que vira atrás de Raguel, em Las Vegas, havia tão pouco tempo. Dois arcanjos, dois continentes, a mesma vista. Eles tinham mais em comum do que isso; eram ambiciosos e amedrontadoramente competitivos.

— Quero que você me empreste a equipe de Marcados que mandou para a Califórnia — ele disse.

— Você não pede pouco, hein? — Sara apontou, rindo.

— Nada a que você não possa se permitir.

— A pergunta é: você pode se permitir? — O brilho no olhar dela confirmou a suspeita anterior de Reed a respeito do que ela iria querer dele.

— Você pergunta como se fosse um sacrifício — Reed afirmou. De modo proposital, ele se concentrou em não denunciar sua crescente tensão. —Não esqueça o quanto pode se beneficiar no médio prazo. Sua equipe passar a perna em Raguel seria uma grande vitória para você.

— Sei como isso me beneficiaria, mas e você? — Sara perguntou, semicerrando os olhos azuis. — Além de atrair a ira de Raguel, se privaria da possibilidade de humilhar seu irmão.

Reed observou os cubos de gelo em seu copo de água. Girou-os distraidamente com os dedos e, então, lançou um olhar de lado para Sara. — Privar-me de humilhar Caim? Querida, você me ofende. O que poderia ser mais perfeito do que ser o instrumento da libertação dele e a ferramenta pela qual ele será salvo?

Ele não disse que Jeová talvez gostasse de sua iniciativa, sobretudo considerando as possíveis consequências do fracasso. Agradar a Deus só aumentaria suas chances de ganhar uma empresa.

No entanto, Sara tinha consciência de alguma omissão, como evidenciado pelo zunido de dúvida que proferiu.

Pondo seu copo sobre a mesa de centro dourada, Reed ficou de pé. Era o momento de partir para a caça.

Ela levantou uma mão. — Eu não disse que você voltaria para mim… de joelhos?

— Era muito mais divertido para nós dois quando você ficava de joelhos — Reed afirmou, sorrindo com certa ironia.

Sara abriu um pouco a boca e recuou um passo.

Ele avançou na direção dela, com os dedos nos botões do colete. Se não tirasse a roupa por sua própria conta, Sara a rasgaria. Ela sentia muito prazer em atacar o que cobria Reed, como se isso expusesse de algum modo o homem que tinha embaixo das roupas.

Reed conseguiu perceber o arrepio da expectativa na pele de Sara e sabia que os bicos de seus seios estavam firmes e duros, e seu sexo, quente e escorregadio. Duas semanas tinham se passado desde que ele se entregara a Eva. Duas semanas de castidade que o tinham deixado faminto pelo sexo bruto de que Sara gostava. Fazia séculos que ele não passava tanto tempo sem uma mulher.

Depois de tirar o paletó e o colete, Reed os colocou sobre o encosto de uma das cadeiras diante da mesa de Sara. Tirou a gravata e o cinto, adicionando-os à pilha. A cada peça do vestuário de que se livrava, a excitação de Sara crescia. Ele podia sentir o cheiro do desejo dela, vê-lo no brilho dos olhos e na lambida nervosa de lábios. Sara enfiou a mão no bolso dele, tirou o celular e o desligou. Em seguida, jogou-o sobre a poltrona.

Abaixando os olhos, Reed estendeu a mão até a braguilha. Ele se lembrou de escadas, câmeras e olhares de soslaio com cílios compridos. Finalmente, seu membro cooperou com suas intenções, endurecendo com a lembrança ardente.

— Antes de nos distrairmos, quero que você me diga que sua equipe na Califórnia está pronta para uma missão — Reed murmurou.

— Eu preciso dela — Sara replicou. — Vou enviar outra.

As mãos de Reed caíram para os lados. — Eles podem não chegar a tempo. Não é um risco que estou disposto a correr.

Sara cerrou os dentes quando percebeu que ele partiria se não conseguisse o que queria. — Você é duro na queda, *mon chéri*.

— Não é por isso que você gosta tanto de mim?

17

EVA ENTROU NO ESTACIONAMENTO DE UM MOTEL 6, BEM próximo a Highway 10, em Upland. Havia uma loja de conveniência ao lado e um supermercado a uma curta distância. Desligando o motor, ela olhou para Alec e, em seguida, abriu a porta. Naqueles últimos minutos, ele ficara calado, recolhido em seus pensamentos. Eva sabia que era tão difícil para ele quanto para ela. Se fosse rezar para um poder superior por alguma coisa, seria pela capacidade de ajudá-lo, em vez de atrapalhá-lo.

Saiu do carro. Com o braço apoiado no teto, olhou em volta. Upland era no interior de Orange County, o que deixava a temperatura mais quente e o ar mais seco. Ela já sentia a falta da brisa marinha, mas suspeitava que era parte de uma saudade geral de algo familiar. Estava separada da família e da melhor amiga, tinha perdido o emprego, e a senhora Basso havia morrido. Uma estadia em um hotel, numa cidade estranha, aumentava sua sensação de peixe fora d'água.

Água.

Ao pensar no Nix, Eva se afastou do carro e fechou a porta. Alec apareceu do outro lado. Alto, bronzeado, belo e taciturno. Colocou os óculos escuros, ocultando seus pensamentos do exame visual de Eva. Naquele momento, havia um imenso abismo entre eles.

— Depois de pegar um quarto, preciso ir até a loja de conveniência para comprar um refrigerante e um celular pré-pago — Eva afirmou.

— Você se tornou uma boa espiã, acho — Alec disse, sorrindo.

— Tenho uma queda por filmes de ação.

Alec contornou o carro e ofereceu a mão para ela. Eva aceitou, mas a proximidade era apenas superficial. Emocionalmente, ele estava a quilômetros de distância; motivo pelo qual ela pediu um quarto com duas camas.

— Vocês têm algum animal de estimação? — o recepcionista perguntou. Era um rapaz com mais ou menos vinte e cinco anos, Eva supôs, e cerca de trinta quilos acima do peso ideal.

Ela balançou a cabeça. — Somos só nós dois. Por favor, não nos dê um quarto onde gatos ficaram hospedados antes. Sou alérgica — Eva disse.

— Sem problema. — O rapaz se inclinou sobre o balcão e, com a voz baixa, disse: — Alguém tem roubado cachorros e os cortado em pedaços por aqui. Está em todos os jornais locais. Só queria avisar.

— Cortado em pedaços? — Eva repetiu, lembrando-se do artigo que havia lido naquela manhã.

— Uma coisa terrível. Estripando, tirando os olhos... e tudo o mais. — O tom dele era mais de fofoca do que de indignação ou medo. — Certa vez, li que a maioria dos *serial killers* começa mutilando animais, depois, faz o mesmo com pessoas.

— Então essa região não é segura?

— É, para seres humanos, mas não muito para animais de estimação — o recepcionista respondeu, dando de ombros e se endireitando.

Enquanto Eva assinava a ficha, Alec pagava a conta em dinheiro. Ele a observou por trás dos óculos escuros, mas só quebrou o silêncio depois que saíram do hotel.

— Você quer me dizer alguma coisa? — perguntou, já no estacionamento da loja de conveniência.

— A respeito do quê?

— Das duas camas.

— Sem pressão.

— Hum.

Um bipe eletrônico anunciou a entrada dos dois na loja. Na frente do estabelecimento, três carros estavam enchendo o tanque nas bombas de gasolina. No interior, uma mulher idosa, com cabelos brancos espessos, cuidava do balcão, e dois adolescentes estavam junto aos refrigeradores vendo as bebidas.

Eva pegou uma cestinha perto da porta e se dirigiu até os celulares pré-pagos expostos na extremidade de uma gôndola.

Alec indicou as máquinas de refrigerantes. — O que quer beber?

— Dr. Pepper Diet, se tiver. Senão, pego a garrafa.

— Certo.

Alec se afastou e Eva seguiu pelo corredor apanhando castanhas e salgadinhos. Ela se imaginou deitada na cama do hotel comendo *junk food*, tomando refrigerante e assistindo a um filme na TV. A simples ideia de algumas horas de diminuição de pressão era o paraíso na terra. Eles só iriam para a Geena à noite, assim, ela tinha tempo de vegetar e descobrir o sentido da vida como a conhecia naquele momento. Com isso em mente, apanhou alguns chocolates: Twix, Kit Kat e Reese's Peanut Butter Cups.

Eva estava pegando o corredor ao lado quando sentiu o fedor de um Demoníaco. Buscou a origem do cheiro putrefato e o localizou nos adolescentes que estavam próximos aos refrigeradores. Um usava agasalho de moletom com o capuz erguido. O outro, camiseta, e tinha os cabelos despenteados. Na nuca, tinha uma tatuagem de um diamante animado. Girava, exibindo o brilho fraco e mortiço das diversas facetas.

Boquiaberta, Eva se deteve. Como se sentisse o peso do olhar dela, o rapaz encapuzado virou a cabeça em sua direção. Eva abaixou os olhos, tirando distraidamente itens desnecessários da prateleira e pondo no cesto. Continuou caminhando pelo corredor, amedrontada.

Pareça inofensiva e ocupada, ela disse para si.

— Anjo.

Eva se virou para encarar Alec, que se aproximou com passos largos. Ele pegou o braço dela e a puxou para longe do corredor e dos Demoníacos.

Eles estavam em toda parte. Como podia ter esquecido daquilo? O peso do conhecimento era esmagador.

Fingindo pensar no que comprar, Eva e Alec observaram furtivamente os dois rapazes tirarem duas bebidas energéticas do refrigerador e caminharem para a caixa registradora. A funcionária cumprimentou-os animadamente e registrou as compras deles.

A mulher não tinha ideia de com o que estava lidando.

— Você está bem? — Alec murmurou quando os adolescentes saíram da loja.

Eva fez que sim com a cabeça e respirou aliviada. — Eles só me surpreenderam.

Alec acariciou a parte inferior das costas dela.

— Sabe, o fato de ser capaz de sentir o cheiro deles é bom. Acho que ficaria aterrorizada se qualquer um pudesse ser um Demoníaco.

Alec concordou com um gesto de cabeça.

— Mas acho que meu nariz ainda não está funcionando direito — Eva afirmou. — Você sente o cheiro deles do outro lado da loja. Eu preciso chegar muito perto.

— Não senti o cheiro deles.

— Então, como você soube?

Alec olhou para ela. — Um daqueles garotos acabou de chegar ao topo da lista.

Eva demorou um pouco até entender. — Você foi designado?

— Sim. — Alec a puxou para o caixa. — Nossa estadia em Upland acaba de ficar mais complicada.

OS DEDOS DE REED deslizavam entre as coxas de Sara quando ele sentiu a primeira onda de terror de Eva. Como ondulações na água, a distância entre os dois fazia a sensação enfraquecer, mas era inconfundível.

Com os olhos fechados, Reed mantinha a testa contra a janela onde tinha imobilizado Sara. Existiam outras sensações a processar além das de Eva e da mulher em seus braços: ele tinha outros vinte Marcados sob seus cuidados, ordens do serafim e o painel de comando de Raguel.

— Provocador — Sara sussurrou, com a boca no ouvido dele.

Distraído, Reed se moveu por instinto. Abriu o sexo dela com os dedos e a acariciou. Sara gemeu. Ele sabia exatamente como tocá-la, como dar prazer a ela, como dar exatamente o que ela queria.

Sara mordeu a orelha de Reed e ele reagiu à altura. A mão que apoiava na janela se moveu para o pescoço dela. Lutou contra a vontade de apressar a transa. Tinha de mantê-la ocupada por tempo suficiente para fazer valer seu acordo. Caso contrário, ela poderia retirar os Marcados de seu comando antes que fossem postos em ação.

Agarrando Reed pela cintura, Sara se projetou contra o peito dele. O sexo era uma das poucas vezes em que um corpo celestialmente aprimorado reagia livremente. As endorfinas induzidas pelo orgasmo eram a droga recomendada para muitos, incluindo Reed.

Quando a angústia de Eva chegou ao máximo, a pele de Reed se arrepiou. O suor pontilhou sua boca e se acumulou na parte inferior das costas. A ânsia de procurá-la era tão forte que ele tremeu. Disse para si mesmo que era porque ela não fora treinada e, portanto, era muito vulnerável. Era uma reação profissional e nada mais.

— Adoro quando você treme por mim — Sara murmurou, arranhando a extensão das costas de Reed.

Ele mantinha os olhos fechados, imaginando que os tecidos sedosos arrebatados pelos dedos pertenciam a outra mulher.

Não costumo fazer esse tipo de coisa.

A voz trêmula de Eva ecoava sussurrante na mente de Reed. Ela não sabia — e ele não tinha certeza se contaria algum dia —, mas o encontro deles na escada foi mais intenso do que simples sexo animal. Ele a tinha instigado a se afastar da multidão, mas, quando ficaram a sós, não fizera nada para mantê-la ali. Não fora capaz, porque ficara muito focado nela: no cheiro dela, na sensação dela, na intensidade da fome dela. Fora o encontro mais íntimo que já experimentara na vida.

Sara gostava de sexo bruto. Ponto. O homem que lhe oferecia aquilo era irrelevante. Era da excitação e das ações que ela gostava, independentemente do parceiro. Eva, por outro lado, fora pega de surpresa pelo prazer que sentira com o tratamento dele. Fora a ele que reagira. Nenhum outro homem podia tê-la penetrado daquela maneira.

— Rápido — Sara disse, com o sexo latejando avidamente ao movimento de vaivém dos dedos de Reed. Ela soltou a cintura dele e, com afobação, a calça, que caiu no chão em torno dos seus luxuosos sapatos Manolo Blahnik.

Reed recuou o suficiente para se livrar da calça. Notou a cinta-liga e as meias de seda pretas dela. Em seguida, arrancou essas peças e a calcinha fio dental, deixando tudo cair no chão. Sara não conseguiu tirar o paletó com bastante rapidez, porque Reed a empurrou contra a janela, prendendo-a contra o vidro gelado.

O sorriso de Sara iluminou o recinto.

Houve um breve momento em que Reed pensou em apoiá-la na mesa e fodê-la por trás. Mas de outro jeito ele podia usar as memórias de que precisaria para seu desempenho.

Com as mãos atrás das coxas de Sara, Reed a ergueu. Em seguida, deteve-se, com o olhar cravado nela. — Você sabe o que fazer.

Sara pegou o membro dele e o posicionou. Simultaneamente, Reed deu um passo para a frente e a desceu, penetrando-a com determinação. O grito dela encheu o ar e energizou suas terminações nervosas. Com a ereção abraçada por um calor úmido e escorregadio, o corpo de Reed dominou o cérebro. Finalmente.

Usando seus braços e coxas, ele a movia para cima e para baixo, com estocadas profundas e ligeiras. O ruído do contato dos corpos preenchia o recinto e incitava o desejo dele. Reed se concentrava na sensação do aperto e da liberação de Sara em torno de seu membro ansioso. Aquilo o endureceu ainda mais, fazendo-o latejar com a súbita torrente de sangue na cabeça inchada de seu pau.

Sara gemia enquanto ele a preenchia e penetrava. Fisicamente, era muito bom. Ela sentiu Reed intensificar o vaivém, energizando-se em seu avanço para o orgasmo. Os testículos dele se retesaram, sua espinha dorsal se contraiu, sua respiração ofegou com o esforço. O orgasmo de Sara reverberou ao longo do corpo de Reed, banhando-o no líquido quente e cremoso da liberação. Os gemidos dela só aumentaram o prazer dele. Apesar de toda a sua beleza angelical, Sara parecia uma atriz pornô durante o sexo. Aquilo incitava o lado animal dele, deixando-o louco.

Mas não chegava nem perto do que tinha acontecido na escada.

Emocionalmente, ele e Sara estavam em continentes distintos. Ruminando os próprios pensamentos, ela mantinha os olhos fechados e a cabeça jogada para trás. A mente de Reed estava com Eva, sua energia sexual concentrada nela, sua alma direcionada para acalmar o medo que sentia por ela.

O ritmo de Reed vacilou quando sentiu Eva o alcançando de novo, um toque casto, no escuro. O espírito dela roçou o dele, de maneira tão efêmera quanto fumaça, mas o abalou. Com um rugido, ele gozou. Sara tremeu em outro orgasmo, com um grito agudo.

Ele se colocou de joelhos diante da vidraça, com Sara arranhando suas costas. Ofegou e ansiou por um banho. Desprotegido pela força de sua ejaculação, ele não estava preparado para a repentina agonia pungente que quebrou sua conexão com Evangeline.

Um de seus Marcados estava morrendo.

Reed gemeu de aflição e se afastou de Sara. A dor e a tristeza irradiavam dele com calor incandescente. Sua pele brilhou com o esforço de conter o arauto relativo ao Marcado sob sua responsabilidade — um grito visceral por ajuda que era tão poderoso que às vezes era sentido pelos humanos. Alguns chamavam de sexto sentido. A sensação de algo estar "errado" ou "incorreto", sem saber o quê.

— Takeo — Reed disse, referindo-se ao Marcado sob sua responsabilidade. Ele tinha esperando muito tempo para pedir ajuda. Reed conseguia sentir o poder da marca escapando do Marcado. Era uma sensação dolorosa de perda, amplificada por meio de Reed e transmitida para a empresa. A morte de um Marcado era uma notícia transmitida pela alma, não pelas linhas de comunicação seculares. Quando a força do arauto o abandonou, Reed desmoronou para a frente, em busca de ar.

— Preciso ir — ele disse, ofegante.

— Você não pode salvar seu Marcado. — O rosto adorável de Sara estava corado, sua boca estava vermelha e inchada, ainda que ele não a tivesse beijado. — E, se for embora antes de acabarmos o que começamos, não poderá salvar a garota.

— A garota? — Reed perguntou, pegando sua calça.

— Evangeline — Sara disse. — Você acha que uma mulher não sabe quando o homem com que ela está transando está pensando em outra?

— Sara... — Reed advertiu, cerrando os punhos.

— É muito tarde para salvar Takeo e você sabe disso. Só quer aliviar sua culpa consolando o Marcado nos momentos finais dele. — Sara espetou uma unha perfeitamente pintada de vermelho no peito de Reed. — Quero que você viva com essa culpa. Quero que lembre que falhou porque estava envolvido com a namorada de seu irmão.

Reed deu um tapa nela e disse: — Você não sabe do que está falando.

Sara riu e esfregou a marca vermelha deixada pela palma da mão dele. Então, abriu bem as pernas, revelando as dobras rosadas resplandecentes de seu sexo. — Mãos à obra, antes que eu decida que você não vale o incômodo.

— **COMO VOCÊ RECEBEU A DESIGNAÇÃO?** — Eva perguntou, enquanto Alec a conduzia rapidamente pelo estacionamento.

— A marca latejou e, depois, queimou — Alec revelou. — Dê as chaves do carro para mim.

Eva obedeceu. — Como quando você mente? — ela perguntou.

Ele lhe lançou um olhar de relance. — Eu não minto.

— Eu menti e a marca queimou.

Alec deu uma risada sardônica.

— Também queimou quando entrei no apartamento da senhora Basso — ela revelou. — Foi o que deu a energia para eu quebrar as fechaduras.

Sua boca se estreitou. — Eu sei. Quando a marca queima é como um bilhete do oficial da condicional dizendo que você não apareceu.

Alec destrancou a porta do carro para Eva, contornou o veículo até o lado do motorista e embarcou.

— Você não contou a coisa da porta para o Gadara — Eva disse, acabando de constatar aquilo.

Alec colocou a sacola de compras no colo dela. Eva a deixou no chão do carro, entre suas pernas. Quando se endireitava, foi tomada por uma súbita torrente de calor. A sensação pareceu quase como a de um cobertor em seus ombros. Um cobertor que cheirava claramente como Reed.

— Quero ver se Abel fala alguma coisa. — Alec deu a partida e saiu do estacionamento. — Foi ele que acionou sua marca. É parte de seu trabalho como encarregado.

Eva observou Alec manobrar no trânsito, ainda processando o rápido sumiço do medo. Uma hora ela estava aterrorizada, na outra, se sentia protegida.

Como se fosse orientado por radar, Alec rapidamente achou os dois rapazes andando por uma rua secundária e ficou a uma distância segura atrás deles.

— O que isso significa? — Eva perguntou. — Reed sabia algo a respeito da senhora Basso?

— Os encarregados não têm, necessariamente, conhecimento dos detalhes de um crime. Em geral, só sabem que tipo de demônio é o alvo e que Marcado em seu grupo está próximo e é qualificado.

— Bem, não se pode estar mais próximo do que no apartamento ao lado.

— Nem ser menos qualificada do que uma novata não treinada — Alec afirmou, bufando. — O trabalho de Abel é designar o caçador mais capaz para cada caça específica, mesmo que isso signifique que o Marcado tenha de viajar, como nós viajamos hoje.

Eva apoiou as mãos nas pernas. — Depois que um Marcado é designado, outro pode se intrometer?

— Outro Marcado não recebe o mesmo chamado.

Reed o reservou para mim.

O calor floresceu no peito de Eva, o que a assustou. Ela ficou grata por ter a chance de matar. O que isso a tornava? Além de homicida?

— Raguel não sabia que Abel tinha designado você para o Nix — Alec prosseguiu. — O que significa que está agindo por conta própria.

— Os encarregados trabalham para os líderes de diversas empresas?

Alec fez um gesto negativo com a cabeça. — Eles trabalham para uma empresa. Mas são quase autônomos. São *mal'akhs* — anjos —, de modo que têm pleno uso de seus dons. Podem encaminhar missões como quiserem.

— Talvez Reed não confie em Gadara.

— Talvez Raguel mereça o benefício da dúvida e meu irmão esteja escondendo alguma coisa — ele afirmou. — Mas acho que você não deve pensar nisso.

— Ei! — Eva se moveu no assento, ajustando o cinto de segurança para se sentir mais confortável. — Não fique puto.

— Raguel é um arcanjo, Eva. Seu amor por Deus é absoluto.

— Não acredito nisso, sinto muito. Não vi um pingo de compaixão naquele cara. Um monte de interesse próprio e papo furado, mas amor e compaixão? De jeito nenhum.

— E você viu amor e compaixão em Abel? — Alec zombou. — Quando isso aconteceu exatamente? Quando ele estava transando com você à força na escada? Ou quando nem pensou no seu treinamento e a designou para um demônio que quer matar você?

Alec encostou o carro pouco antes de um beco sem saída. A placa da avenida indicava seu nome: Falcon Circle. Os rapazes tinham entrado no beco apenas um minuto antes. Eva pulou do carro antes que parasse totalmente. Ela prosseguiu a pé, sentindo raiva e frustração. Do lado esquerdo da avenida, as ruas eram abertas. Do lado direito — por onde ela estava caminhando — todas as ruas eram becos sem saída que acabavam em um campo pequeno, com um bosque além dele.

Enquanto continuava caminhando, Eva escutou o motor ser desligado e a porta do carro abrir e fechar. Quando chegou à esquina, ela se deteve e viu os dois adolescentes entrarem em uma casa no fim da rua. Tinha dois andares, e telhado bem arqueado. No quintal, havia um triciclo que tivera melhores dias e um gramado com áreas sem vegetação e canteiros infestados de ervas daninhas. Um carro coberto situava-se em um lado da entrada da garagem, enquanto o lado adjacente estava manchado por causa de um vazamento de óleo.

O dia estava claro e ensolarado, mas uma árvore coberta de folhagem sombreava a casa e a mantinha na penumbra. A residência era deprimente, sobretudo em meio às outras casas, que exibiam sinais do orgulho e cuidado dos donos. A presa de Alec vivia na monstruosidade da vizinhança, e o ar de decadência e negligência arrepiou Eva.

— E agora? — ela perguntou quando Alec se pôs ao seu lado.

— Agora, vou esperar até o momento certo. Eu saberei quando ele chegar.

— Você pode me dizer o que vamos fazer? Você recebeu o chamado… Eu recebi o chamado… Nós dois recebemos o chamado. Quanta bosta Deus ainda vai jogar em nós?

— Ele não sabe o que está acontecendo, anjo.

Eva bufou. — O Criador que tudo vê e que tudo sabe não tem a mínima ideia?

— Ele escuta, mas não vê.

Eva abriu a boca para discutir, mas logo lembrou que Deus não soubera que Alec tinha matado seu irmão. Tivera de perguntar para descobrir. — Então, talvez você deva dizer a Ele para nos dar um tempo.

— Em geral, o único trabalho de um mentor é ensinar. Como Raguel disse, uma vez que uma equipe de mentor e Marcado é criada, eles se tornam inseparáveis até o Marcado ser capaz de atuar sozinho. — Com um gesto impaciente de mão, Alec indicou um retorno para o carro. — No meu caso, Deus não estava disposto a me perder como unidade individual. Eu disse a Ele que faria os dois trabalhos simultaneamente. Era a única maneira de ficar com você.

A mágoa de Eva desapareceu em um piscar de olhos. — Alec...

— Isso não explica por que Abel está dando missões perigosas a você antes de estar pronta, ou por que Raguel não sabe disso.

— Você não confia nada em seu irmão.

— Não. Para isso, teria que ver Abel se importar com algo além de si mesmo.

— Não é como a história é contada, sabe?

Alec lançou um olhar sarcástico para ela. Ele abriu a porta do passageiro e esperou que Eva entrasse. — Eu sei.

— Então me conte o que aconteceu. Por que vocês continuam brigando depois de todos esses anos? — Eva teve de esperar que Alec se acomodasse no assento do motorista. Embora isso tivesse levado menos de um minuto, pareceu uma eternidade.

Ele deu a partida e manteve o olhar à frente. — Pelo que os homens brigam?

— Território, bens, mulheres.

— Isso.

— E por qual dessas coisas vocês brigaram?

Alec colocou o carro em movimento, pegando o caminho pelo qual tinham vindo. — Todas.

RAGUEL VOLTOU PARA A SUÍTE da cobertura do Mondego Hotel, em Las Vegas, que era seu. Fora um longo dia e, mesmo que já fossem seis da tarde, ainda estava longe de acabar. A burocracia envolvida na reforma de um hotel era desencorajadora e exaustiva. Foram meses de reuniões e pilhas de licenças requeridas. Em breve, precisaria da ajuda da senhorita Hollis para continuar. Isso daria bastante tempo para que trabalhassem juntos e criassem um vínculo; o que lhe permitiria controlar Caim.

Por pouco tempo, Raguel notou a vista panorâmica proporcionada pelo paredão de janelas à sua frente. Depois, dirigiu sua atenção à mesa situada no canto.

— Relatório — Raguel ordenou para a secretária que o esperava ali. Kathy Bowes usava calça preta e suéter de gola rolê branco, e parecia tão jovem quanto na época em que fora marcada, na tenra idade de catorze anos. Foi mantida perto de casa para aumentar assim suas chances de sobrevivência. Havia mais de um jeito de matar um demônio, alguns Marcados eram mais apropriados para tarefas mais seguras do que para a caça.

A secretária ficou de pé e leu o que estava escrito em um bloco de papel em suas mãos. — Três Marcados perdidos hoje. Dois Marcados adquiridos. Possível descoberta de uma nova raça de Demoníacos. Uriel ligou e gostaria que o senhor ligasse de volta...

Raguel fez cara feia e disse: — Três Marcados? Quem eram os encarregados?

— Mariel perdeu a mentora de uma equipe e uma Marcada para um Demoníaco que ela não identificou...

— É a possível descoberta de uma nova raça?

— Sim.

Gadara afrouxou o nó da gravata. — Quero o relatório completo de Mariel.

— A gravação está em sua mesa.

— Quem mais?

— Abel perdeu um.

— Quem? — Raguel perguntou, preocupado.

— Takeo, ex-membro da Yakuza, da família Yamaguchi-gumi. Ele era muito bom. Quarenta e sete assassinatos.

O arcanjo sentiu grande alívio, mas aquilo o lembrou de que estava correndo um grande risco. A perda de Evangeline Hollis criaria um inimigo poderoso: Caim. Isso comprometeria séculos de trabalho. No entanto, as possíveis recompensas valiam o risco.

Raguel sabia que a srta. Hollis precisava ganhar confiança em suas habilidades, apesar de Caim, não por causa dele. Observações feitas a respeito dela revelaram que era ambiciosa e determinada. A tutoria de Eva por Caim fora algo que Raguel não estava esperando, mas, para ele, ainda era possível que ela alcançasse uma identidade distinta de seu mentor.

Os sete arcanjos eram incumbidos do treinamento dos novos recrutas Marcados. Eles se revezavam nos deveres em prol da equidade. Durante sete semanas por ano, cada arcanjo tinha liberdade para utilizar seus poderes no processo de treinamento. De propósito, Raguel atrasara o treinamento da senhorita Hollis, para que caísse em seu turno. Ele lhe daria um nível de atenção que jamais concedera a qualquer outro Marcado. Um vínculo se formaria de modo orgânico. Raguel tencionava que ela se associasse completamente a ele, ficando mais próximo de si do que de seu mentor e de seu encarregado.

Caim reagiu ao estresse com agressão; sempre reagira dessa forma. Ao mantê-lo irascível e desprevenido, Raguel fomentaria a tensão entre ele e a srta. Hollis. A paixão evidente de Abel pela mulher do irmão ajudaria. Ela não poderia ter os dois e a oscilação entre ambos impediria que uma ligação profunda fosse criada com um ou outro.

— O relatório de Abel também está na minha mesa? — Raguel perguntou.

— Ele ainda não o apresentou. Somente o arauto chegou.

O arcanjo franziu a sobrancelha, em sinal de desaprovação. Abel era infalivelmente pontual com seus relatórios, que eram gravações de voz feitas na cena, que, posteriormente, eram transcritas em rolos de pergaminho celestiais, para consulta futura. Embora alguns encarregados precisassem de tempo para absorver a perda de um Marcado, Abel encontrava consolo no ato de testemunhar o sacrifício do Marcado por consideração divina. Alguns Marcados eram perdoados por suas transgressões, independentemente do número de indulgências auferidas.

Raguel se dirigiu ao seu escritório. Rapidamente, ele se livrou dos diversos itens que haviam sido deixados sobre sua mesa para exame e aprovação. Folheou diversos layouts de anúncios para seus diversos empreendimentos, detendo-se brevemente nas duas opções de convites para a inauguração oficial do Olivet Place. Felizmente, o Tengu fora derrotado antes da inauguração. Em seguida, pegou o disco intitulado Mariel.

Mas algo o incomodava.

— Senhorita Bowes! — ele gritou.

— Sim?

— Confirme o paradeiro de Caim e da senhorita Hollis.

— Claro, senhor. Vou fazer isso imediatamente.

EVA JAMAIS PENSOU QUE FICARIA FELIZ em se hospedar num Motel 6. Ela era muito mais sofisticada. Mas, naquele exato momento, considerava o minúsculo quarto perto da Highway 10 a suíte da cobertura do Mondego.

Eva desembarcou do Ford Focus e se alongou. Um efeito colateral da liberação de adrenalina da marca era a sensação prolongada de inquietação física. Para se recuperar emocionalmente, porém, só precisava de cinco minutos comendo chocolate.

Depois de tirar a chave do bolso, Alec destrancou a porta do quarto do motel. Eles entraram. Era pequeno, mais ou menos do tamanho do banheiro de hóspedes do apartamento de Eva. As duas camas mal cabiam ali, com a cama mais afastada da porta encostada na parede do banheiro e a outra, a mais próxima à porta, quase junto ao ar-condicionado. A decoração era clássica de motel — colchas estampadas ocultando manchas, papel de parede indefinido e um pôster de uma praia acima das cabeceiras. Havia um frigobar ao lado da penteadeira e da pia, convenientemente situada fora do banheiro, ainda que isso não contribuísse para a beleza do quarto.

Alec pôs as chaves e as compras perto da televisão e colocou os óculos escuros sobre a testa. Reclinou-se contra a penteadeira e cruzou os braços.

Eva se sentou na beira da cama perto da porta. — Pode me passar um Kit Kat?

Alec pegou a sacola, investigou seu interior e riu. — Caramba. O que você comprou?

Pensou no que tinha acontecido na loja. — Não tenho certeza. Pirei por um instante.

Alec esvaziou o conteúdo sobre a outra cama. Eva ficou de pé e examinou a compra.

— Detergente antibacteriano? — Alec apontou, admirado. — Aromatizador de ambiente. Toalhinhas umedecidas. Duas caixas de gelatina em pó sabor limão. Presunto. Lenços umedecidos.

Eva pegou um pacote de Kit Kat e o telefone celular, arrumou os travesseiros sobre a cama e se recostou. Pouco depois, estava mastigando o que considerou o maná do deus de alguém. Em seguida, pôs o carregador do celular na tomada situada na base da luminária do criado-mudo. Então, ligou para os pais.

O telefone tocou três vezes antes de atenderem.

Eva deu um suspiro de alívio. — Oi, mãe.

— De onde você está ligando? — Miyoko perguntou. — O identificador de chamadas não reconhece o número.

— É uma longa história. Tudo bem com você?

— Comigo, sim. Mas com seu pai, não. Ele está bravo.

Isso provavelmente queria dizer que ele estava chateado. Seu pai jamais erguia a voz, jamais perdia o controle. — Com o quê?

— Cortaram a água e começaram a escavar o jardim. Precisam consertar um vazamento. Eu disse que era hora de trocar a grama do jardim mesmo.

Eva sorriu, aliviada que o sistema de marcas tivesse agido tão prontamente. — Ele tem que ver o lado bom — ela sugeriu. — A conta de água vai ficar mais barata este mês.

— Seu pai disse que vou gastar todas as nossas economias no novo jardim, então não vai adiantar.

O amor da mãe por jardinagem e *feng shui* levou ao desejo por um caminho de pedra sinuoso, ladeado por canteiros de flores. O pai, por outro lado, achava que um caminho de cimento reto estava muito bom.

— Mas ele vai se conformar — Miyoko disse. — Quer vir jantar?

— Hoje à noite, não posso.

— Tem um encontro?

Eva riu baixinho. — Que nada! Preciso trabalhar.

— Isso é bom. Uma mulher deve ser sempre autossuficiente...— O pai de Eva disse algo no fundo. — Seu pai está mandando os parabéns pelo novo emprego.

— Agradeça por mim. Vocês não vão sair hoje, vão?

— Não. Por quê?

— Por nada. Tenho de ir agora, mãe. O número deste telefone aparece no seu identificador de chamadas?

— Sim. Só não aparece o nome.

— Tudo bem. Ligue se precisar.

— Eva-san... — A voz dela assumiu um tom de preocupação. — Você está bem?

— Sim. Tudo bem. Só que há muito coisa acontecendo ao mesmo tempo.

— Tome suas vitaminas — Miyoko advertiu. — Caso contrário, vai ficar doente. O estresse enfraquece seu sistema imunológico.

— Pode deixar. Converso com você mais tarde. — Eva desligou e observou o telefone por algum tempo.

— Eles estão bem? — Alec perguntou.

Ela fez que sim com a cabeça e mordeu uma barra de Twix.

— Quero visitar a Geena — Alec disse. — Você está disposta?

Eva toparia qualquer coisa que a ocupasse, de modo que não ficasse pensando em como sua vida estava ferrada. — Então, por que voltamos para cá?

— Uma pausa para o banheiro.

— Certo. — Eva mastigou o chocolate com gosto.

Alec cruzou os braços, fazendo sua camiseta se esticar ao redor dos bíceps, de uma maneira que fez o chocolate derreter na mão de Eva. Enquanto ela lambia as pontas dos dedos, ele a observava com uma expressão cautelosa. — Estamos brigados?

Eva deu de ombros. — Só estou esperando que você termine de explicar a coisa com seu irmão.

— Não quero falar dele.

— Tudo bem.

Alec bufou. — Não quero falar dele com você.

— Saquei.

Eva virou a cabeça para olhar pela janela. O som da rodovia próxima se misturava com o do sangue circulando em suas veias. Ela respirou fundo e sentiu o cheiro familiar de Alec um instante antes de ele se aproximar e a prender na cama.

— Oi — Alec murmurou, colocando os óculos escuros sobre o criado-mudo entre as duas camas.

— Hum? — Eva olhou para ele, admirando a mecha de cabelo sobre sua testa. Cada parte dela latejou ao sentir sua ereção. Determinada a se controlar apesar da proximidade dele, Eva enfiou outro Twix na boca.

Alec abaixou a cabeça e mordeu a extremidade do chocolate. Ela o viu transformar a mastigação em uma carícia preliminar, com o aperto firme do maxilar dele proporcionando uma visão surpreendentemente erótica.

Eles engoliram em sincronia. As bocas se abriram em conjunto. Então, a língua de Alec começou a acariciar a dela. Eva tremeu debaixo dele. Tensão sexual e chocolate: poderia haver algo mais divino? Alec levou a mão à cintura de Eva e a prendeu, seus quadris descendo entre as coxas dela depois que as abriu.

Eva o abraçou e o puxou para mais perto. O corpo de Alec cobriu o dela, seu calor e sua força se tornando de Eva.

— Desculpe — ele murmurou.

Eva não sabia por que ele estava pedindo desculpas. Por sua concisão? Ou por tudo?

Enfiou seus dedos nos cabelos espessos e sedosos dele. Era tão bom ser agarrada. Uma lágrima rolou do canto de seu olho e, em seguida, outra. As lágrimas que estavam presas desde a descoberta do corpo da senhora Basso naquela manhã.

Alec se virou, ficando de costas na cama, e a levou com ele. Colocou-a sobre seu corpo, sussurrando palavras reconfortantes. Na mente de Eva, outra alma tocava a sua. Ela não sabia se era a de Reed, mas não importava. Encontrou consolo na sensação evanescente.

Juntos, os dois irmãos lhe davam o breve alívio de que precisava.

18

REED RECUOU DAS UNHAS QUE ARRANHAVAM SUAS COS-
tas. Ele levantou, com a testa e um braço encostados na parede do chuveiro, e o outro caído de lado. O vapor serpenteava em torno dele e a água quente escorria ao longo de sua coluna.

— Deixe-me em paz — Reed resmungou, o lábio inferior latejando por causa de uma dentada de Sara.

— A equipe está pronta para a ação — ela afirmou. — Estão esperando em Ontario, na Califórnia.

Sara estava mansa e um tanto arrependida. Não importava. Naquele momento, ele a odiava, odiava como o fizera se sentir a respeito de si próprio, odiava que tivesse visto os motivos que não queria reconhecer. Mas, principalmente, odiava que Eva estivesse sofrendo e ele tivesse sentido isso enquanto penetrava fundo em outra mulher.

Reed não devia se importar com Eva. O que sabia a respeito dela?

Infelizmente, isso não servia para nada. Caim não sabia nada além do que Reed sabia, mas a amava.

Ele desligou o chuveiro e aceitou a toalha ofertada por Sara. Ela usava um robe de seda branco curto e seus cabelos loiros platinados pendiam soltos sobre seus ombros. Não podia parecer mais angelical. — Você está realmente preocupado com ela.

— Você deveria se concentrar menos nela e mais na causa da preocupação.

— Estou concentrada — Sara replicou. — Por isso eu vou me associar a você.

— Até parece. — Reed enxugou a cabeça com a toalha.

— Ponha-se no seu lugar.

Jogando a toalha no chão, ele passou por Sara e foi até o escritório dela. Pegou suas roupas e se vestiu. Não fazia sentido discutir. Reed tinha o controle sobre seus dons. Os arcanjos, porém, pagavam o preço pelo uso de seus poderes. Ele podia voltar para a Califórnia em um piscar de olhos. Sara tinha um longo voo pela frente.

— Quero que você viaje comigo — ela afirmou.

Reed olhou para Sara e sorriu.

Ela endureceu o olhar. — Formávamos uma boa dupla.

— De vez em quando.

— Então, por que está tão distante?

— Você me manipula, Sara. — Reed dirigiu-se ao minibar e utilizou sua superfície como espelho para ajustar a gravata. — Sou só um objeto para você.

— Você também me usa.

— Tem razão. — No passado, Reed fora tolo o bastante para achar que ela poderia ajudá-lo a conseguir sua própria empresa. Ele tinha pensado que poderiam trabalhar juntos e, portanto, ser duas vezes mais fortes. No entanto, descobriu que: não só Sara jamais permitiria que seu jovem amante alcançasse envergadura semelhante, como também não queria concorrência. Talvez mais do que seus seis colegas, ela enxergava os outros arcanjos como obstáculos em seu relacionamento com Deus. — Nós dois tiramos algum proveito disso — ele afirmou.

— Então, por que ela e não eu? — Sara perguntou.

Reed olhou para o reflexo dela. — Você não me ama — ele zombou.

— Não estou falando dos meus sentimentos. Estou falando dos seus.

Ele deixou escapar uma risada. Voltou-se para ela: — Não amo Evangeline.

— Mas você a quer — Sara afirmou, semicerrando os olhos para observá-lo atentamente.

— E você teve um caso com Caim no passado. — Reed pegou os braços dela através da seda do robe, acariciando-a ritmicamente. — Eu uso isso contra você?

Sara pôs as mãos na cintura dele. Reed a soltou, recuando. Vestiu o colete e o paletó e, em seguida, calçou os sapatos. — Não vamos complicar as coisas mais ainda.

— Poderia ser extremamente simples — Sara afirmou. — Poderíamos trabalhar juntos.

Reed parou de abotoar seu colete. Por que ela ofereceria ajuda naquele momento, se não tinha oferecido antes? — Fazendo o quê?

— Afastando Caim de Raguel. — Sara cruzou os braços. — Isso deixaria o campo aberto para você.

Caim. Claro. Reed cerrou os dentes. Raguel não teria mais uma grande vantagem em relação a Sara sem ele.

— Vou pensar a esse respeito — Reed afirmou. Em seguida, foi até Takeo.

DIANTE DO ESPELHO DA PIA, Eva molhou o rosto, mantendo o olhar fixo em seu próprio reflexo. Era mais seguro do que olhar através da porta aberta do banheiro, onde Alec tomava banho. Eles pegaram o quarto sem banheira, porque era mais barato. Eva não tinha imaginado que no lugar haveria um box de vidro.

— Anjo?

Ela apoiou os dedos no balcão. — Sim?

— Pode me trazer uma toalha de rosto?

Eva olhou para o porta-toalhas na parede perto dela. Puxando uma toalha de rosto enrolada, respirou fundo e entrou no banheiro. Alec estava com as mãos na cintura. Ele a encarou, exibindo um sorriso sacana. Cercado pelo vapor e pingando, era a encarnação das fantasias sexuais mais quentes dela. Eva sentiu o desejo tomar conta, crescendo a cada segundo.

— Você é muito safado — comentou, passando a toalha de rosto para ele.

Alec deu uma piscadela e a pegou. — Não quer se juntar a mim?

227

— Tomei banho pela manhã — Eva respondeu, colocando uma mão na cintura. — Além disso, nossas transas duram horas e não temos esse tempo agora.

— Uma rapidinha?

— Também sou uma marcada, se você esqueceu. — Eva abriu a porta de vidro do box. Ela o tocou com reverência, acariciando um mamilo dele com as pontas dos dedos. O gemido de Alec a fez sorrir. — Eu poderia transar com você durante dias e chamar de rapidinha.

Alec pegou a mão dela e a beijou. — Então, vamos deixar para a próxima.

Depois de dar as costas para ele, Eva voltou para o quarto. Guardou as coisas que tinham comprado e que estavam espalhadas sobre uma cama. Isso levou cerca de meio minuto. Em seguida, deitou e olhou demoradamente para o quarto.

— Uma emboscada. — Eva estendeu a mão para a gaveta do criado-mudo. Como esperava, havia uma Bíblia ali dentro. Com um suspiro de resignação, Eva a tirou. Por um lado, sempre acreditara que a Bíblia era um livro de ficção, ou, no mínimo, com bastante coisa inventada. Mais fábulas do que verdades absolutas. Por outro, era difícil negar o conjunto quando parte dele estava pelado debaixo do chuveiro.

Estendeu a mão para fechar a gaveta. Deteve-se ante a visão do cartão-postal dentro dela. Era do motel, gasto pelo manuseio frequente e exibindo uma foto tirada há muito anos, se os carros na imagem fossem uma indicação. No entanto, não foi isso que chamou sua atenção.

Alec saiu do banheiro assobiando. Tinha uma toalha em torno da cintura e secava os cabelos com outra.

— Ei — Eva disse. — Nunca descobrimos o que era aquele convite que recebi para o prédio do Tengu.

Alec abaixou os braços.

— E você nem comentou com Gadara — Eva prosseguiu.

— Não estou acostumado a partilhar detalhes com alguém.

— Tem certeza de que não é porque você não confia plenamente nele?

— Tenho.

Ela franziu o nariz. — Tudo bem. Só estou desempenhando o papel de advogada do diabo...

— Samael não precisa de ajuda. — Alec jogou uma toalha sobre a cama e, em seguida, atirou a que estava ao redor de sua cintura no chão.

Eva olhou para a janela, imaginando se a cortina de tecido fino realmente oferecia alguma privacidade. Durante o dia, era opaca, mas já estava escurecendo e as luzes do quarto estavam acesas.

— E se Gadara articulou a coisa do Tengu? — Eva sugeriu.

— Por quê? — Ele vestiu uma cueca tipo boxer. Eva deu um sorriso. David Beckham não teria um contrato com a Armani se os publicitários tivessem visto Alec de cueca.

— Para me manter fora do treinamento.

— Por que ele faria tudo isso para que você permanecesse destreinada? Ninguém se beneficia com isso.

— Você tem uma ideia melhor?

— Talvez um Demoníaco disfarçado.

— Por quê? Seria um tanto burro chamar a atenção, você não acha?

— A menos que quisesse você fora de cena. Os mortos não revelam segredos.

— Você está me dizendo que as pessoas no Céu não confessam nada?

— Você é agnóstica, anjo. Tem certeza de que é para lá que iria?

— Puxa! — Eva exclamou, piscando.

Ele levantou as duas mãos em uma postura defensiva. — Só estou explicando. Um Demoníaco pensaria da mesma forma.

— O postal foi expedido um dia antes do dia em que fui marcada. Um tempo muito curto, não? Por que usar o correio? Não teria sido mais seguro colocar debaixo da minha porta ou algo assim?

— Bom argumento — Alec afirmou, vestindo o jeans.

— Tudo vem. Vamos seguir sua ideia. Eu sou inofensiva. Então, os Demoníacos não estavam atrás de mim. Na verdade, queriam chegar até você. Como sabiam que eu seria marcada? Como eles sabiam que Deus tinha aceitado que você se tornasse meu mentor? Independentemente de quem — um Demoníaco disfarçado ou Gadara —, só pode ser um trabalho interno.

— Ou um mistério. — Alec se endireitou. Os pelos em seu peito e abdômen ainda estavam úmidos. Eva combateu o desejo de lambê-los como um picolé. — Não esqueça: os Marcados estão tentando salvar a própria alma.

Eva sorriu. — Eu não disse que foi um Marcado. Mas então você considera possível.

— Eu disse isso?

— Estou aprendendo a ler nas entrelinhas com você. E se for como os Demoníacos trabalhando para Gadara? Satã precisa ter algo a oferecer, certo? E os Marcados são pecadores, não pilares da sociedade.

—Estou acompanhando. Mas aonde você quer chegar? — Alec perguntou, vestindo a camiseta.

— Só estou especulando.

— Não sou um pensador especulativo. Preciso de fatos e provas.

— Sou uma pensadora criativa. Gosto de explorar todas as possibilidades.

— Certo. — Alec cruzou os braços. — E se Deus a enviou para aquela igreja por algum motivo? E quem sabe o motivo envolvesse descobrir que os Demoníacos estavam se disfarçando? Afinal de contas, você foi ali antes de ver o convite.

Ela franziu o nariz. — Cadê os fatos dessa teoria?

— São espirituais.

Alec sentou na cama e estendeu a mão para pegas as meias. Mudou de lugar, tirando a toalha molhada de debaixo de seu corpo e a jogando no canto, sob a pia.

— Você não sabe que não deve colocar toalhas molhadas sobre a cama? — Eva perguntou, ironicamente. Ela abaixou os olhos. — Ou no chão?

— É uma coisa de homem.

— Não acho. É uma coisa de Alec.

— Você nunca teve um namorado que deixava as toalhas por aí? — Alec perguntou, rindo.

— Não.

— Mentira.

— É verdade — Eva disse, também rindo.

— Bom, então, você nunca morou com um homem.

— Com pais como os meus? Você está brincando? — Eva fez um gesto negativo com a cabeça. — Meu pai é sossegado, mas tem valores antiquados. E minha mãe é fã de carteirinha de programas de TV moralistas e conservadores. Morar junto antes do casamento é algo impensável em minha família.

Sorrindo, Alec ficou de pé e estendeu a mão para ajudá-la a se levantar. Ela aceitou. Em seguida, virou-se para colocar a Bíblia na sacola com as compras. Ela iria levá-la consigo para passar o tempo, e a última coisa de que precisava era que um funcionário do motel pensasse que estava roubando.

Alec fechou as cortinas blecaute e se dirigiu para a porta. — Pronta?

— Prontíssima.

— **O QUE VOCÊ QUER DIZER** com "eles sumiram"? — Raguel vociferou, encarando a srta. Bowes do outro lado da mesa.

— Desculpe. — Ela transferiu o peso de um pé para o outro. — Eu me expressei mal. Eles abandonaram o carro em um centro comercial na beira da estrada. Em uma locadora de veículos próxima, reconheceram as fotos deles. Então, sabemos que não estão a pé.

— Claro que não estão a pé! Eles foram para Upland. Só queriam privacidade até chegar lá. — Aquilo enfureceu Raguel ainda mais. Eles não podiam se tornar uma unidade independente. — Abel sabe onde eles estão.

— Ele não apareceu mais.

Raguel enviou uma ordem através das linhas de comunicação celestiais existentes entre os arcanjos e os *mal' akhs* abaixo deles. Não teve resposta. — Entre em contato pelo celular dele.

— Eu tentei. Cai direto na caixa postal.

O arcanjo se pôs de pé e saiu de detrás da mesa. A secretária recuou, cautelosamente.

Raguel disse a si mesmo que os três — Caim, Abel e Eva — não podiam trabalhar juntos. Havia muita hostilidade entre os dois irmãos. No entanto, o que explicaria o fato de todos estarem fora do alcance do radar ao mesmo tempo? O que estariam planejando? Não podia se permitir a perda do controle da trindade. Precisava deles para atingir seus objetivos.

Por certo tempo, Raguel considerou a possibilidade de utilizar seus dons para encontrá-los. Mas, no fim, resistiu. Ele já tinha transgressões suficientes para pagar e existiam outras maneiras de obter a informação de que precisava. Embora Abel o estivesse ignorando naquele momento — um desvio de comportamento que aumentou seu nível de alerta —, os outros encarregados não estavam.

— Vou mandar Mariel atrás de Abel — Raguel afirmou, passando a mão em seus cabelos curtos e secos. Ele tinha tingido de grisalho cerca de cinco anos antes, para simular o envelhecimento humano.

— Sim, senhor.

A srta. Bowes deixou o recinto em um piscar de olhos, e Raguel se dirigiu para a janela. Com os olhos abaixados, ficou observando a Las Vegas Strip abaixo. A Cidade do Pecado. Um foco de iniquidade. E ele estava aprisionado ali, naquele mundo, levando uma vida que não era sua, trabalhando para salvar a alma dos homens, pois Deus os tinha em alta estima. Eram pequenos e frágeis, mas Ele os adorava e os considerava Sua maior criação. Por causa dos homens, Ele travava uma guerra secreta contra os Caídos; um conflito tão profundo que nenhuma ondulação afetava sua superfície lisa. O Senhor jamais traria a questão à tona. A devoção era mais poderosa quando vinha da fé, e não da prova absoluta.

Assim, Raguel lidava com a situação por conta própria. Passo a passo. Planejando e manobrando cuidadosamente. Quanto antes viesse o Armagedom, melhor. Ele tinha certeza de que o Senhor apreciaria a trama, uma vez que estivesse totalmente encadeada. Era, afinal de contas, incrivelmente inteligente.

Caim e Abel tinham ativado a cadeia de acontecimentos lutando até a morte por uma mulher. Era adequado que os dois provocassem o fim dos dias.

A LUA ESTAVA ENCOBERTA pela copa das três árvores acima dele, mas Reed, com sua visão aprimorada, não tinha dificuldade de enxergar na escuridão. Ele se movia através da floresta do Kentucky como uma assombração, ligeiro e silencioso.

Suas veias ainda pulsavam com a força do arauto de Takeo, enviado horas antes. O nome significava "guerreiro", em japonês, e era apropriado. Fora um Marcado perfeito; seu treinamento como assassino da Yakuza fora muito útil. Reed já sentia sua falta e sabia que sentiria por vários anos. Nenhum dos outros Marcados de sua equipe eram tão bons em matar fadas. Por isso, sua morte o tinha impactado tanto. A missão que dera a Takeo fora simples: matar uma fada encrenqueira.

À sua direita, um galho fino quebrou e Reed se deteve. A floresta estava extremamente quieta, com exceção desse único ruído; sinal claro de que a natureza fora seriamente perturbada.

— Abel. — Era uma voz feminina familiar.

— Mariel. O que está fazendo aqui?

A *mal"akh* surgiu por trás de uma árvore próxima. Embora a noite furtasse a cor de tudo, Reed sabia que seus cabelos eram ruivos e que seus olhos eram verdes. Ela usava vestido com estampa floral, jaqueta jeans e botas, e tinha um ar opressivo de melancolia.

— Raguel me mandou procurar você. Muito provavelmente como punição por eu ter perdido dois Marcados hoje.

— Sinto muito.

— Eu também. — Ela se virou e indicou a direita. — Por aqui.

Reed a seguiu até a beira de uma clareira. Mariel se deteve e ele parou ao lado dela. Sentiu um calafrio percorrer a espinha que não tinha nada a ver com a temperatura.

A clareira não era natural. Algumas árvores antigas tinham sido cortadas, e os troncos haviam sido fixados no chão, criando uma superfície plana. A brisa noturna soprava, assobiando sinistramente através dos galhos e ramos, agitando o que estava grudado aos troncos e à relva. Ostentava as marcas coloridas da *irezumi*, uma tatuagem japonesa feita à mão.

— Meu Deus! — Reed exclamou, retrocedendo. — Isso é pele?

Piscando, ele ajustou as membranas nictitantes, que melhoravam a visão noturna. O prateado e o negro da visão iluminada pela lua se converteram em cores vivas.

Vermelho como sangue. Em todos os lugares. Sobre cada folha, sobre cada centímetro de casca de árvore, ao longo de todo o caminho para o firmamento. Como se Takeo tivesse explodido, espirrando partes de seu corpo da terra ao céu.

— O que aconteceu aqui? — Reed perguntou depois de pigarrear. — Quem fez isso?

Como se em resposta, uma coruja arrulhou seu pesar. Um lobo uivou em tormento e foi rapidamente seguido por outros da alcateia. À medida que os seres da floresta relatavam os acontecimentos da noite, uma cacofonia de dor subiu aos céus atingindo Reed por todos os lados e quase o colocando de joelhos.

Mariel ofereceu-lhe uma mão E, quando recebeu a dele, a apertou com delicadeza. — Não sei.

O estrépito cessou tão rapidamente quanto começara. Uma sensação opressiva de expectativa substituiu a lamentação. Os seres da floresta queriam saber quem os salvaria do destino que tinham testemunhado naquela noite. Escutavam avidamente, imóveis e mal respirando.

— Uma das minhas Marcadas e sua mentora foram mortas da mesma maneira hoje — Mariel disse. — Senti o arauto e fui até lá imediatamente. Mas já era tarde. A mentora estava morta. Foi como se tivessem esperado muito tempo para me chamar…

— Ou os Demoníacos tivessem atacado de maneira muito rápida e violenta.

Mariel se virou para encará-lo e disse: — O mesmo aconteceu com você.

Reed fez que sim com a cabeça. Bufando, ele voltou a inspecionar a cena. Não havia nada além do sangue coagulado de Takeo. — Você viu quem fez?

— Mais ou menos. — Os olhos verdes de Mariel estavam arregalados, parecendo assombrados e brilhantes por causa das lágrimas. — Era uma besta monstruosa, com muitos metros de altura. Sem pelos. Só carne. Ombros e coxas enormes. A coisa entrou na minha Marcada… Desapareceu nela. Foi como se não tivesse conseguido acomodar aquilo… — ela afirmou, soluçando.

— Mariel…

— Aconteceu muito rápido. Mal vi, não senti cheiro. Fiquei paralisada… — Mariel gemeu. — Encarei Samael uma vez e não foi tão assustador.

Nenhum cheiro.

Reed fechou os olhos e estendeu a mão para seus Marcados, um por um. Tocou-os brevemente, um após o outro, assegurando-se de sua segurança. Exceto um.

Eva, Reed chamou.

Como o bater das asas de uma mariposa, ele a sentiu. Mal, ali, verde e destreinada, muito distante de sua própria alma para saber como tentar se comunicar por ela. O que ele sentiu mais intensamente foi o silêncio onde Takeo deveria estar. Aquilo era ensurdecedor.

— Preciso fazer meu relatório — Reed disse baixinho.

Mariel fez que sim com a cabeça e disse: — Espero você.

— Queria pedir um favor. — Reed se inclinou para ficar mais próximo dela e abaixou a voz: — Preciso que vá para a Califórnia...

— **POSSO SAIR E ME ESTICAR UM POUCO?** — Eva perguntou.

Alec desviou o olhar das instalações da Geena. Viu o relógio do painel do carro e levou um susto. Quase meia-noite. Como geralmente acontecia durante uma caça, perdera a noção do tempo.

Apesar do avançado da hora, o pátio da fábrica estava bastante movimentado. Caminhões entravam e saíam. O perímetro estava cercado por uma mureta de pedra encimada por uma grade de ferro. Através das barras, Alec observava sacos do que parecia ser cimento a ser descarregado, enquanto diversas peças de pedra — fontes, estátuas e bancos — eram carregadas em caminhões e despachadas.

Com exceção do horário estranho, não parecia haver nada de suspeito nisso. Mas, em se tratando de Demoníacos, o que não se via era o mais perigoso. E havia a dificuldade adicional de investigar uma instalação em atividade ininterrupta.

— Você deve estar muito entediada — Alec murmurou.

Eva deu um sorriso encabulado. — Sinto muito. Acho que deveria estar fazendo alguma coisa ou ajudando você de alguma maneira.

— Ter você aqui ao meu lado já é o suficiente. — Alec pegou a mão de Eva e a levou até sua boca.

Ela entrelaçou seus dedos nos dele. — Trouxe algo para ler, mas não pensei que não haveria luz.

— Posso ajudar em relação a isso.

— É? — Eva abriu um sorriso mais largo.

Alec acariciou o rosto dela com a ponta dos dedos e pediu: — Feche os olhos.

Ela obedeceu. A expectativa a lembrou da primeira noite deles juntos. Alec vendara os olhos dela por um tempo, provocando-a com carícias e beijinhos até que começasse a tremer.

Como naquela ocasião, ele prolongou o momento, fazendo-a tremer até que ele também tremesse e a tensão quase embaçasse as janelas.

— Alec? — Eva disse, ofegante.

Incapaz de resistir, ele ocupou o espaço entre os dois assentos e a beijou. Eva deixou escapar um suspiro de surpresa, e Alec aceitou o convite para aprofundar o contato. A respiração deles se tornou uma coisa só.

Eva emitiu um som baixinho de necessidade, forçando os dedos pelos cabelos dele e o trazendo para mais perto de si. A reciprocidade era total. Ela deu um beijo nele que fez seu membro quase saltar da calça. Porém, a marca no braço de Alec começou a queimar.

A encrenca estava chegando.

Ele recuou a boca e perguntou: — Suas pálpebras estão pesadas?

— Você não tem ideia — Eva disse.

— Revire os olhos.

— Eles estão revirados. Meus dedos dos pés também.

Uma risada escapou dele: — Abra seus olhos lentamente.

Alec recuou para observá-la. Eva piscou e, então, inclinou a cabeça para a frente e para trás. — Santa doidice Batman. Consigo enxergar no escuro.

— Parte da Mudança que você passou ajustou a membrana nictitante dos seus olhos. Em vez de ser inútil, ela agora permite que cace com maior precisão.

— Isso é realmente incrível — Eva disse, inspecionando o mundo ao seu redor.

Na visão periférica de Alec, uma luz se apagou.

— Timing perfeito — ela murmurou.

Alec virou a cabeça para as instalações da Geena e percebeu que as luzes exteriores tinham sido apagadas. Ele olhou para o relógio: meia-noite.

— Ei — Eva disse, baixinho. — Está vendo o rapaz fechando o cadeado do portão? Não é o moleque que seguimos? Aquele para o qual você foi designado?

Alec não tinha de confirmar visualmente a identificação. O latejamento da marca e o bombeamento subsequente de adrenalina lhe dizia tudo o que precisava saber. — Sim, é ele.

O rapaz terminou a tarefa e, em seguida, começou a caminhar pela rua com as mãos nos bolsos da jaqueta que tinha nas costas a logomarca da Geena: uma gárgula.

— Ele trabalha na fábrica — Eva observou.

— Sim.

— Coincidências não existem.

— Certo.

— E agora? Quer ir atrás dele?

— Ainda não.

— Por que não?

Alec acariciou a mão de Eva e explicou: — Por que ele é um Lobisomem. Matar Lobisomens é complicado. Tem de ser feito de uma maneira que não incite a fúria da alcateia. A sobrevivência do mais apto é algo que entendem e respeitam. O que não é o caso quando se usa uma bala de prata.

— Você não tem uma arma. Só não quer correr riscos por minha causa.

Alec não negou a acusação, pois era verdadeira. Eva estava passando por uma prova de fogo e ele não enxergava nenhum benefício em piorar as coisas. Ela não precisava de outra morte naquele dia. Precisava era de uma vitória, ainda que pequena.

— Uma coisa de cada vez — Alec disse, mudando de assunto. — Vamos lidar com a Geena primeiro. Quando tivermos a certeza de que o pátio está livre, podemos pular a grade e dar uma olhada.

— Invasão de propriedade?

— Sim.

— Certo — Eva disse, em um tom seco e resignado.

Alec estendeu a mão e deu um tapinha na coxa dela. — É só uma missão de reconhecimento, anjo. Entramos, damos uma olhada e saímos. Sem problemas.

— As coisa não funcionaram tão bem para mim até agora.

— A única constante é a mudança — Alec afirmou, dando um sorriso tranquilizador. — A maré acaba virando.

Ela franziu as sobrancelhas e inclinou a cabeça como se estivesse considerando alguma coisa. — A maré?

Eva se curvou e vasculhou a sacola entre seus pés. — Queria ter trazido uma garrafa de água, em vez dessas porcarias que eu peguei.

237

— Você deve estar com fome.

— Estou faminta. — Eva se endireitou, com o pacote de presunto em uma mão e alguma outra coisa que pôs no bolso da calça.

— Depois disso, vou levar você ao Denny's.

Eva piscou para ele e disse: — Que generoso.

Alec riu e saiu do carro. As instalações da Geena estavam escuras e silenciosas. Depois de contornar a frente do Focus, ele abriu a porta de passageiro para Eva e roubou um beijo no momento em que ela se aprumou.

— Qual o motivo disso? — Eva perguntou, com os olhos brilhando ao luar.

— Por você ser tão boa a respeito de tudo. — Alec não explicou que sentia tanta culpa. Se ele não tivesse intervindo e pedido para ser mentor dela, Eva poderia ter sido designada para um posto fora do campo de batalha. Provavelmente, teria sido, considerando que não era propensa a atos violentos. Por isso, ele estava determinado a protegê-la.

— Continue pensando assim, pois posso ferrar tudo a qualquer minuto.

Alec fechou a porta do carro e a pegou pelo braço. — Vamos provar que você está errada.

Eles percorreram certa distância e atravessaram a rua, passando para o lado onde ficava a Geena. Era uma zona industrial e, portanto, silenciosa como um cemitério à noite. Passaram por um pátio de carros velhos, guardado por dois dobermanns. Os cães rosnaram baixinho, mas não fizeram nenhum outro barulho.

— Belos cães de guarda — Eva disse, fazendo troça.

Somos muito bons.

Eva tropeçou. Alec a ajudou a se reequilibrar. Com os olhos arregalados, ela ficou encarando os animais.

— Sim — Alec confirmou. — Você escutou direito.

— Eles falaram.

Eu falei. O cachorro maior inclinou a cabeça. *Meu colega ficou ofendido com seu insulto.*

Eva piscou, aparentemente muito surpresa para dizer algo. Então, ela achou sua voz. — Sinto muito. Eu não sabia.

Precisa treinar a garota, Caim.

— Estou tentando — Alec replicou. — Você viu algo suspeito na Geena?

Não. Ninguém de lá passa por aqui e nós não conseguimos ver além da loja de autopeças.

— Tudo bem. Obrigado.

Alec encorajou Eva a continuar andando.

— Tomem cuidado — ela disse para os cachorros, pensando sobre o que o recepcionista do hotel tinha dito.

Você também.

Eva olhou para a frente, parecendo um tanto espantada. — Certo… Virei o Dr. Dolittle.

— Você é mais animal do que humana agora — Alec explicou.

Eles alcançaram a extremidade do terreno da Geena. Olhando através das barras, Alec estudou o prédio, o pátio e o acesso de veículos vazio. — Vou pular primeiro.

— Vai nessa.

— Vejo você do outro lado — Alec disse. Em seguida, escalou a grade e saltou.

Eva tentou não ficar assustada, mas era difícil. Tinha avisado que era medrosa, mas Alec não parecera acreditar nela. Ou talvez tivesse esquecido. Ele seguia em frente com facilidade, mas ela parava a todo o momento.

Muitas das estátuas de mármore eram reproduções de esculturas clássicas, com os olhos voltados para o céu e expressão de tormento. As gárgulas brincavam de esconde-esconde entre bancos e fontes borbulhantes. Eva sentiu calafrios com o som da água, exacerbando seu medo. Ela era do signo de Peixes e, naquele momento, tinha medo de água. Pôs a mão no bolso do jeans.

Eva não tirava os olhos de Alec. Usando as mãos, ele orientava os movimentos dela, indicando-lhe quando prosseguir e quando parar, quando se agachar e quando ficar de pé. As câmeras estavam presentes em cada canto da grade e também dos prédios. Alec sabia muito bem como evitá-las, e Eva considerou essa habilidade muito impressionante e tranquilizadora.

Eles alcançaram a porta do prédio principal, que abrigava um showroom. Alec se deteve por um instante, observando o teclado do sistema de segurança. Então, sinalizou para Eva continuar avançando. Eles se deslocaram para uma construção, nos fundos, cujas paredes eram de blocos de cimento. Eva quis perguntar o motivo pelo qual tinham passado rapidamente pelo primeiro prédio, mas não teve coragem de dar um pio.

Limitado às sombras, Alec levou diversos minutos para vencer a distância entre o prédio principal do showroom e a área de trabalho nos fundos. Quando finalmente chegaram ao destino, Eva notou que não havia teclado de segurança no edifício dos fundos e a maçaneta da porta não tinha fechadura. Alec abriu a porta e cheirou o interior. Em seguida, puxou Eva para dentro.

— Por que viemos para cá? — Eva perguntou.

— Um pressentimento.

— Achei que havia tido um pressentimento também, mas era só medo. Ele apertou sua mão.

Eva percorreu com os olhos o espaço gigantesco. Mesmo com sua visão aprimorada, o teto abobadado era tão alto que permanecia na escuridão. Dominando o espaço, havia um forno imenso com uma esteira transportadora para entrada e saída do material. Naquele momento, estava apagado. Uma empilhadeira aguardava como uma sentinela em silêncio. Alec se dirigiu até o forno. Ele se moveu com grande agilidade, evitando tubos e mangueiras do equipamento. Eva tentou fazer o mesmo e caiu de boca no chão.

— Você está bem? — Alec perguntou, parando ao lado dela com o braço estendido.

— Só machuquei o ego.

Eva aceitou a ajuda dele para se levantar. Em seguida, limpou-se, removendo a poeira. Procurou o que a tinha derrubado. — Quem deixa sacos de cimentos no chão? — ela se queixou.

Alec inclinou a cabeça para conseguir ler o que estava escrito no saco. — A etiqueta do fabricante diz que é calcário moído.

— Não importa. Isso não deveria estar em algum outro lugar?

Agachado, Alec retirou um pouco do conteúdo que escapara do furo que Eva criara com o bico da bota. Eva se agachou e ele estendeu a mão

240

até o nariz dela. Ela sentiu um cheiro ligeiramente doce, mas com um toque almiscarado.

— É fedido — disse.

— É farinha de ossos.

— Tem um cheiro estranho.

— Porque é parte canino e parte Marcado.

— *O quê?* — Eva exclamou, ficando paralisada de assombro.

Alec furou o papel pardo espesso de um segundo saco nas proximidades e Eva dobrou o corpo com o cheiro. Alec olhou para ela.

— Sinto muito — Eva murmurou. Seu corpo podia não ser mais capaz de vomitar, mas isso não impedia sua mente de se preparar para isso.

A mão de Alec saiu do saco coberta de pó escuro. — Farinha de sangue.

— Minha mãe usa na jardinagem. Não sabia que servia para outras coisas.

— Não acho que sirva. — Alec levou os dedos para perto do nariz. — Também parte animal e parte Marcado.

— Como estão conseguindo sangue e ossos dos Marcados?

— Não queira saber.

Eva engoliu em seco. — É assim que os Demoníacos estão se disfarçando?

— É o meu palpite.

— Por que os sacos estão espalhados por aí? Não deveriam estar protegidos? Estão simplesmente jogados, como…

— Como se tivessem sido largados às pressas? — Alec ficou de pé e vasculhou os arredores. — Se nós os assustamos, eles sabem que estamos aqui.

Um ruído frenético de arranhão quebrou o silêncio. Eva deu um pulo. — Meu Deus! Ai… — Ela cobriu a marca que queimava em seu braço com a mão.

Percorreram com os olhos aquele espaço imenso. No canto direito, duas paredes se projetavam para criar um recinto distinto. Atrás da porta, o ruído ficou mais frenético.

— As mutilações de animais — Eva murmurou.

— Certo.

241

— Temos de tirar todos daqui.

— Sim. — Alec limpou as mãos.

Eles correram até a porta. Alec agarrou a maçaneta e a abaixou, mas a porta não se mexeu. Ganidos podiam ser ouvidos claramente no interior do recinto.

Eva pôs suas mãos sobre as dele para ajudá-lo. A porta se abriu com uma violência explosiva, fazendo-os cair de costas no chão. Ninguém saiu correndo do recinto em busca de liberdade.

Alec se pôs de pé, então levantou Eva, puxando-a.

— De repente, tive um mau pressentimento pela falta de tranca na porta — Eva murmurou.

— *Deveria ter mesmo.*

Antes de Eva registrar plenamente a origem do som atrás dela, foi erguida e jogada como uma boneca de pano contra o forno, caindo no chão. As luzes no interior do pequeno recinto se acenderam, revelando um espaço repleto de Tengus.

— Droga! — Alec disse, pouco antes de as criaturas o puxarem para dentro e fecharem a porta.

Eva cambaleou para a frente para ajudá-lo. Foi agarrada pela nuca e puxada para cima. Piscou e se viu encarando o rosto do jovem Lobisomem.

Ele não tinha cheiro. Não tinha desenhos. Foi tudo o que Eva conseguiu registrar antes de ele cerrar o punho e nocauteá-la.

19

ALEC ESTAVA DO LADO ERRADO DA BRIGA.

Encurralado em um canto, quase não conseguia impedir o bando de Tengus de pegá-lo. Havia duas dúzias deles, no mínimo, construídos de pedra e dando risada loucamente. Alguns balançavam, outros dançavam e outros, ainda, saltitavam com os punhos cerrados como pequenos boxeadores.

Com pontapés velozes, Alec mantinha a maioria deles acuada, mas a grande quantidade estava começando a cobrar seu preço. O fato de que Alec estava muito preocupado com Eva não ajudava. Ele escutara a força com que ela batera no forno. Mesmo com sua habilidade de se recuperar rapidamente, um golpe como aquele era devastador. Ela não estava treinada e estava completamente sozinha.

Um Tengu balançando no teto chutou o peito de Alec.

— Ai! — Ele caiu de joelhos, gemendo de dor.

A criatura riu e dançou ainda mais animada.

— Caim! Caim! — cantavam.

Com um olhar furioso, Alec levantou, agarrou o Tengu mais próximo e o bateu com força contra outro. Os dois se despedaçaram. Os outros recuaram para as paredes com um suspiro coletivo.

— Quem é o próximo? — Alec rosnou.

Os Tengus hesitaram. Eram mais brincalhões do que malignos. Não eram guerreiros por natureza e uma ameaça implícita à sua vida era o suficiente para que saíssem correndo em busca de segurança. Alec aproveitou a oportunidade que se apresentara e disparou em direção a porta. Como se tivessem rompido o medo que os mantinha acuados, eles se lançaram na direção de Alec como uma massa única; uma tonelada de pedra se abatendo sobre ele.

Vão me triturar.

Alec se preparou para o inevitável e ficou surpreso com a súbita eclosão de força que circulou dentro dele. Originou-se em seu diafragma e explodiu como uma supernova, queimando em suas veias.

Imediatamente, ele entendeu o motivo: havia um grupo de Marcados na área.

Alec lançou-se de ombro contra a porta que se soltou completamente das dobradiças. Montado sobre a chapa de madeira, escorregou pelo piso de cimento como que deslizando sobre a água com uma prancha. Os Tengus saíram correndo do recinto atrás dele...

Então, as luzes se acenderam.

Alec continuava deslizando em paralelo ao forno. Os primeiros Tengus se detiveram. O impulso dos que vinham atrás foi interrompido abruptamente por aqueles da frente, que tinham ficado, literalmente, paralisados de medo. Eles se chocaram uns contra os outros como em um engavetamento na estrada.

Um pé calçado com bota deteve o passeio de Alec com força. Ele levantou os olhos.

— Mariel.

— Olá, Caim. Está se divertindo? — a bela ruiva perguntou, sorrindo.

Ele se sentou. Mariel estendeu uma mão para ajudá-lo a se levantar. Atrás dela, havia um grupo de Marcados vestidos de preto, homens e mulheres. Estavam armados com pistolas nove milímetros presas nas coxas — o que os identifica como a guarda pessoal de um arcanjo. Deram um passo unificado para a frente. Os Tengus tropeçaram uns nos outros, arrastando-se de volta para o pequeno recinto deles.

— Eva? — Alec chamou, percorrendo o espaço com o olhar.

— Ela não está com você?

— Não. Foi atacada. — Meu Deus. — Fiquei preso lá dentro por um tempo. — Com o queixo, Alec indicou o canto onde alguns Marcados estavam recolocando a porta, prestes a mover a empilhadeira para bloqueá-la. Ele respirou fundo, esperando que os Demoníacos tivessem deixado algum cheiro para trás para que pudesse seguir. Mas não havia nenhum resquício.

Quando o bipe rítmico da empilhadeira advertiu que estava se movendo para trás, Mariel virou a cabeça para observar. — Fomos desativar os alarmes e as câmeras — ela informou — mas alguém fez isso antes de nós.

— Então, não há nenhuma maneira de ver a direção que pegaram. — Alec olhou ao redor. — Por que você está aqui, e não Abel?

— Raguel o impediu.

— Ele enviou seus próprios guardas, mas não o encarregado dela?

— Não são Marcados de Raguel — ela disse, baixinho. — São de Sara.

Alec se calou. Seu irmão tinha agido pelas costas do arcanjo... *por Eva*. Abel jamais tinha feito algo que não o beneficiasse diretamente e jamais violara as regras. Talvez esperasse que Eva apreciasse o gesto, ou só quisesse mostrar que Alec não era capaz de cumprir sua missão.

Mariel estendeu a mão e a pôs no ombro de Alec. — Vi um Demoníaco, Caim. Sem cheiro e sem detalhes. Seu irmão quer uma equipe disponível para apoiar você.

Com os punhos cerrados, Alec proferiu palavras que custaram caro a ele. — Precisamos de Abel aqui. Ele é o único que pode nos dizer onde Eva está.

— Vocês dois terão de trabalhar juntos desta vez — Mariel afirmou, com um sorriso reconfortante.

Alec resmungou baixinho. — Vou ficar com metade do grupo. Você pode coletar alguns desses sacos e tudo o mais que encontrar e levar para a empresa? Quanto antes conseguirmos descobrir algo a respeito do disfarce, melhor.

— Claro.

— E ligue o forno. Queime tudo o que você não conseguir levar com você. Não deixe nada para trás. — Com um gesto, Alec chamou os guardas parados nas proximidades.

245

— Venham comigo — ordenou, começando a sair do local. — Alguém deve saber onde Eva está.

REED OLHOU PARA SEU ROLEX com os dentes cerrados. Em Las Vegas, meia-noite era a hora em que a festa estava começando. Ele, porém, tinha plena consciência de quão tarde era e quanto tempo tinha levado para chegar do ponto A ao B. Quase doze horas tinham se passado desde que deixara o Gadara Tower. Pareciam doze anos.

Encostado na balaustrada do Fontana Bar, no Bellagio, Reed observava o show aquático com contrariedade pouco discreta. Como Raguel podia cuidar de seu negócio com tanta despreocupação depois de escutar a descrição de Caim e Mariel dos acontecimentos do dia? E como podia insistir para que Reed relatasse tudo pessoalmente, sabendo que precisavam dele em outro lugar?

— Onde você esteve?

Ele se virou e observou Raguel surgir em um smoking, com um diamante de dois quilates brilhando na orelha direita. Em torno dele, havia um séquito de Marcados; uma proteção contra os Demoníacos. Outrora, os arcanjos tinham se esforçado para manter o máximo possível de discrição. Agora, parecia que cada um deles se esforçava para brilhar mais do que o outro. Diziam que era necessário para levantar financiamento suficiente para gerenciar suas empresas, mas, se isso era verdade ou não, só eles sabiam.

A soberba era um dos sete pecados capitais. Eles tinham esquecido disso?

— Você não escutou o relatório de Mariel? — Reed perguntou.

— Claro. — O arcanjo cruzou os braços.

Reed passou o pen drive com o relatório. Ele rezava para que sua defesa fosse suficiente para poupar a alma de Takeo. — A mesma coisa aconteceu com meu Marcado.

— Você concorda com Mariel que o Demoníaco é de uma nova classe?

— Não sei. Não o vi. E nada restou que ajudasse em uma identificação. Com o grau de destruição, a clareira deveria emitir algum cheiro a quilômetros de distância. Mas, o que quer que fosse, não deixou nada, nem de Takeo, exceto sua pele.

Raguel não tirou os olhos de Reed.

— Você não tem nada a dizer? — Reed perguntou com firmeza.

— Seu irmão e a senhorita Hollis desapareceram do radar esta tarde.

— Ela não confia em você. — Reed estava começando a concordar com Eva. Ele poderia ter feito um comentário sobre o tempo, a julgar por toda a preocupação que Raguel demonstrava.

— Precisa confiar.

— Então, dê a ela um motivo. — Reed se aprumou. — Não entendo o que você está fazendo. Ou melhor, o que *não* está fazendo. Como uma novata pode entender?

Houve um longo silêncio. Então, Raguel disse: — Ela está segura?

— Por enquanto.

— Você vai ver a senhorita Hollis agora?

— Se você não se importar.

— Peça para Caim se comunicar. Quero saber onde em Upland eles estão.

Reed sorriu. — Você pode enviar um grupo comigo, sabe? Eu não me importaria. Tenho certeza de que o pessoal do grupo também não se importaria.

— Preocupe-se com seu trabalho, Abel. Eu me preocupo com o meu.

Com uma reverência zombeteira, Reed se afastou do arcanjo e dos guardas e atravessou o movimentado bar. O local do encontro deles não escapou de uma reflexão cuidadosa. Raguel disse que tinha um encontro e que não poderia se atrasar. No entanto, Reed suspeitou que tinha algo a mais na escolha. Talvez fosse a demonstração definitiva de sua indiferença em relação aos acontecimentos do dia.

Mas, se esse era o caso, por que o arcanjo estava tão seguro de si? Será que a arrogância o tornara ignorante? Ou será que Raguel sabia mais do que estava disposto a admitir?

EVA ACORDOU SOB UM DILÚVIO GELADO. Engasgando, ela se esforçava para se livrar de seu tormento e se viu amarrada em uma cadeira, com os pulsos presos sobre seu colo.

Piscando, viu o jovem Lobisomem que segurava um balde recém-esvaziado nas mãos. O ar fedia sangue, urina e merda.

— Qual é a relação entre Demoníacos e água? — ela vociferou.

Ele simplesmente a encarou, sem nenhuma expressão facial. Parecia ter cerca de dezesseis anos. Os olhos castanho-claros eram frios, sombrios e sem alma. Os cabelos, um punhado de madeixas escuras, o queixo, pequeno, e a boca, carnuda e amuada. Seu jeans estava folgado e rasgado em diversos lugares e seu casaco da Geena estava imundo.

— Você não devia ter capturado ela — advertiu uma voz que saía de um telefone na parede que estava no viva-voz.

O tom era andrógino, ou talvez só soasse daquela maneira por causa do ruído de fundo. Será que o dono da voz era o outro garoto que ela vira na loja de conveniência?

Demoníacos ou não, não havia jeito de dois adolescentes levarem a cabo um empreendimento tão grande quanto aquele sozinhos. Um adulto era dono da fábrica e conseguia as licenças, os veículos e os contratos. E um adulto, sem dúvida, sabia a respeito daquele buraco.

Enquanto examinava o ambiente, Eva tremia de frio. O espaço estava decorado em estilo de filme de terror. Uma lâmpada solitária pendia do teto, proporcionando um pequeno círculo de luz. O piso de cimento estava manchado com respingos de cor castanho-avermelhado que Eva achou que podia ser sangue. Na beira do círculo de luz, havia uma barra horizontal de metal prateado — a extremidade de uma maca, como aquelas que ela vira no necrotério do csi. Fora empurrada para o lado para dar espaço para Eva.

Mais além da maca, as sombras imperavam. Por causa da intensidade da iluminação acima dela, as membranas nictitantes não eram úteis, deixando-a cega. O que devia ser bom para o jovem Lobisomem parado diante dela.

— Tentei manter os dois longe, mas não consegui — o garoto disse, com irritação. — Na hora que voltei para ver aonde tinham ido, estavam tentando encontrar algo na sala do forno. O que mais eu podia fazer?

Ele jogou o balde para o lado que bateu em algo metálico fazendo com que Eva desse um salto. Um cão deu um latido amedrontador. Um canil, talvez? O barulho resultante sugeriu a existência de diversas criaturas presas na escuridão.

— Como nos acharam? — a voz perguntou.

— Como posso saber? — o Lobisomem murmurou. — Se não fosse por Jaime, eu nem saberia que estávamos sendo observados.

— O que ele fez?

— Nada, além de engravidar a namorada. Tinha uma entrega para fazer em Corona que só levou uma hora e meia. Então, voltou para pegar outra entrega para fazer. Ele os viu sentados em um carro, na rua lateral, antes de sair, e, de novo, ao voltar. Jaime achou que talvez fosse o pai de Yesinia vigiando para depois bater nele. Contou isso para mim, e eu investiguei.

— Os humanos têm a sua serventia.

— De vez em quando.

— Onde está Caim?

— Morto — o garoto disse, com um brilho maníaco nos olhos.

Eva estremeceu. Uma dor cresceu em seu peito e se espalhou. Escutou uma risada vinda do interfone. Novamente, o som tinha um quê de masculino e feminino. Como um menino cuja voz ainda não tivesse mudado completamente.

— Você acha que matou Caim? — a pessoa perguntou. — *Você?* Demônios mais experientes tentaram e não conseguiram.

— Os Tengus o agarraram.

Houve uma pausa. — Quantos deles?

— Vinte ou mais. Todos os que estavam no depósito.

— Bem, quem sabe eles ao menos conseguiram machucá-lo? Vou verificar quando chegar.

Eva percebeu que a qualidade sofrível do som não era inerente só ao alto-falante. Havia barulho de trânsito. Quem quer que estivesse falando, estava a caminho.

— Então o que você quer que eu faça com ela? — o garoto perguntou, arrastando os pés sobre o piso.

— Ela talvez seja mais valiosa para nós viva do que morta. Se Caim sobreviver — o que ele já demonstrou ser inevitável —, estará disposto a perder muito para ter a garota de volta.

A fúria começou a tomar conta de Eva, sobrepujando seu medo. Estava cansada de ser maltratada. Nenhuma quantidade de chocolate poderia melhorar seu humor, evitando, assim, a fusão nuclear cuja chegada sentia. E havia uma verdade básica inegável: de maneira nenhuma permitiria que alguém a usasse contra Alec.

Virou a cabeça lentamente, semicerrando os olhos em uma tentativa de enxergar uma saída. Onde ela estava? Na casa da Falcon Circle? Caso contrário, estava ferrada, pois não fazia ideia de em que direção seguir em busca de ajuda.

Eva olhou para seu relógio. Através das gotas de água no rosto, viu que era pouco mais de uma da manhã. Não devia estar muito longe da Geena, pois não havia passado muito tempo.

Se aquilo fosse um filme, aquele recinto talvez fosse um porão dos horrores. Mas ali era a Califórnia, onde terremotos tornavam os porões uma raridade. Ela estava no térreo ou em um andar mais alto. Por algum motivo, aquilo a fez se sentir melhor. Já que não estava no subterrâneo, tinha uma chance de escapar ou ser vista de uma janela. Se Eva gritasse muito alto, talvez, poderia ser escutada.

A porta está à sua esquerda.

O som da voz feminina a surpreendeu. Ela olhou ao redor furtivamente. Um dos animais estava falando com ela, e não parecia bem. Sua voz aparentava cansaço. Resignação.

Abre para dentro. Se você alcançar o corredor, corra para a direita e não pare.

Eva não tinha ideia de como responder sem voz, como dizer que voltaria para salvá-los se sobrevivesse àquela noite. Recusava-se a abandoná-los e deixá-los sofrer, independentemente do destino que os esperava sobre aquela maca.

Estamos contando com isso.

Mentalmente se preparando para a ação, Eva se moveu sobre o assento, tentando ver se suas pernas estavam amarradas. Não estavam.

— Você pode sangrar a garota até eu chegar — a pessoa no viva-voz disse. — Mas não drene muito.

O sorriso demorado do Lobisomem aumentou ainda mais a raiva de Eva. Ela deixou escapar um rosnado. Arremessou-se para a frente, mirando o estômago do garoto com o ombro, como vira os jogadores de futebol americano fazer. A manobra funcionou. Os dois caíram no chão e se chocaram contra um canil fedorento. Os animais começaram a latir, ganir e rosnar.

Um grito emergiu do viva-voz: — O que está acontecendo? Tim? Responda! Que merda está acontecendo?

Usando os joelhos, Eva se ergueu. Com a escuridão, sua visão noturna entrou em ação, permitindo-lhe ver os inúmeros instrumentos manchados de sangue pendurados no teto. No mínimo, existiam doze gaiolas contendo animais tão maltratados que Eva não era capaz de dizer de que espécie alguns deles eram.

— Sua puta! — o garoto gritou, segurando as pernas dela com os dois braços.

Eva tropeçou e, em seguida, virou-se e chutou o Lobisomem deitado no chão. — Babaca! — ela disse.

Alcançando a porta, ela tateou em busca da maçaneta. Sentiu os tornozelos e canelas serem arranhados, mas aquilo não foi capaz de detê-la. Depois de puxar a porta com força, saiu dali e fugiu para o corredor.

O Lobisomem praguejou e foi atrás dela.

ALEC CONTORNOU O PÁTIO DA GEENA correndo e se dirigiu para o portão principal que dava para a rua. Seus passos, combinados aos dos Marcados atrás dele, soavam em uma batida rítmica que aumentava sua ansiedade. Estava a poucos metros de alcançar o portão quando uma figura familiar apareceu do outro lado. O homem segurava as barras de ferro, revelando o detalhe em forma de diamante no dorso da mão direita; um detalhe idêntico ao do garoto da loja de conveniência.

— Péssima hora, Charles — Alec afirmou.

— O que está fazendo aqui, Caim?

O Alfa da alcateia do norte da Califórnia estava no lugar errado e na hora errada. Alec não estava para brincadeiras. — Indo embora. Saía do meu caminho.

— Estou procurando uma pessoa; um jovem da minha alcateia. — Charles enfiou a mão no bolso e tirou uma foto de jornal da Upland Sports Arena. No canto, o garoto estava parado ao lado de uma caminhonete da Geena.

— Boa sorte — Alec disse, sorrindo.

Os olhos do Alfa ganharam um brilho dourado com luar. Charles era alto e forte; bonito de uma maneira que levava muitas mulheres humanas ao mau caminho. Ele era misterioso e intenso. Magnético, diriam. E esperto o bastante para evitar a ira de Jeová. Ao menos até então. — Não pode ser coincidência o fato de você estar aqui.

— Está fora de seu território.

Charles fincou o pé, expondo sua determinação de impedir a saída de Alec pelo tempo que fosse necessário. Como o cadeado estava do lado externo do portão, Alec não seria capaz de acessá-lo sem estender a mão através das barras; um movimento que o colocaria em uma desvantagem inaceitável.

— Indique a direção correta — Charles disse, — e dou passagem.

— Não há salvação para seu Lobisomem trapaceiro. Vá para casa.

— Não posso permitir que você o mate.

— Você não tem poder de decisão.

— Ele é jovem e é meu filho. A mãe dele era bruxa e os pais dela acreditam que estou negando a ele seu direito mágico de progenitura. Eles o indispuseram contra mim.

— Não dou a mínima.

— Como ele é mestiço, não consegue controlar seu lado Lobo. Foi rejeitado e fugiu.

— Você está partindo meu coração — Alec ironizou, cruzando os braços.

— Deixe que eu lide com ele dentro da alcateia.

— É muito tarde para isso. — A brisa noturna soprou através das barras, despenteando os cabelos de Alec e enchendo suas narinas com o cheiro do Demoníaco. — Entre outras coisas, uma Marcada foi capturada.

— Independentemente do que Timothy fez, foi segundo a vontade dos avós. Posso devolver a Marcada para você, em troca de meu filho.

— Quero minha Marcada — Alec afirmou, dolorosamente consciente de quanto tempo se passara desde que Eva fora levada.

— Entendo. Quero ajudar você.

— Então, saia do caminho.

O Alfa obedeceu e disse: — Acordo fechado?

— Sim — Alec respondeu, bufando.

Eva tinha razão. A marca queimava com uma mentira.

20

ERA UM CORREDOR, E NO FINAL DELE HAVIA UM BRILHO fraco, quase imperceptível.

Eva correu naquela direção, subitamente consciente de como braços livres ajudavam uma pessoa a correr. Com os pulsos amarrados, sentia certa falta de equilíbrio.

Os ruídos estridentes dos animais cessaram abruptamente com o fechamento da porta pela qual Eva tinha escapado, revelando que a sala de terror era à prova de som. O barulho dos passos de seu perseguidor, porém, era alto e claro. E se aproximava dela.

Ladeando o corredor, existiam outras poucas portas, mas todas estavam fechadas. Não havia luz da lua para lhe dar um senso de direção. Não havia iluminação artificial e nenhuma janela para lhe dizer onde estava. Somente o brilho pálido no fim do túnel, sugerindo uma janela.

O corredor desembocou em outro. Eva fez a curva e esquivou de sofás e mesinhas. O luar inundou o espaço através de janelas panorâmicas. Ela estava no térreo. Se Eva fosse uma pessoa religiosa, poderia proferir uma oração de agradecimento. De todo jeito, achou que era quase hora de fazer uma pausa.

Viu uma porta dupla que conduzia para o lado de fora.
Quase...

— Sua vaca idiota! — o garoto resmungou, derrapando contra a parede quando fez a curva atrás dela.

Eva sentiu o ataque chegando e deu um salto para alcançar a porta. A marca queimou com força, dando-lhe a energia necessária para quebrar a fechadura e sair para a noite.

Mas ela tropeçou...

... e caiu diretamente sobre o peito de uma forma masculina imóvel.

DEPOIS DE DERRAPAR O FOCUS ao virar a esquina da Falcon Circle, Alec pisou no freio e parou o veículo diante da casa no final da rua. Era a única às escuras no beco sem saída; um buraco negro em uma tapeçaria suburbana de luzes receptivas. Atrás do carro dele, um utilitário esportivo Suburban azul-escuro ocupado pelos guardas de Sara e um Porsche preto dirigido por Charles também pararam. Na retaguarda, havia uma van ocupada por Lobisomens. Os diversos veículos ocuparam a entrada da garagem da casa e o meio da rua.

Alec saiu correndo do carro, deixando a porta do lado do motorista aberta.

Não era assim que as coisas deviam ser feitas, no tumulto. Grandes operações, incursões, emboscadas... Além de serem bastante desaconselháveis, por causa do custo inevitável da atenção que atraíam, não faziam parte do repertório de Alec. Ele preferia a matança silenciosa, limpa.

As solas de suas botas escorregaram perto do canto da garagem. Ele se dirigiu à porta dupla.

Um lado dela se abriu com força e uma figura saiu tropeçando, colidindo contra ele. Se seu coração pudesse parar, teria parado.

— O QUE ESTÁ ACONTECENDO?

A voz não era de Eva.

Ela não precisou levantar os olhos para saber que o homem que a estava segurando era Reed. O cheiro dele era inconfundível e o alívio tomou conta dela.

No entanto, ainda estava zangada.

Apoiando-se em Reed, deu um coice com uma perna, acertando o garoto que a perseguia no peito. A força do golpe circulou através de Eva e foi absorvida por Reed. O jovem Lobisomem foi lançado para trás por um metro, no mínimo. Atingiu a porta, batendo a cabeça no vidro grosso. Nocauteado, deslizou para baixo, inconsciente, estatelado e inofensivo.

— Muito bem — Reed disse. Ele avaliou a condição física de Eva. — Você está molhada de novo.

— Esqueci como é estar seca. — Eva ofereceu seus pulsos amarrados. As mãos dela estavam tremendo muito, mas não havia nada que pudesse fazer a respeito. — Solte — ela pediu.

— Onde está Caim? — Reed perguntou, desatando com habilidade a corda.

— Lutando contra Tengus. — Ao menos ela esperava que ainda estivesse.

Reed soltou os pulsos dela e disse: — Então, vamos ajudar.

Eva deu um chute no tênis do Lobisomem. — Precisamos ficar de olho nele. É o alvo de seu irmão.

— Vou imobilizar o garoto — Reed disse, estalando a corda.

— Há cachorros lá dentro... animais — Eva explicou, apontando para o showroom. — Eles estão muito machucados. E mais gente está vindo. Estão a caminho. Não sei quantos. Só um cara estava falando, mas talvez haja outros com ele. Ou ela. A voz era estranha.

— Nós precisaremos de Caim — Reed disse. Ele estava calmo, muito controlado. E usava um terno absurdamente caro que estava com cheiro de mulher.

Eva repeliu o pensamento. — Certo. Amarre o garoto. Vou procurar Caim.

— Sozinha? — Reed perguntou, com um sorriso irônico.

— Somos só nós dois. O que mais podemos fazer?

— Vou pedir reforços. — Reed pegou o celular. — Deixe eu ver onde estão.

— Tudo bem. Temos um plano.

— Temos?

— Sem dúvida. Sei lidar com os Tengus. Eles preferem me atormentar a atormentar Caim. Devem dar um refresco para ele. — Eva pegou

Reed pelas lapelas e o sacudiu. Ao menos tentou. Ele não se mexeu.

— Não se machuque. Ouviu?

Reed piscou e disse: — Vou proteger suas partes favoritas.

— Caramba — Eva murmurou. — Você é terrível.

— Ei. — Reed agarrou o braço de Eva antes de ela se afastar. — Tome cuidado — disse com a voz grave e baixa.

— Vou tomar. — Eva saiu correndo para o fundo do terreno, evitando todas as estátuas e fontes que ocupavam a área do pátio do showroom.

Não eram mais tão assustadoras quanto antes.

ALEC ENCAROU O GAROTO que segurava pela blusa. Era o outro adolescente da loja de conveniência. Outro Lobisomem, embora não tivesse certeza de sua alcateia pois os detalhes estavam escondidos sob a roupa.

— Onde está Evangeline?

— Quem? — o garoto perguntou. — Cara, você está viajando. O que estava pensando quando desceu a rua desse jeito? Você me deu um puta susto.

— Onde está seu amigo Timothy? O garoto com quem você estava mais cedo?

— Como vou saber? — ele disse, fazendo cara feia. — Ainda não voltou do trabalho.

A voz do Alfa ecoou através da escuridão. — Você sabe com quem está falando, Sean?

O garoto arregalou os olhos, em sinal de medo. Não por causa de Alec, mas por causa do Alfa. Ele começou a se debater com força.

— Me solte!

Alec olhou para Charles.

— Ele fugiu com Timothy — o Alfa explicou, o olhar nunca abandonando o adolescente que se contorcia. — Onde ele está, Sean?

Havia uma insinuação na voz de Alfa que drenava toda a força combativa do garoto. Sean sucumbiu ao domínio de Alec e disse: — Acho que ele ainda está no trabalho. Ele me ligou há pouco tempo e pediu para Malachai o encontrar lá.

— Malachai? — Alec perguntou.

— O avô dele — Charles explicou.

Ainda está no trabalho. Alec soltou o garoto e bufou. Será que Eva ainda estava na Geena? Será que estivera debaixo de seu nariz? Todo aquele tempo... perdido.

— Recuar! — Alec gritou, contornando Charles e os outros Lobisomens para voltar ao Focus. — Deem marcha a ré nos carros!

Uma Marcada passou por ele. Alec agarrou o braço dela. — Entre em contato com a equipe que deixamos com Mariel — ele disse. — Diga aos integrantes para revistar as instalações.

— Sim, Caim. — Enquanto ela corria para o Suburban, pegou um celular.

Alec sentou-se no assento do motorista. De novo, tinha feito besteira. Deveria ter matado o garoto quando tivera a chance.

Não cometeria o mesmo erro duas vezes.

EVA ABRIU A PORTA DO PRÉDIO dos fundos. O calor e um cheiro muito ruim a assaltaram.

Entrou correndo. O forno estava ligado e havia um homem vestido de preto o alimentando com sacos. Por um curto tempo, Eva questionou se era amigo ou inimigo, mas o leve cheiro doce o revelou como um Marcado. Ela queria saber por que estava ali, mas aquilo podia esperar. Um rápido olhar ao redor confirmou que os Tengus estavam trancados.

— Onde ele está? — Eva perguntou.

— Procurando por você — o Marcado disse. Ele a avaliou da cabeça aos pés. — Você está bem?

— Não. — Eva tentou parecer controlada, mas a súbita liberação de terror e tensão deixou-a sem energia.

— Você não se machucou, machucou?

Algo no tom dele a incomodou. — Não é como se eu tivesse planejado ser apanhada, sabe?

— Mas você não planejava *não* ser apanhada. Não tinha o direito de estar em uma missão como essa em seu estágio. Veja quanto problema causou.

— Como? — Eva pôs as mãos na cintura. — Quem disse que eu queria esse trabalho?

O Marcado emitiu um grunhido que pareceu ofensivo.

Ela fez um gesto negativo com a cabeça. — Vou voltar para me informar sobre o jovem Lobisomem no showroom. Ele era mais simpático.

— Espere — ele murmurou. — Vou com você. Só quero lavar minhas mãos para tirar essa porcaria.

Eva tentou protestar.

— Não discuta — ele disse, revirando os olhos, em sinal de desaprovação. — Precisa de alguém para cuidar de você antes que você se mate.

— Consegui ficar viva até agora, não?

— Pela vontade de Deus — o Marcado sustentou e se dirigiu até uma pia no canto.

Enquanto ele lavava as mãos, Eva olhou ao redor com impaciência. Os Tengus estavam misteriosamente quietos e ela se perguntava em que condição Alec os tinha deixado ali dentro.

Eva batia de leve o pé no chão, frustrada. Ela queria mandar o Marcado para o inferno, mas o sujeito era treinado e ela não. Estava usando uma roupa diferente, sugerindo que sua posição era importante, ou, no mínimo, o distinguia do Marcado básico. Impertinência à parte, ele podia ajudá-la e Eva não estava em condições de rejeitar ajuda.

O telefone celular dele tocou.

— Você pode se apressar? — Eva disse de forma ríspida. — Puta merda!

A água saiu da torneira como uma corda serpenteante enrolando-se em torno do corpo e do rosto do Marcado. Ele lutava, mas os sons que fazia eram abafados. Estava azul por causa do esforço e da falta de oxigênio.

— Ei! — Eva gritou. — Se afaste dele. Sou eu quem você quer.

O Marcado ficou no chão, inconsciente, talvez morto. Ela não sabia.

E ela ficou sozinha com o Nix.

REED ABRIU A PORTA, carregando o adolescente amarrado no ombro. Jogou-o sobre o sofá da sala de espera e avaliou o ambiente.

A Geena tinha o tipo de estilo sofisticado ao redor do qual Reed gravitava. A empresa não poupara dinheiro em sua apresentação. Os sofás eram de couro e uma máquina de café expresso estava sobre a mesa da recepcionista. As amostras de materiais e cores ficavam em expositores de mogno.

Um disfarce inteligente, ele pensou. Não era o que teria esperado.

Voltou a olhar para o adolescente desacordado. Não havia maior prova do disfarce que Caim suspeitara do que o corpo diante dele. Reed não tinha ideia de que tipo de Demoníaco era. Se não fossem as circunstâncias, nem saberia que o garoto era um Demoníaco. Era quase tão assustador quanto olhar para a expressão de Eva fugindo. Ele tinha sentido o medo dela como se fosse tangível, mas vê-lo era muito pior.

No entanto, Eva prosseguira de modo corajoso, preocupando-se com Caim e com ele. Só fora marcada há duas semanas, mas estava mais preocupada a respeito dos membros mais velhos do sistema do que estava com si mesma.

Onde estava o grupo de Sara? Depois do que pagara por ele, devia estar ali.

Ele enfiou a mão no bolso, tirou o celular e o ativou. Pouco depois, ouviu o bipe das mensagens de texto e correio de voz. Olhou ao redor com cuidado e, em seguida, dirigiu-se para a mesa da recepcionista. Era hora de elucidar a situação.

Quando ele estendeu a mão para o interruptor na parede, o cheiro de uma alma em putrefação penetrou em suas narinas. Reed se deslocou da mesa para a área de espera. Cheirou em torno do garoto e franziu a sobrancelha. Cheiro de Lobisomem.

— Diminui aos poucos — ele murmurou, quase sorrindo. Se destruíssem todo o conhecimento do agente responsável pelo disfarce, as coisas poderiam voltar a ser como eram antes.

Reed acendeu as luzes e, em seguida, pegou o corredor em busca dos registros de funcionários e compras. Qualquer pessoa ou qualquer coisa ligada à Geena teria de ser verificada. Ele ligou para Mariel.

— Abel — ela saudou. — Onde você está?

— Na Geena. E você?

— Caim achou materiais suspeitos e quis que eu levasse para o laboratório do Gadara imediatamente.

— Ele está com você? — Reed virou-se e voltou para a área de espera. Eva estava em uma busca inútil. Ou pior, flertando com o perigo.

Reed se deteve no final do corredor. O sofá estava vazio, exceto pela presença de um pedaço roído de corda.

O Lobisomem tinha sumido.

Ele ficou tão chocado com a ideia de Eva em perigo que não conseguiu sentir o perigo. Então, uma lança metálica pontiaguda atravessou seu ombro direito, vinda de trás.

Urrando de dor, ele deixou o celular cair. Reed agarrou a extremidade saliente da lança e a extraiu com força. Tinha um metro e vinte de comprimento e cerca de dois centímetros e meio de diâmetro. Virando-se, ele a usou contra seu agressor, atingindo-o no rosto e o derrubando.

Era um homem idoso, se os cabelos grisalhos nas têmporas fossem uma indicação. Um mago esparramado aos pés de Reed em seu aspecto humano: calça cáqui, mocassins e camisa polo. Inofensivo, a julgar pela aparência.

Reed curou o ferimento e liberou as asas. Elas se abriram através das roupas, alcançando envergadura total. A expressão e a voz se contorceram e a face da fúria assumiu. O ar se movimentou ao seu redor, formando um redemoinho em resposta ao incremento de seu poder.

O mago recuou quando percebeu seu erro. A lança estava no chão perto dele, mas estava muito atordoado para pegá-la. Achara que tinha machucado um Marcado frágil, mas não um *mal"akh* com dons plenos.

Idiota. Devia ter farejado a diferença.

— A vingança é minha! — Reed urrou, empurrando a lança através do coração do mago com uma força que rachou o chão debaixo dele.

O sangue borbulhou na boca do mago, mas ele sorriu. — E minha. — Explodiu em brasas incandescentes, deixando só uma pilha de cinzas em forma de corpo em torno da lança pontiaguda.

Reed olhou com a cara feia. Em seguida, cheirou a fumaça. Levantou os olhos na direção do corredor. Sombras dançavam nas paredes, denunciando labaredas.

— Eva.

Recolhendo as asas, ele se virou. Quando se aproximou da saída, a porta se abriu com força e Caim irrompeu.

— Onde ela está? — perguntou ao irmão.

Três guardas de Sara vinham atrás dele, seguidos por um grupo de Lobisomens. Sem dúvida, um era Charles Grimshaw, um dos líderes mais poderosos da alcateia.

— Onde estão os Tengus? — Reed perguntou. — É lá que Eva está.

Com um gesto de mão, Alec apontou para o sangue na camisa e no colete de Reed. — O que aconteceu com você?

— Isso — ele disse, apontando para as cinzas no chão. — Um mago.

A fumaça começou a vazar dos recintos dos fundos, alcançando o corredor como uma onda turbulenta.

— Malachai — Grimshaw disse. — Onde está meu filho?

— Vamos. Por ali — Reed afirmou, apontando para os fundos do prédio.

Os Lobisomens correram apressadamente em direção ao fogo.

Reed olhou para Caim. Houve um lampejo de compreensão nos olhos do irmão.

Juntos, eles saíram correndo atrás de Eva.

EVA SE AFASTOU COM CUIDADO do Nix que assumiu sua forma humana, mas continuou límpido como água. Ela tinha visto algo semelhante em um filme. *O segredo do abismo*, achava que era o nome. Deixou escapar uma risada. Estava enlouquecendo; estava ali, prestes a morrer, e pensava em um filme.

— Está mais quente em Las Vegas — o Nix murmurou.

Eva achou que suas palavras sairiam distorcidas por causa da água, mas soaram normais. Ao menos, tão normal quanto o inglês com sotaque alemão poderia soar.

— Por que eu me importaria com o tempo em Las Vegas? — Eva replicou, enfiando as mãos nos bolsos.

— Já viu o show aquático no Bellagio? É incrível. Você sempre sai com uma ideia. Hoje à noite, descobri onde você estava.

— Sorte sua.

— Mas nem tanta para você.

— Por quê?

— Faço o que me dizem — o Nix afirmou, sua metade inferior começando a girar como um turbilhão.

— O quê?

A porta se abriu. Eva suspirou de alívio e virou a cabeça achando que era Reed.Mas era o Lobisomem.

Ela sentiu o coração quase sair pela boca. *Reed. Você está bem?*

— Desculpe a interrupção — o garoto disse, sorrindo ironicamente. — Vou deixar vocês dois sozinhos.

— Seu merdinha! — Eva disse para ele.

Mas ele caiu fora, batendo a porta. Um segundo depois, um ruído surdo sugeriu que ele havia bloqueado a saída de alguma maneira.

O Nix riu e se aproximou de Eva. Ele estava brincando com ela. Eva sabia que ele poderia agarrá-la em um piscar de olhos, mas queria que ela se sentisse humilhada. Queria assustá-la antes de matá-la.

Eva recuou na direção do forno. Seu plano era fraco e, provavelmente, estava condenado ao fracasso, mas era tudo o que ela tinha. À medida que se aproximava, ficava mais quente. O Nix avançou na direção dela, sorrindo.

Eva tirou uma bolsinha do bolso, suplicando para que o forro plastificado estivesse intacto. Caso contrário, estaria ferrada.

— O que é isso? — o Nix perguntou, sua metade inferior girando com tanta agitação que dava a impressão de ser um *gênio*.

— Um presente para você.

— Hein?

Eva sentiu alívio ao rasgar o invólucro e achar o pó dentro. Não tinha umedecido. — Você gosta de cal?

— O quê?

Ela saltou para o lado do forno e o Nix se moveu para seu lado. Jogou o pó nele e a água ganhou uma cor esverdeada. O turbilhão perdeu velocidade, e o Nix se inclinou de forma precária. Rapidamente, Eva abriu outro invólucro e jogou o conteúdo nele. O Nix cambaleou na direção dela.

— O que você fez? — balbuciou.

Concentrando-se em sua superforça, Eva agarrou o Nix quando ele se inclinou. Ela o jogou sobre a esteira do forno e, em seguida, empurrou a forma inerte e semigelatinosa para dentro dele.

O Nix gritou e Eva observou, horrorizada. O piso começou a tremer e, em seguida, as paredes. Poeira caiu das vigas metálicas expostas. A empilhadeira saltava sobre o piso que vibrava com violência e a porta da sala dos Tengus saiu do lugar.

Eva agarrou o Marcado desacordado e o arrastou para a saída. Tentou abrir a porta, que não se moveu. Esmurrando-a, berrou por ajuda, tentando ser ouvida acima dos ganidos horríveis que emanavam do forno. Os Tengus correram na direção dela, em um agrupamento ruidoso.

— Socorro! — Eva gritava, esmurrando a porta. — Socorro!

De repente, a porta se abriu e ela caiu direto…

… nos braços de Alec.

— Vamos. Rápido — ele murmurou, puxando-a para fora. Então, ele pegou o Marcado e o colocou sobre seu ombro.

Reed saiu das sombras. Ele segurava o jovem Lobisomem pela nuca. Jogou-o na sala do forno e fechou a porta. Em seguida, pegou um pedaço de madeira e o escorou contra a porta, aprisionando o Lobisomem dentro.

Com o som das sirenes, Eva virou a cabeça e viu o showroom tomado pelas chamas.

— Os animais! — ela gritou, começando a correr. Foi agarrada pela cintura e contida. Lutou contra o domínio de Reed, mas ele era muito forte.

— Eva — ele disse. — É a vontade de Deus.

Mas ela não podia aceitar. Se Deus os amasse, jamais teria permitido que sofressem daquela maneira. Teria dado aos animais um pouco de conforto antes da morte. Em vez disse, Ele se acostumara a lhes dar esperança, para depois matá-los com crueldade.

— Temos de ir — Alec disse, correndo para um grupo de pessoas vestidas como o homem que carregava nas costas.

— Onde estão os Lobisomens? — ele perguntou quando alcançou aquele grupo de pessoas.

— Ainda dentro da fábrica — uma Marcada respondeu. Ela enfiou dois dedos na boca e assobiou.

Outro Marcado chegou correndo de um galpão. Quando parou diante deles, avisou: — Serão necessários vários dias para examinar todo o material lá dentro.

Um barulho tremendo veio do prédio do forno; o som de metal se expandindo e rasgando. Alec fez um gesto negativo com a cabeça. — Não temos mais tempo — ele disse. Olhou para Eva e perguntou: — O que você fez?

— Coloquei o Nix dentro do forno.

— Meu Deus! — a Marcada sussurrou.

— Merda — Alec murmurou. — Essa coisa vai explodir. Corram!

Atordoada, Eva correu atrás dele, na direção do carro. Conseguiram se afastar um quarteirão antes do forno explodir.

A bola de fogo foi vista a quilômetros de distância.

21

GADARA ANDAVA ATRÁS DE SUA MESA EM SEU ESCRITÓ-rio. De jeans e camisa branca, parecia bem-apessoado e tranquilo. No entanto, não estava nada tranquilo.

— Você é uma ameaça, senhorita Hollis — ele disse com raiva. — Não há outra palavra.

Da sua cadeira diante da mesa do arcanjo, Eva olhou primeiro para Alec, que estava sentado à sua esquerda e, em seguida, para Reed, à sua direita. Dois dias tinham se passado desde o incidente em Upland. O dia anterior fora apenas para recuperar o sono perdido. Aquele era o dia do ajuste de contas.

— Você nos disse para cuidar dos Tengus — Eva recordou. — Nós cuidamos.

— Destruindo uma unidade de ar-condicionado nova em folha e acabando com um Lexus personalizado — o arcanjo replicou. — Você não mencionou esses detalhes quando relatou os acontecimentos de alguns dias atrás.

— Pense em quanto os Tengus teriam custado a você no longo prazo — Alec sugeriu. — Economizamos seu dinheiro.

— E qual é o benefício do desastre em Upland? — Gadara questionou, de mau humor.

— Você disse para eu pôr as mãos na massa — Eva afirmou.

Gadara ficou calado, encarando-a com irritação. — Você explodiu um quarteirão inteiro da cidade!

— Não fui eu. Foi o Nix.

— A propósito, como conseguiu isso? — Reed perguntou, em tom coloquial. Como sempre, ele estava muito bem trajado e parecia divino.

— Gelatina em pó.

— Sério? Brilhante!

— Um acaso total. Não achei que funcionaria.

Alec estendeu a mão e pegou a dela. Estava usando calça de couro e camiseta. — Mas funcionou. Foi realmente brilhante.

Ele não disse que não tinha sido coincidência ela ter pegado gelatina em pó na loja de conveniência, mas ela sabia que ele estava pensando nisso.

— Com licença. — Gadara pôs as mãos sobre a mesa e se inclinou para frente. — Já acabaram com os elogios?

— Sabe, tenho a impressão de que você queria que a gente fracassasse — Eva afirmou.

— Ridículo — Gadara zombou. — Eu me beneficio com seu êxito, mas, nesse ritmo, vocês vão levar a empresa à falência.

— Tenho um plano — Eva disse. — Ficarei em casa pacientemente até o início do treinamento.

Levou um instante para o olhar furioso de Gadara se transformar em um sorriso relutante. — Começará na próxima semana.

— Hein? — Reed abandonou sua posição relaxada e endireitou-se. — É o turno de treinamento de quem?

— Meu.

Eva não deixou de notar a súbita tensão em Alec e Reed.

— Melhor eu do que Sara, não? — Gadara perguntou, encarando Reed.

Ele engoliu em seco. Alec fez um gesto negativo com a cabeça.

— Turno? — Eva perguntou.

— Os arcanjos dividem o treinamento em turnos — Alec explicou.

— Ah. — Eva olhou para Gadara.

— Sou o melhor — ele disse, modestamente.

266

Eva riu e disse: — Sem dúvida.

— Hank falou alguma coisa a respeito do material que Mariel trouxe da Geena? — Alec perguntou.

— Como a ideia da gelatina da senhorita Hollis, Hank disse que é brilhante — Gadara respondeu, sentando-se na cadeira. — Mas há algo faltando, e, levando em consideração que os criadores são magos, Hank tem certeza de que havia uma fórmula encantatória de algum tipo envolvida.

— Gostaria de saber quantas pessoas conhecem a fórmula — Reed afirmou.

— Não muitas. É o meu palpite — Gadara disse.

— É o meu também — Alec concordou. — Quanto mais rara fosse, maior valor teria para Malachai e sua mulher.

— Hank acha que era um feitiço de casal — Gadara prosseguiu, — Algo que um homem e uma mulher usariam juntos, para afetar o maior número possível de pessoas. Por nossas contas, diversos tipos de Demoníacos foram capazes de usar com sucesso.

— A menos que existissem diversos tipos de disfarces — Eva interveio.

Os três homens olharam para ela.

Ela deu de ombros. — É só uma suposição.

— Eu matei Malachai — Reed afirmou. — O resto do material foi destruído na explosão.

— A casa na Falcon Circle foi vasculhada e tudo de interesse foi removido. Há uma equipe investigando os diversos materiais que encontramos lá — Gadara informou.

— O Alfa talvez seja capaz de nos ajudar a encontrar a mulher — Reed sugeriu.

— Duvido — Alec afirmou com a expressão sombria. — Nós matamos o filho dele. Não será tão generoso.

— Se os avós não tivessem desencaminhado o garoto, provavelmente não teria atraído a nossa atenção. A culpa é deles.

— Tente falar isso para um pai enlutado — Eva afirmou. — Eles nem sempre conseguem pensar direito.

— Certo — Alec afirmou, apertando a mão dela.

— Mais alguma coisa? — Eva perguntou para Gadara.

Ele abriu a caixa de madeira sobre sua mesa e tirou um charuto. Eva queria saber o que fazia com eles, já que não fumava. Simplesmente os mordia até ficarem empapados? A ideia a repugnou e ela a repeliu.

O arcanjo a estudou e disse: — Está com pressa?

— Sim.

— Fique no alcance do radar — Gadara advertiu. — É para proteger você.

— Não se preocupe. Tenho um encontro com meu sofá e a primeira temporada de *Dexter* em DVD.

— Escolha estranha.

Eva ficou de pé e os três homens repetiram seu gesto. — Considerando minha vida? Você está brincando? É como assistir seriado juvenil.

Ela seguiu para o elevador. Alec a seguiu.

— Abel — Gadara disse. — Gostaria que você ficasse e revisasse seu relatório da morte de seu Marcado.

Reed fez que sim com a cabeça e voltou.

Já dentro do elevador, Eva se virou. Ela e Reed se entreolharam antes das portas se fecharem.

A piscadela de despedida dele a perseguiu durante todo o trajeto até sua casa.

UMA FITA AMARELA DA POLÍCIA e um adesivo de cena de crime lacravam a porta da sra. Basso. Eva não conseguiu deixar de olhar quando passaram. Alec colocou o braço em torno de seus ombros e a puxou para mais perto, oferecendo-lhe apoio.

— Isso é terrível de diversas maneiras — ela disse.

— Sinto muito, anjo.

— Eu a amava — Eva disse, esforçando-se para enfiar a chave na fechadura da porta. Era difícil enxergar através das lágrimas.

Alec pegou as chaves das mãos dela e destravou todas as fechaduras. Abriu a porta e, com um gesto, pediu que Eva entrasse.

— Eu a amava mesmo — Eva continuou, pondo sua bolsa Coach sobre o aparador onde mantinha o revólver. A porta de correr para a varanda estava aberta e uma brisa marinha adejava as cortinas transparentes, enfunando-as como velas de barco. — Muito. De algumas pessoas você só gosta um pouco, de outras, você só gosta em certas ocasiões, e de outras ainda, você só gosta quando estão bêbadas. Mas eu gostava dela de todos os jeitos e o tempo todo.

Alec a puxou e a abraçou com força.

Eva cerrou os punhos sobre a camiseta dele. — Vou sentir sua falta. E, provavelmente, vou odiar quem vier morar no apartamento dela.

— Não diga isso — Alec murmurou. — Dê uma chance a pessoa.

Eva esfregou seu rosto na camiseta dele, secando as lágrimas. — O que eu você fazer com você?

— Posso dar uma sugestão?

Inclinando-se para trás, Eva encontrou o olhar de Alec. — Quero dizer no geral.

Sua boca se curvou em um sorriso que fez Eva se arrepiar. — Claro que eu mudo para cá, anjo. Só estava esperando você pedir — Alec disse, sorrindo.

— Meu pai vai me matar.

— Isso vindo de uma garota que sobreviveu a um Tengu, um Nix e um Lobisomem em uma semana?

— Eles não me davam o gelo que meu pai pode dar, sabe? — Eva se afastou. — Quer dizer, ele fica em silêncio a maior parte do tempo, mas quando se irrita com alguma coisa, fica realmente em silêncio. Opressiva-mente em silêncio. Odeio isso. Me dá arrepios.

— Então, acho melhor eu partir para o plano B.

Ela franziu a testa. — Qual é o plano B?

— Mudar para o apartamento ao lado quando a polícia terminar o trabalho.

— O quê?

— É perfeito.

— É estranho.

— Ela era um senhora maravilhosa, anjo. Está com Deus agora. Não está zanzando por aí e se preocupando conosco.

A campainha tocou.

Os dois ficaram em silêncio. Alec franziu a sobrancelha. Eva fez um gesto negativo com a cabeça. Uma batida veio a seguir, em um ritmo irri-tante e impaciente.

— *Senhorita Hollis?*

Eva suspirou ao reconhecer a voz.

— *Somos nós, os detetives Ingram e Jones, do Departamento de Polícia de Anaheim. Gostaríamos de falar com você.*

Bufando, ela se dirigiu até a porta e a abriu. — Olá, detetives.

— Podemos entrar?

— Claro! — Eva disse. Ela estava vestida como uma executiva — saia, blusa e coque — por causa da reunião com Gadara. Naquele momento, ficara bastante contente por estar muito bem vestida.

Os dois policiais entraram e ela ficou impressionada mais uma vez com a dupla estranha que formavam. Um baixo e magro, o outro, alto e corpulento. No entanto, havia uma sinergia ali, revelando que trabalhavam juntos fazia um longo tempo.

— Querem café? — Eva perguntou.

— Com certeza — Jones disse, sisudo.

Eva conduziu o grupo para a cozinha e ligou a cafeteira. — O que traz vocês desta vez? — ela perguntou.

— Achamos uma florista local que se lembra de ter vendido flores de lótus em duas ocasiões para este homem — Ingram informou.

Eva olhou por cima do ombro. O investigador segurava um retrato falado. Geralmente, ela achava aqueles vistos nas séries de TV inúteis para a identificação, mas aquele era bom. Parecia bastante com o Nix. Ela pegou o jarro de água que estava sobre a pia.

— Você viu esse homem, senhorita Hollis? — Jones perguntou.

— Não. — A marca queimou.

— E você, senhor Caim?

— Não — Alec respondeu, dirigindo-se ao armário que continha as canecas.

— Não acredito em vocês — Ingram disse, sem meias palavras.

Eva suspirou e encheu o reservatório de água da cafeteira. — Sinto muito.

— Nós também. — Jones apoiou um pé sobre o trilho existente ao longo da parte inferior da bancada. — Veja, ou você e a senhora Basso receberam flores — que é o que achamos que aconteceu — ou outra mulher de Huntington Beach recebeu. As outras foram compradas em diversos lugares de Anaheim. Não queremos perder nosso tempo com você se há outra vítima lá fora.

O mal-estar de Eva era muito grande pelo fato de não poder falar. Ela era capaz de sentir a frustração dos investigadores e aquilo partia seu coração. Mas o que mais podia fazer? Falar a verdade não era uma opção.

Alec tirou o pacote de grãos de café da geladeira. — Viram as imagens das câmeras de segurança?

Quando ela pegou o pacote das mãos de Alec e despejou os grãos no moedor, suas mãos estavam firmes, embora tremesse por dentro.

— Vimos — Jones admitiu. — Esse homem visitou a senhora Basso.

— Mas não a senhorita Hollis — Alec completou.

Eva entendeu que ele tinha planejado aquilo e adulterado o vídeo. Ficou tanto grata quanto admirada.

Por alguns instantes, o barulho do moedor interrompeu a conversa. Em seguida, Eva encheu o filtro e ligou a cafeteira. Ela limpou as mãos em um pano de prato e encarou os dois investigadores.

— Realmente gostaria de poder ajudar — disse, gentil.

Ingram sorriu ironicamente e brincou com seu bigode. — Achamos que você pode nos ajudar, senhorita Hollis. Vai nos ver até termos certeza do contrário.

— Então, terei de estocar bastante café — Eva disse.

Alec tirou as canecas do armário e as colocou sobre a bancada. — Agora que as alfinetadas terminaram... Quem vai querer açúcar?

EVA ESTAVA DEITADA no sofá da sala de estar assistindo a *Wildest Police Videos* quando escutou uma batida na porta.

Pensou em ignorá-la. Aquele era o primeiro dia depois de três semanas de treinamento em que não se sentia como se tivesse sido atingida por um caminhão. Não queria nenhuma visita indesejada. Mesmo com sua capacidade de se recuperar rapidamente, o treinamento de combate de um Marcado era um trabalho duro e se estendia ao longo de seis dias da semana. Passara a gostar muito dos dias com treinamento só em sala de aula. E dos domingos, conhecidos de forma carinhosa como o "dia da vegetação".

A batida na porta voltou, mais alta.

Com um resmungo, Eva ficou de pé. Por hábito, parou diante do aparador ao lado da porta e pegou seu revólver. Em seguida, olhou pelo olho mágico. Alec estava ali, sorrindo.

— Anjo — ele chamou, naquele murmúrio delicado como veludo. — Sou eu. Seu adorável vizinho.

Depois de abrir a porta, Eva acenou para ele com a mão com a arma. Alec estava usando óculos escuros, camiseta, bermuda e *sex appeal*. Ninguém usava isso melhor.

Ele ergueu os óculos escuros e sorriu. — Em breve, você será mais mortal do que essa arma.

— Ainda gosto da sensação que ela me dá. — Eva ergueu a arma com reverência. — Pesada, sólida.

Com uma mão apoiada no batente da porta, Alec se inclinou. Eva observou, fascinada. Ele parou com a boca a milímetros da dela.

— Também tenho uma coisa pesada e sólida — ele murmurou, a respiração atingindo a boca dela. — Não quer montar nela?

— Isso é muito grosseiro — Eva respondeu baixinho. — Achei que fosse me excitar.

Alec a beijou. — Estava falando da minha moto, sua boba.

Eva fez um muxoxo.

— Quero levar você para passear — Alec disse. — Vamos nos divertir e relaxar um pouco.

— Podemos nos divertir aqui.

— E vamos. Mais tarde.

— O que há de errado em nos divertirmos agora?

Alec riu. — Por mais que eu adore transar com você — e você sabe que eu adoro — nunca tivemos um encontro.

— Um encontro? — Eva perguntou, surpresa.

— Sim. Você. Eu. Ao ar livre. No sol. Fazendo coisas juntos, em público, que não nos façam terminar presos.

— Que coisas?

Alec entrou no apartamento e tirou a arma da mão de Eva. — Estava pensando que podíamos dar um passeio pela costa, até San Diego. Está um dia lindo.

Ela o observou guardar o revólver no coldre acolchoado e fechá-lo com o zíper. Em seguida, ele o recolocou na gaveta.

Um encontro. Algo quente e indistinto se expandiu no peito dela.

— Vou me trocar.

— Não. Você está deliciosa com essa roupa.

Eva abaixou os olhos e viu seu traje: short e regata. Bastante inseguro para um passeio de motocicleta. Entretanto, existiam algumas vantagens em ser Marcado. Alec tinha reflexos sobre-humanos e seu corpo estava desenvolvido como um tanque blindado ou algo assim.

— Desligue a TV enquanto calço minhas botas - Eva pediu.

Alec agarrou o braço dela. — Use isto. — Ele apontou para as sandálias embaixo do aparador.

— Não são muito práticas para andar de moto — Eva afirmou.

— Deixe o espírito prático de lado. É domingo. Seu dia de folga.

Eva abriu a boca para protestar.

— Eu já disse como ficaram sexys essas florezinhas que você pintou nos dedões do pé? — Alec murmurou.

Calçando as sandálias, Eva perguntou: — O que há em San Diego?

— Seahawks contra Chargers.

— Isso é mais um encontro para rapazes — Eva provocou, sorrindo.

Alec pegou as chaves e os óculos escuros dela. Em seguida, puxou-a para o corredor e trancou a porta. — Vamos cuidar das partes femininas mais tarde.

APÊNDICE

OS SETE ARCANJOS

¹Estes são os nomes dos anjos que vigiam.

²Uriel, um dos santos anjos, o que preside sobre o clamor e o terror.

³Rafael, um dos santos anjos, o que preside sobre o espírito dos homens.

⁴Raguel, um dos santos anjos, o que assume a vingança em relação ao mundo e às luminárias.

⁵Miguel, um dos santos anjos, a saber, o que é nomeado para presidir a virtude da humanidade e comandar suas ações contra o caos.

⁶Saraquiel, um dos santos anjos, o que preside sobre os espíritos dos filhos dos homens que transgridem.

⁷Gabriel, um dos santos anjos, o que está acima do Paraíso, das serpentes e dos querubins.

⁸Remiel, um dos santos anjos, a quem Deus nomeou comandante daqueles que ascendem.

— *O livro de Enoque* 20,1-8

A HIERARQUIA CRISTÃ DOS ANJOS

Primeira Esfera — anjos que atuam como guardiões do trono de Deus
Serafins
Querubins
Tronos *(Erelim)*

Segunda Esfera — anjos que atuam como governadores
Dominações *(Hashmallim)*
Virtudes
Potestades

Terceira Esfera — anjos que atuam como mensageiros e soldados
Principados
Arcanjos
Anjos *(Malakhim)*

TRILHA SONORA RESUMIDA (SEQUÊNCIA NÃO ESPECÍFICA)

"Killing in the Name of", — Rage Against the Machine
"Blasphemous Rumors", — Depeche Mode
"California Love", — Tupac
"Carry on Wayward Son", — Kansas
"Dead or Alive", — Bon Jovi

Para mais, acesse www.sjday.net

Agradecimentos

AO DEPARTAMENTO DE ARTE DA TOR, SOBRETUDO SETH Lerner. Foram meses de trabalho dedicados à série *Marked*: ajustes na paginação, mudanças no projeto gráfico e diversas opções de capa... A quantidade de tempo e esforço investidos nas capas significou muito para mim.

À Melissa Frain, da Tor, à Nikki Duncan e à Joy Harris por amarem este livro e muitas vezes me estimularem a me apressar e terminar logo os outros dois, mantendo-me motivada durante a jornada.

À Denise McClain pelo *feedback* extremamente atencioso e útil.

À Jordan Summers, Shayla Black, Karin Tabke e Sasha White por estarem sempre disponíveis quando eu precisei de um ouvido amigo do outro lado da linha. Sou abençoada por ter amigas como vocês!

Ao Gary Tabke, pelas respostas as minhas perguntas referentes aos procedimentos policiais; todos os erros são de minha inteira responsabilidade.

Ao Frauke Spanuth, pelo brilhante trabalho de marketing e pela ajuda com a tradução do alemão.

À Tina Trevaskis, por sua honestidade e amizade.

E também à Nikola Tesla pelo rádio, pelo controle remoto e pelo motor de corrente alternada, sem os quais não teria sobrevivido enquanto escrevia este livro.

NOTA DA AUTORA

HÁ CERTOS PROJETOS NA CARREIRA DE UM ESCRITOR que são inspiradores. Sem dúvida, a série *Marked* em minha vida, é um deles. Eva surgiu para mim como Atenas, da mitologia grega, saindo de minha cabeça totalmente armada e pronta para a batalha. Em seguida, sua história se desenvolveu com base em acontecimentos aleatórios. Não tentei explicar porque eles ofereceram sugestões e saídas no exato momento em que precisei, mas sou grata por isso.

Os moradores de Huntington Beach e Anaheim vão perceber que tomei algumas liberdades em relação aos locais. A sorveteria ficcional *Henry's Ice Cream* está situada onde ficava a *Lorenzo's Pizza*, na esquina da *Cerritos* com a *Euclid*. Tanto a *Circle K* quanto a *Lorenzo's* não existem mais, e deixaram um vazio em minha vida que só os sanduíches de pastrami da *Lorenzo's* seriam capazes de preencher.

A *St. Mary's* descrita nesta série não se parece com a *St. Mary's by the Sea* real, que está situada em uma área distinta da cidade e é muito menor e mais velha. A minha *St. Mary's* se assemelha mais a *Saint Vincent de Paul* em aparência e localização, mas, de qualquer maneira, é ficcional.

Tomei outras liberdades em relação à minha amada cidade natal. As pessoas que moram por lá, irão reconhecê-las; os que não moram, não vão se importar. Em ambos os casos, espero que tenham gostado da história!

EM BREVE:

MARCA DA
DESTRUIÇÃO
LIVRO II

MARCA DO
CAOS
LIVRO III

E em breve nossa aposta nacional:

O GAROTO
-QUASE-
ATROPELADO

de Vinicius Grossos

ASSINE NOSSA NEWSLETTER E RECEBA INFORMAÇÕES DE TODOS OS LANÇAMENTOS

www.faroeditorial.com.br

ESTA OBRA FOI IMPRESSA PELA GRÁFICA PROL EM JUNHO DE 2015